臺灣歷史與文化 研究輯刊

十 編

第 18 冊

台灣客閩方言二十四節氣諺語之比較研究

陳珮君 著

臺灣閩南語傳統農具詞彙研究
——以新北市樹林區爲例

陳素雲 著

花木蘭文化出版社

國家圖書館出版品預行編目資料

台灣客閩方言二十四節氣諺語之比較研究　陳珮君 著／臺灣
閩南語傳統農具詞彙研究——以新北市樹林區為例　陳素雲
著 — 初版 — 新北市：花木蘭文化出版社，2016〔民 105〕
目 4+110 面／目 2+142 面；19×26 公分
（臺灣歷史與文化研究輯刊十編：第 18 冊）
ISBN 978-986-404-799-4 ／ 978-986-404-800-7（精裝）
1. 客語　2. 閩南語　3. 諺語／1. 閩南語　2. 詞彙
733.08　　　　　　　　　　　　　　105014947 ／ 105014948

ISBN-978-986-404-799-4

ISBN-978-986-404-800-7

9 789864 047994

9 789864 048007

臺灣歷史與文化研究輯刊

十　編　第十八冊　　ISBN：978-986-404-799-4 ／ 978-986-404-800-7

台灣客閩方言二十四節氣諺語之比較研究
臺灣閩南語傳統農具詞彙研究——以新北市樹林區爲例

作　　者　陳珮君／陳素雲
總 編 輯　杜潔祥
副總編輯　楊嘉樂
編　　輯　許郁翎、王筑　美術編輯　陳逸婷
出　　版　花木蘭文化出版社
社　　長　高小娟
聯絡地址　235 新北市中和區中安街七二號十三樓
　　　　　電話：02-2923-1455 ／傳眞：02-2923-1452
網　　址　http://www.huamulan.tw 信箱 hml810518@gmail.com
印　　刷　普羅文化出版廣告事業
初　　版　2016 年 9 月
全書字數　80148 字／83954 字
定　　價　十編 18 冊（精裝）台幣 36,000 元

台灣客閩方言二十四節氣諺語之比較研究

陳珮君　著

作者簡介

陳珮君，1985 年出生於新竹，2011 年畢業於國立高雄師範大學臺灣文化及語言研究所。自幼生長於客家家庭，母親是標準的傳統婦女，勤儉持家，並且諄諄教誨筆者一定要好好讀書，唯有這樣才能有一番出息，也算是完成她以前的心願，因此會選擇持續攻讀研究所，甚至論文的研究方向，皆受了母親很大的影響。在研究的過程中，筆者發現其實臺灣語言很有趣，但現在的年輕人普遍對於臺灣文化認知越來越低落，尤其在客家文化方面，與筆者同年齡的人已經甚少會講客語了，更別提時下九○年代或之後出生的年輕人；這是一件很令人擔憂的事情，因為客家文化、閩南文化與其他原住民文化等都是構成台灣歷史的重要因素，如果只是一味的接收外來新知但卻對於自己本國文化背景一知半解的話，未免本末倒置了，因此希望可以藉由諺語這種有趣的題材，讓大家能拾起對於臺灣文化的興趣。

提　　要

　　台灣早期即以農業發展而聞名，不論是採茶的客家人或是務農為主的閩南人族群，最初皆以開發農業活動為主，而「靠天吃飯」遂成為影響農業最大的條件之一。因此天氣的因素，對於從事農業活動的客閩族群而言最需克服的難關，長期以農業為主的生活型態，使得他們早已發展出一套自我的因應措施——關於二十四節氣諺語便應運而生。

　　諺語一直以來就是先人傳遞智慧給後人的最佳結晶，早期識字率不高的年代，諺語、歌謠以及歇後語等等，經過大家的口耳傳頌，竟也可以保留至今，二十四節氣諺語不但是先人生活智慧的結晶，由此也可以看出當中對於他們的意義，甚至是不同族群文化的豐富面。因此本文就以客閩兩種族群為例，探討二十四節氣諺語之於他們有何種意涵與影響。

　　全文共分為六個章節，第一章緒論，包含了研究動機、研究目的、研究方法以及研究範圍。第二章文獻探討，回顧前人的相關著作，分為專書、碩博士論文，以及期刊文章等研究。第三章討論客閩族群在臺的形成與發展，且與在地文化融合的現象。第四章則為台灣客閩節氣諺語分類研究，分為春、夏、秋、冬四時比較。第五章探討台灣客閩氣象諺語所展現的文化面貌與意涵。第六章則為結論。

目

次

1. 緒　論

1.1. 研究動機

　　台灣對於客家文化研究起步較晚，因此資料相對於閩南文化就顯得較爲
薄弱，但是近年來政府實施說母語政策，將母語納入中小學的鄉土課程，甚
至現在會說母語反而成爲求職的一種優勢，在這樣的環境之下，台灣閩客及
少數族群日漸受到重視，爲了可以將這些傳統文化延續下去，相關的研究和
調查就如雨後春筍般地一一出現。不同族群間最大的文化差異應當就屬語言
最爲明顯，因此很多人都可以從一個人說話的口音來判別對方是來自哪個地
方的人士。周榮杰先生說到：「凡是文化發展到某一階段的人類社會，人人在
日常生活中，都經常使用諺語〔註1〕。」

　　可見諺語是人類經過長時間的焠鍊，經由眾人的認可和傳述所遺留下來
的智慧結晶。諺語不但言簡意賅栩栩生動，還可增添說話內容的活潑與豐富
性，可以說是每個族群的文化精華之一。由於台灣是個多語族的社會，尤以
閩客兩族群爲大宗，加上筆者的母親是道地的客家人，而父親爲閩南人，基
於這樣的生長環境使筆者對於這兩種文化皆有所接觸，因此頗爲適合做此研
究。

　　台灣早期就以務農爲主，因此關於農諺部份相對所佔的比例也較多，而
在筆者蒐集資料的同時，發現關於台灣諺語的資料有限且分類較不明確，多
和俗語、歇後語相同並論，相關論文也多以研究單一族群爲主，因此筆者試

─────────────

〔註1〕周榮杰（1988.12）：〈台灣諺語的雙關〉，台南文化，第26期，39～57頁。

著嘗試將台灣閩客兩種族群來作比較，就同樣關於二十四節氣諺語來探究這兩種族群的歷史背景、價值觀、人生哲理與文化意涵。

1.2. 諺語的定義與界定

諺語是先民的結晶、具有文化的傳承性及富有音韻之美，自古以來關於諺語的研究一直都不曾間斷，也爲諺語下了許多定義，但是諺語的區別和歇後語、格言等相近用語分類並不明確，時常被歸爲同一類，尤其和俗語的界線更爲模糊，是最容易讓人相提並論。以下筆者就目前所收羅的資料，綜合說明對諺語的古今定義。以古書爲例：

> 許愼《說文解字》云：「諺，傳言也。」

> 清代的杜文瀾《古諺謠》凡例：「諺字從言，彥聲。……，蓋本係諺士之文言，顧又能傳世之常言。諺訓傳古，言者直言之謂，直言及徑言，徑言及捷言也。」

> 《禮記・大學》釋文說：「諺，俗語也。」

> 《漢書・五行志顏注》：「諺，俗所傳言也。」

> 《文心雕龍・書記篇》云：「諺，直言也。」

由此可知古人對於諺語的定義，應是眾人口耳相傳，具有極高的通俗性，並且勇敢直言。但也從中發現古人將諺語與俗語歸爲同類，認爲「俗就是諺」，這點近代學者則抱持著不同的觀點。

自民國以來，爲了傳承自我的文化，多虧許多學者對於諺語不遺餘力地研究，才有現今這麼豐富的資料供後人閱讀與參考。提到近代諺語的研究，貢獻最大的首推朱凡介先生，其畢生致力於諺語研究，在他的《中國諺語論》中不但對於諺語論述詳細，當中也提出他自己的看法：「諺語是風土民情語言，社會公道的議論，深具眾人的經驗和智慧，精闢簡白，喻說諷勸，雅俗共賞，流傳縱橫。」

呂自揚在《台灣民俗諺語析賞探源》自序中，認爲：「諺語是一民族或族群之經驗智慧的結晶，也是一個民族或族群之風土民情與思想信仰的縮影。」

周盤林 [註2] 將其定義爲：「諺語爲人類智慧及生活經驗所得之簡潔精鍊

〔註2〕周盤林（1975）：《中西諺語比較研究》，頁3，台北市，文史哲。

雅俗共賞之短語，有助於人群行為之指導而於口頭上廣泛流傳者。」

　　陳主顯（1997：25）：「諺語，流行在一般社會大眾之間，具有相當固定形式，現成的口頭語，並且含有完整的概念，用來表達特定族群，典型的社會經驗。」

　　鍾榮富（2004a：357）：「諺語是一個文化具體而微的展現，無論是生活型態、思考方式、年節禮俗、宗教信仰及語言精髓等等構成文化整個的各個層面，無不一一鮮活地融入了諺語之中，因此，要了解一個種族或民族的整個文化風貌，研究與了解諺語是最基本的入門。」

　　王松木（2004：74）：「諺語是『語言中的琥珀』。」

　　除了上述之外，周榮杰（1990.06）〈台灣諺語之社會觀的探討〉另外提出諺語產生的過程是經過動機、創意、造句、認可及傳述等五個步驟所發展出來的，認為不但是民族智慧的結晶，也是社會的共有文化財產。王勇衛〔註3〕從文化本體的角度，認為諺語包含著深厚的民俗文化氛圍和強烈的生活氣息，具有濃重的民俗美。

　　綜合以上古今的論述，諺語的定義應含有下列幾項特性：

　　1、為人類智慧的結晶。

　　2、為人類生活經驗的傳承。

　　3、具有普遍的通俗性。

　　4、琅琅上口具有音韻。

　　5、簡易卻具有豐富的內涵。

　　6、深具教化功能。

　　以下則進一步談論諺語界定的問題。上述筆者提到諺語的界定相當模糊，雖然起源很早，但是常與俗諺相同並論，因此為了確立諺語的地位，以下將和成語、格言、歇後語以及俗語來作一比較區別。

　　1、諺語與成語

　　兩者最大的區別在於語句的結構。成語多為四字以下的辭彙，且來源多自古代典故書籍，因書面性強所以多出自文人之手；諺語則多為四字以上的句子，取材多來自普羅大眾的生活經驗，口頭形式較強，結構也不似成語般固定。

〔註3〕王勇衛（2002）：〈諺語——一種民俗文化的審美形態〉摘要，福建省語言學
　　　會2002年學術年會。

2、諺語與格言

兩者最大的差異在於內涵指涉的差異性。格言的來源也多出自典籍，是可考證的書面語，內涵的指涉含蓄卻富有深刻的教育意義。但周盤林先生〔註4〕則認為兩者最大的不同在於諺語是先以口頭流傳後有始文字出現；而格言則是以文字書寫而流傳於後。

3、諺語與歇後語

兩者最大的不同在於形式組合結構與性質不同。針對這部份張復舜認為〔註5〕歇後語是由前半部（語面結構）加上後半部（語底結構）兩部分所構成的，前半部就好比謎語的謎面，而後半部則為謎底，具有活潑俏皮的特性。

4、諺語與俗語

這兩者是最難以區分的，這兩者在結構上皆具任意性、地域性及口頭流傳，但在潘昌文的《明清俗語研究》〔註6〕中提出其相異之處在於諺語具有含蓄性與多義性，且多為經驗的傳承。

另外林寬明在他的《台灣諺語的語言研究》〔註7〕中以六種特性來區別並以圖示說明台灣諺語與其他用語的差異。

表1-1　諺語與其它鄰近語類區別表

	諺　語	成　語	格　言	歇後語	歌　謠
完整性	＋	＋/－	＋	＋/－	＋
傳統性	＋	－	－	＋	＋/－
教示性	＋	＋/－	＋	－	＋/－
一般性	＋	＋/－	＋	＋	＋/－
口說性	＋	＋	＋	＋	－
娛樂性	－	－	－	＋	＋

（以上圖表參考自林寬明：1995）

以下就筆者所認知及參考上述各學者的描述，歸納整理並以圖表舉例

〔註4〕周盤林（1975）：《中西諺語比較研究》，頁5～15，台北市，文史哲。

〔註5〕張復舜（1999.02）：《台灣閩南語歇後語研究》，頁17～18，新竹師範學院台灣語言與語文教育研究所碩士論文。

〔註6〕潘昌文（1997.06）：《明清俗語研究》，中國文化大學中國文學研究所碩士班。

〔註7〕林寬明（1995.07）：《台灣諺語的語言研究1-1》，頁3：輔仁大學外國語文學院研究生論文選刊。

（華語）之：

表 1-2　諺語與其它語類舉例說明表

諺　語	爲人類生活經驗的傳承，並具有普遍的通俗性與教化功能。	種瓜得瓜，種豆得豆。 萬丈高樓平地起。 良言一句三冬暖，惡語傷人六月寒。
成　語	多爲四字以下的辭彙，結構性強且來源多自古代典故書籍。	指桑罵槐、畫龍點睛、栩栩如生…等。
格　言	格言的來源也多出自典籍，是可考證的書面語，內涵的指涉含蓄卻富有深刻的教育意義，並強調對世人的警誡。	富者多憂，貴者多險。 不經一番寒徹骨，怎得梅花撲鼻香。
歇後語	類似謎題與謎底的兩段式組合結構。	肉包子打狗 —— 有去無回。 八仙過海 —— 各顯神通。
俗　語	較缺乏經驗的傳承，意義也較淺顯易懂。	一樣米養百樣人。 有錢能使鬼推磨。

（以上圖表爲筆者自行整理）

　　以上圖表爲筆者自行整理之，總結以上所言，主要是爲了釐清諺語的界定，藉由與其他用語的區別來突顯諺語的特色與定位。

1.3. 研究方法

1.3.1. 研究方法

　　本篇論文主要是將台灣閩客族群關於二十四節氣的諺語來作比較研究，中國曆法歷時千年，傳入台灣也有四百年歷史，自古以來台灣的農民族群也發展了一套針對二十四節氣的因應之道。研究方法主要是藉由這兩個族群發展出來的二十四節氣諺語，從表面呈現的意義至探討其中更深層的文化意涵與欲傳達的教化功能，去作較有系統的分析比較與詮釋。

　　1、描述性敘述

　　先透過文獻書籍的整理，針對諺語的概念與界定作一分析，之後再對其語言功能、教化意義、實用性與傳承性加以描述說明。

　　2、比較分析法

探討台灣閩客兩種族群在社會上所處的地位與差異性，從表層的社會制度至心理價值觀與精神上的差異度，藉由兩種不同傳統文化的對比，尋找兩者關於節氣諺語所呈現出的社會風俗與文化內涵。

3、詮釋性分析法

藉由對於閩客諺語的理解，去詮釋其中的文化意涵與代表意義，針對兩個族群的文化背景、人生觀、價值觀、以及家庭倫理方面，從表面的物質至心理層面，經由相關的文獻資料與研究報告，作一分析與詮釋，期望可以探究其全貌。

4、文獻分析法

透過前人的相關著作與文獻資料，將可見的資料盡量歸納整理，包括單篇期刊、碩博士論文與報章雜誌等等。諺語收錄的原則以台灣地區閩客族群使用為主，至於歌謠及其他用語則不予收錄。

1.3.2. 研究範圍與限制

二十四節氣應農業生產需要而產生，早在戰國末期的《呂氏春秋》中就有按夏至計算始耕日期的記載，到了東漢《四民月令》中已廣泛用節氣定農時。之後歷代農書更廣為引用，作為決定農時的根據。元代《王禎農書》中還設計了一個《授時指掌活法之圖》，按二十四節氣、七十二候逐一編排農事，把二十四節氣從農業氣候曆發展為系統的農事曆。隨著農業的發展，各地按節氣編出大量的農諺、歌謠用以指導農業生產，成為中國農業氣象經驗的寶庫。現代農業氣象學興起以後，很多地區將二十四節氣與農業氣象資料相結合，編制農業氣候曆、農事曆或農事活動表，使古代經驗與現代科學技術結合，相互參照、補充，在現代農業生產中繼續發揮作用。

為了便於記憶，還有一首二十四節氣歌訣：春雨驚春清谷天，夏滿芒夏暑相連，秋處露秋寒霜降，冬雪雪冬小大寒〔註8〕。由於中國曆法的外傳，二十四節氣更已在世界各地廣為流傳。其中代表的意義如：

立春：立是開始的意思，春是蠢動，表示萬物開始有生氣，這一天是春天開始。

雨水：降雨開始，雨水將多。

〔註 8〕大紀元 http://www.epochtimes.com/b5/9/11/29/n2738122.htm。下載時間 2010 年
3 月 10 日。

驚蟄：春雷響動，驚動蟄伏地下冬眠的生物，它們將開始出土活動。

春分：這是春季九十天的中分點，這一天晝夜相等，所以古代曾稱春分秋分為晝夜分。

相關的諺語又如：

立春：立春逢甲子，家家有米煮。

雨水：雨水無雨二月暖。

驚蟄：驚蟄不凍，冷到芒種。

春分：春分有落雨，九十九日水淋漓。

雖然二十四節氣形成於黃河流域中下游地區，所以基本上反映了這個地區的農業生產季節和農業氣候特徵為主，在其他地區可能會有些誤差，但大致上都不脫「二十四節氣」的時序。本文研究限制以文獻分析為主，缺乏實際的田野調查，因此筆者研究範圍以目前可見的文獻資料，以台灣地區閩客族群使用的二十四節氣諺語為主，至於其他類型的諺語則有限採用，僅提供參考。

本文內容在閩南語方面主要採用參考陳主顯所著的《台灣俗諺語典》卷八、黃少廷編著的《台灣諺語》卷四、洪惟仁的《台灣哲諺典》、楊兆禎《閩南語諺語拾穗》；客語方面則採用徐運德所編的《客家諺語》、涂春景《聽算無窮漢——有韻的客家話俚諺 1500 則》以及《形象化客家俗語 1200 句》、楊兆禎的《客家諺語拾穗》、何石松的《客諺一百首》。這幾本專書所收羅的資料完備明確，加上標明語音與簡易的說明和例句，一目了然且淺顯易懂，因此筆者將這些諺語加以綜合整理，作為本文研究範圍的取材資料來源，其次，為了忠於原著，內容中的例句以及標音皆以原著為主。其中夾雜一些非台灣地區、歇後語或是俗語，因非本文研究範圍，故不採用。本文中客家諺語皆以所參考專書的文字為主。

1.3.3. 研究步驟與架構

本文全文分為六個章節，除第一章緒論之外，其他章節要點論述如下。

第二章主要為「文獻探討與回顧」，概述台灣客家與閩南兩大族群諺語的研究概況，從專書、碩博士論文及單篇期刊三方面去作探討。小結中談論從中獲得的研究方向與資料並檢視其優缺點，期許自我能彌補之缺失。

第三章為「台灣客閩族群的形成與發展」，主要是先從了解台灣客閩兩

族群的歷史背景，介紹他們遷移的過程及來台發展的現況及呈現這樣分布的原因，進而深入探討其諺語與文化，並且在遷徙來台之後的適應問題與逐漸發展出一套融合在地生活的文化。結語中整合第三章的描述，希望讀者可以從歷史的脈絡來了解閩客兩族群現今在台發展分佈的現況與原因，並且如何在異地中生存且爲了適應而發展出與在地融合的文化。

　　第四章「台灣客閩二十四節氣諺語的分類」，爲本文的重點，先介紹二十四節氣的緣由及意涵，分爲春夏秋冬四個時節，各分一小節作爲說明，列舉客閩諺語爲例，比較與解釋說明內容大意，從客閩諺語的氣象觀論及他們的人生觀與價值觀。結語將本章歸納總結及比較客閩二十四節氣諺語的差異，並自本章內容延伸至下一章，試圖從中說明兩者對於社會教化的功能，從民族性、家庭倫理與處世關係去探究其思想和功能。

　　第五章「台灣客閩氣象諺語展現的文化意涵」則是針對前一章做更進一步的說明，論及台灣客閩族群氣象諺語中，所呈現出來對於土地的熱愛、人畜共存的相處情形、敬天自然的精神、保健的養身之道、工作生活的影響、反映地域特性，以及與世代交替傳承的智慧。結語中除總結以上七項論述，也說明了雖爲不同的族群，但是自我的文化與精神都是經過一番困苦與焠鍊，經過一次又一次的挫折與調整，不但產生強大的凝聚力，也呈現堅毅的民族性。

　　第六章爲「結論」，主要爲將本論文作一總結，並提出建議與心得。

2. 文獻探討與回顧

　　本章節就前人對台灣客閩諺語所作的研究成果及文獻資料，以筆者目前所參考的書籍整理彙編，作一文獻的回顧。

2.1. 台灣客家諺語的研究概況

2.1.1. 專書方面

　　1965 至 1981 由謝新樹所編的《中原文化叢書》，總共分為七冊，客家諺語則散見於一、二、三、六、七冊中，大部分都具有簡要的釋義與典故的說明，內容豐富但也較為繁雜。1978 年陳運棟先生的《客家人》，內容不但探討客家民系的起源與演變、語言、文化，另外在第三章第四節中還收錄了客家諺語，類別相當豐富，包含衣食住行等等，但並未附上說明與註解是一可惜之處。1993 年徐運德編著的《新編客家話 —— 客家諺語》，當中所收錄的客家諺語多達一千四百條，將諺語歸為七類來說明，第八類則為歇後語，除簡單的解釋與標音之外，音標未標明體例是其缺點。

　　1995 鄧榮坤的《客家歌謠與俚語》內含少數俚語和俗語；次年又出版了《客家話順口溜》一書，1997 年出版的《客家話的智慧》，內容包含了諺語、俗語、俚語，且附有釋義說明及例句，可謂詳盡，但在編排的方式上較無系統，為一缺失。1999 楊兆禎的《客家諺語拾穗》由新竹縣立文化中心出版，較為特別的是作者採用田野調查的方式，不但收羅了客家諺語與歌謠，還有

師傅話，內容頗為豐富。惟文中雖以開頭筆劃畫分，但未標明音標是一缺點。1998 李盛發的《客家諺語、歇後語選集》與次年馮輝岳的《客家諺謠賞析》二書，似乎已將俗諺與唸謠視為同義詞了。

2002 年涂春景編著且自行出版的《聽算無窮漢——有韻客家話俚諺 1500 則》，此書的特點是以用「韻」的角度，由於諺語屬口傳文學，以韻的角度去分析，不但幫助記憶且易於流傳。又於次年《形象化客家俗語 1200 句》與何石松編著的《客諺一百首》同年出版，兩者皆為《客語教學叢書》之一，依諺語的開頭筆劃分為二十八個部份，收錄多達一千二百餘則，不但具有分析說明，也書末附上檢索表，是收錄客家諺語十分完整的著作之一；後者書中將所收錄的客諺分為五類說明，每則諺語皆附有解釋說明，且註有音標與標明體例，但未附有檢索表是一不便之處。

另外關於客家人來台奮鬥的歲月，劉還月《台灣的客家人》（2000）與邱彥貴、吳中杰著的《台灣客家地圖》（2001），兩本書皆對於移墾來台客家人的分布與歷史作一詳細介紹，並附上客家人的開墾路線與今日分布情況之圖片，不但對客家人駐留的各個縣市作重點說明，《台灣客家地圖》最後還將分別聚居北、中、南部的客家人，依其地域性、傳統性，加上與當地人事物的融合交流後，而發展出不同的客家文化與態度來作區分。

2.1.2. 碩博士論文方面

1999 年徐子晴的《客家諺語的取材和修辭研究》與楊冬英的《台灣客家諺語研究》，兩本論文對台灣客家諺語的研究頗為重要，除了相同具有諺語的解釋與定義外，前者是以修辭學的角度去分析客家諺語的活潑與美感，主要內容將取材分為五大類，依人物、動物、植物、器物、及歲時氣象五節分別論述之，對筆者的研究助益良多；後者除了文獻調查法之外，還採用了部份的田野調查法。另外針對諺語的形式結構、修辭技巧、用韻意義、文化特性與涵養都詳細論及。

2006 年熊姿婷的《台灣客家節氣諺語及其文化意涵研究》，內容較為特別的是作者後半部嘗試以務實的層面，提出台灣客家諺語數位化的保存與文化創意產業作結合，所呈現新的傳承與發展契機，由於前半部多為理論及研究成果的整理，較為缺乏作者個人的論述，是一遺憾之處。

2.1.3. 期刊方面

　　郭紹虞（1921）〈諺語的研究〉。針對諺語的功能及性質，來說明其在文學界的價值。藉由古代典籍對於諺語所得到的定義，在以反證的方式點出諺語的性質。

　　馬國凡（1960）〈諺語的特點〉。針對諺語本質作分析，依通俗性、階級性、以及民族性三個特點分別分段立論說明，最後再比較諺語與成語的區別。是篇較為簡短的文章。

　　練春招（1995）〈從客家諺語看客家的家庭觀與家庭制〉。此篇雖然為大陸的文章，所舉的例子與台灣不盡相同，但仍可提供參考之價值。內容從：香火綿續與男尊女卑、宗法倫理、生產與生活、家庭教育以及家庭變化等五項，從中分析並舉諺語的例子來作說明。

　　黃瑞枝（1998）〈客家諺語與教學之研討〉。為作者1998年在「台灣語言及其教學國際研討會」上所發表的文章，內容採歷史研究法，除了列舉數百則客家諺語，之後總結歸納出：強烈的家族意識、勤儉的樸實生活、耕讀的教育內涵、仁義的為人處事、勵志的敦品力學、謹慎的實踐語言等六大類。

　　鍾榮富（1999）〈談客家諺語的語言〉。作者在研究中發現，客家諺語的語言充滿了互動的況味，雖然語句間樸質又直接，與講求押韻、刻意經營的文學表達方法相差甚遠，但是兩者之間的張力卻又是那麼和諧與自然。

　　何石松（2000）〈客家諺語的淵源與分類〉。全文共分四大部分，除第一部分前言之外，分別論述客家諺語的淵源、客家諺語的內涵、亦即最後說明客家諺語就是儒家中道哲理、勇於進取的優美文化之一。在客家淵源部份，作者從源自經書典籍與民俗傳說兩類作說明；關於客家諺語內涵則以時令諺語、氣象諺語、哲理諺語、動物諺語、植物諺語、及地名諺語分別去作分析釋義。

　　何石松（2005）〈客家民間文學之美 —— 以諺語故事為例〉。內容主要舉諺語故事為例來描述客家民間文學之美。作者認為客家諺語是充滿智慧的民間文學，不但可以與世界文化接軌，根據前人累積的生活化與經驗還可以預測晴雨寒暖及水旱疾疫。之後描述客家的民間文學有著不偏不倚的和諧美以及仁民愛物的溫柔美，使充滿中道的民間文學。最後再舉諺語故事為例說明客家民間文學的豐富內涵。

溫珍琴（2005）〈從客家飲食諺語看客家文化的多元性〉。民以食為天，而對於具有多次遷移背景的客家人來說，生活更是以「尋食」為開端。因此關於「食」方面，客家方言用字頻繁，就連與人碰面都是以「吃飽沒」為打招呼的方式。因此作者就以此角度去探討客家文化。

2.2. 台灣閩南諺語的研究概況

關於台灣閩南諺語的研究相較客語而言則更為詳盡，以下就筆者所參考的書籍作一概說。

2.2.1. 專書方面

1975 吳瀛濤著的《台灣諺歌》內容含量豐富，包含了俚諺、農諺、弟子規、格言、歌謠、民謠、情歌、相褒歌、民歌、童謠……流行歌、教化歌、歷史故事歌、歇後語等等，共分為二十一大類，雖然內容較為繁雜，但還涵蓋了閩客語，可提供的資料相當豐富。1992 年周明德的《台灣風雨歲月：台灣的天氣諺語與氣象史》則是以氣象學的角度來切入分析；另外由商周出版，蕭新永著的《台灣諺語的管理智慧》與鄧東濱所著，誠正出版的同名著作《台灣諺語的管理智慧》，二本書同樣皆從管理學的角度切入剖析台灣諺語，前者重實用，將收錄的管理諺語分為：組織管理與制度、行銷與推銷管理、人事管理、理財管理等四類；後者則將統整篩選後的三百零二則管理諺語依代表性區分為：管理哲學、管理理念、管理技巧三大類。

呂自揚（1994）《台灣民俗諺語析賞探源》，則從為台灣諺語尋根探源的著作，討論該諺語的源頭及相關民俗，並附台語拼音與羅馬拼音。同年洪惟仁（1994）《台灣哲諺典》，內容將諺語分為天理、鬼神、命運、時令、及天候五篇，去看台灣人的宇宙觀、宗教觀、命運觀、氣象知識以及所表現出來的時令文化，文中諺語也注有 TLPA 音標方便閱讀。李赫（1995）的《台灣諺語的智慧》，為其舊作《台語的智慧》重新編排所印製。除了書名的更改外，《台灣諺語的智慧》多了音標的標示（TLPA），書末也附上 TLPA 台語音標總表供人學習。內容取材上較舊作自由且廣泛，還選取了一些英語、國語與台語相碰後所產生的有趣新台語。另外文中還將前人諺語意涵套用到現今社會上，顯現出先人的智慧。

1999 年許成章的《台灣諺語之存在》，內容同樣是放在諺語的解釋說明與音標記錄上，內容分〈台灣諺語賞析〉與〈台人口碑上的眾生相〉；其之後的著作《台灣諺語講義》一書，就表現技巧與修辭兩方面來賞析台灣諺語，全文分為十章，不但舉例解析，較為難懂生澀的生字也附上音標與註解。其次陳主顯（2005）的《台灣俗諺語典》，共分成十卷，將台灣諺語分成十類，每一類各成一卷，收錄的諺語高達五千二百餘句，除了標音與內容說明之外，另附有注釋及檢索表供讀者查詢，是台灣閩南諺語十分實用的參考書籍之一，其卷八〈天氣田園健康〉為筆者論文重點取材的專書之一。

另外一部堪稱中國諺語的巨著，由朱介凡先生親身投入搜集而成的《中華諺語志》，總共分為十冊，先依其諺語性質區分為人生、社會、行業、藝文、自然五大區塊，其下再分三十二大類，並又在細分一百五十七小類，小類下又有區別。收羅的諺語注重其文化背景、生活環境與歷史典故，舉例評述及說明流傳地區。雖然與台灣的閩、客諺語有所差別，但仍不失其參考價值。

2.2.2. 碩博士論文方面

1992 年紀東陽的《台灣諺語傳播思想初探》，特別以傳播學的角度，分析研究台灣諺語的傳播思想，其中還將台灣諺語分作語文與非語文兩種類別，分別論述兩者的傳播思想與意義。至 1994 年林寬明的《台灣諺語的語言研究》（A Linguistic Study of Taiwanese Proverbs），內容是以語言學的角度去研究台灣閩南諺語的語言現象，包含特徵與功能。次年簡正崇的《台灣閩南諺語研究》，在第二章中對於諺語的定義作一明確的界定，與其他鄰近用語作很詳細的區別說明，其收羅的資料相當豐富完整，內容主要是研究諺語的淵源與定義，以及台灣閩南諺語的內容形式和價值發展。

2000 年陳昌閔《台灣閩南諺語之社會教化功能研究》，認為諺語本身的文學性、民俗文化內涵以及社會教化的傳佈性，是構成庶民整體社會教化功能的文化價值系統，並比對大、小傳統的社會教化思想與功能的差異性，後半部則藉此文化系統深入探討先民諺語更深層的教化功能。2002 年陳瑞明《台灣閩南語諺謠研究》，內容包羅萬象，除了台灣閩南語諺謠外，具有趣味的歇後語、台灣民間唸謠、合樂可歌的民間歌謠、猜謎、民俗地方戲曲等

皆收羅在內。

2005 年黃庭芬《台灣閩客諺語的比較研究——從飲食諺語談閩客族群的文化與思維及其在國小鄉土語言教學的應用》，以分析閩客族群的飲食諺語為基礎，進而探討該兩族群的文化層面，從物質的觀察至心理層次，所呈現出來不同的文化風貌，同時從概念隱喻中去討論閩客族群的處世哲學以及在教學上的應用。另外 2008 年張燕玲的《台灣閩南諺語的認知語義學研究——以含有「鬼」的俗諺語為範圍》，作者特別運用認知語義學範疇化與概念化的觀點與運作，以語義學的角度去建構理解俗諺語的途徑，並且藉由與「鬼」相關的諺語，探討人類概念範疇的形成。

2.2.3. 期刊方面

潘孟鈴（1986）：〈由台灣俗諺看傳統社會的宗教思想特色〉。文章著重在民間信仰的特色上，將所收羅的通俗諺語歸納出：含有濃厚的天命思想、功利的色彩顯著、儒家提供倫理規範與人文主義觀念等三大特色。

周榮杰（1990）：〈台灣諺語之社會觀的探討〉，除了先前所提到作者認為諺語產生的過程是經過動機、創意、造句、認可及傳述等五個步驟所發展出來的之外，前三者屬於個人行為，後兩者則屬於社會行為，並且說到對於所描述的事物須是成句並理義完整的判斷，且時時生活在人民的實踐與意念中。內容主要從台灣諺語看台灣人的知足常樂、子女教養、社會教化功能與族群聚落互動情形等。

周榮杰（1991）：〈台灣諺語的對偶〉，以修辭的角度來分析台灣諺語，將台灣諺語的表現形式分為：造句簡短，整齊、音韻和諧、鋪張、造句戲謔、語多借音、語多雙關、比喻、歇後語、映襯、冠頭語、以及對偶等十一項。本文就針對台灣諺語的對偶辭來加以論述。1988 年作者另有〈台灣諺語的雙關〉，描述其雙關的表現形式。

何素花（2001）：《台灣諺語對婦女的規範》，從女性主義的角度去探討兩性之間的不平等，並舉台灣諺語為例，說明男尊女卑、好女不事二夫、須認命等不平等待遇。作者以淺顯的文字告誡男女的行為準則，並反映了部份的民間文化。最後則提到民間對於婦女的規範是和整個大時代息息相關的，從舉諺語的例子終究可以看出早期台灣婦女的地位。

2.3. 小　結

　　由以上可得知，台灣諺語意義所涵蓋的範圍之廣，從物質至心理層面，宗教觀、宇宙觀、人生觀、倫理道德等方面，皆有表達其義與教化之功能，因此唯有仰賴各個學者的努力與研究，才得以將先人博大精深的智慧傳承下去。

3. 台灣客閩的語言與族群

　　此章節主要就台灣客閩族群的歷史與起源作概略的介紹，並說明在台灣的形成、發展以及諺語與文化在地融合的現象。

3.1. 台灣客家族群的遷移與歷史

　　客家人又被稱之為「客人」，普遍被認為是漂流不定，從外地來的民族，甚至將客家人稱為「東方的猶太人」。客家人雖為中國漢民族分支之一，但相較於中華民族保守又守舊的思想，客家人不但樂觀進取，充滿革命性、積極及勤奮的態度，使得「客家精神」沿革至今仍為人所稱讚。當然這是有其源由的，也不免與其多次的遷移歷史背景有關。

3.1.1. 台灣客家族群的歷史

　　關於客家一詞的由來有許多說法，根據江運貴著、徐漢彬所譯的《客家與台灣》〔註1〕中，認為應是始見於唐代開元年間的戶口普查，之後才在《唐書》的〈食貨志〉及其後的史書紛而出現。而高宗熹〔註2〕則提到客家這一名詞源自宋朝製作戶籍的時候，並說明當時稱該地的土著為「主」，自此之後外地遷來的則稱為「客」，於是「客家」一說便於焉誕生。羅香林先生的《客家源流考》（1950）更將「客家」一詞探就於晉代的「給客制度」，與「客戶」相提並論，然而現今經由多位學者的研究與驗證，此說應是有誤的，但是仍

〔註 1〕江運貴著、徐漢彬譯（1996.09）：《客家與台灣》，常民文化事業股份有限公司。
〔註 2〕高宗熹編著（1997）：《客家人——東方的猶太人》，武陵出版有限公司。

有不少學者受此影響而支持此論點。

再來看西方學者對於「客家」的看法：

> 客家在字面上意指「賓客族」。一般而言，這是一項對移民客氣的指涉。但在特定的歷史文脈中，「客家」這個名稱表達對來自廣東東北部人們的輕蔑。在十九世紀與廣東人及福建人的宿怨中，客家被污稱爲「無根的流浪者」和「煽動群眾的山居貧農」。具體地說，廣東人和福建人把客家叫做「客匪」、「粗暴的外國人」和「野蠻的土人」。進入二十世紀後，習慣上根據其語言而確認爲「客家」的族群，拒絕這個名稱，認爲這種名稱貶損了他們的尊嚴。事實上，現代的學者覺得很難了解，「客家人爲甚麼竟然沒有用意指外國人以外的名稱來描摹自己。」〔註3〕

而較早出現介紹客家的是在 1910 年出版的《不列顛百科全書》，書中說到：

> 客家人有獨特的方言。客家婦女比純中國人漂亮，她們不纏足，可以在公共場合自由自在地活動。客家是一個很勤勞的群體⋯⋯。

在 1959 年出版的《大英百科全書》，內容對於客家的描述更爲完備：

> 客家人，他們是中國南部的民族，僅見於福建、台灣、廣西及海南島等地，其中又以廣東省揭陽縣爲根據地的嘉應州爲勢力中心⋯⋯他們不願向外族歸順，所以被後來統治中原的外族認爲是叛徒和異類，而他們也不斷向當權勢力作戰或製造麻煩。他們是高地人，他們的語言是一種中國古代的國語。⋯⋯中國南部許多最勇敢和剛毅的政治人物與將軍，都是客家人，他們是強烈的個人主義者：男人是勇敢的戰士，女人則是強健的勞動者。

1975 年在日本出版的《大漢和辭典》對於客家人的敘述：

> 客家是漢族的一支，分布在福建南部、江西南部等地⋯⋯西晉末年，他們爲了躲避北方異族入侵，以及後來的黃巢之亂等歷史事件而逐漸南遷⋯⋯。

1989 年在西班牙出版的《通用插圖百科全書》也有提到對客家人的介紹：

> 中國南方的種族，主要分布於廣西、廣東和福建，後由此分散到台

〔註 3〕Blake.C.Fred（1981）：《Ethnic Groups and Social Change in a Chinese Market Town》, P49-50. Honolulu:University Press of Hawaii.

　　灣、香港和海南……客家婦女姿色秀麗，不纏足，沒有藏在深閨不
　　識的病態。

　　由此可以知道當時外國人對於客人的外型、性格、歷史背景已有大部分
的了解。當中也體會到客家人的遷移不單只是消極的逃避，是經過一連串的
奮戰與鬥爭，直到別無他法，為了保家生存，才會做此選擇。

　　嘉慶十三年（1808 年），廣東惠州豐湖書院的徐旭曾先生，對當時不安
的社會局勢感到憂心，基於本是客家人的立場，為了讓學子們真正了解「客
家」的背景，於是請學子們將他的講述記下，後者稱此篇為《豐湖雜記》，
可說是首次公開發表的《客家人宣言》。〔註4〕筆者試著將內容歸納為以下幾
點：

1、「今日之客人，其先乃宋之中原衣冠舊族，忠義之後也。」內容開頭
　　就先說明客人之先人歷史源流的身分。

2、「迨元兵大舉南下，宋帝輾轉播遷……百姓亦多舉族相隨。……沿途
　　據險與元兵對戰，或徒手與元兵搏，全家覆滅、全族覆滅者，殆如恆
　　河沙數。」由此得知客人的愛國精神及勇敢不畏懼死亡的態度。

3、「客人以耕讀為本，家雖貧亦必令其子弟讀書，鮮有不識字、不知稼
　　穡者。」說明客家人重視讀書，就算貧苦，也會想辦法供孩子念書，
　　因此少有不識字且不知農事者。

4、「客人多精技擊，傳自少林真派。每至冬月農暇，相率練習拳腳、刀
　　劍、茅挺之術。」可見客家人不是愚勇，而是有得自少林真傳，訓練
　　有素的部隊。

5、「客人婦女，其先亦纏足者。自經國變，始知纏足之害。」之後不論
　　窮困或富足，客家婦女皆以纏足為戒。又者「凡耕種、樵牧、井臼
　　……紡織、縫紉之事，皆一身而兼之。……又客人之婦女，未有為
　　娼妓者，雖曰禮教自持，亦由其勤儉族以自立也。」前者可知客家
　　婦女的才幹與勤奮，後者可見客家婦女堅守禮教，可以稱得上是中
　　國婦女的典範。

6、「客人之風俗儉勤樸厚，故其人崇禮讓，重廉恥，習勞耐苦，質而有
　　文。」說明客家人忠實地傳承了中國儒家傳統文化的美德。

7、「客人語言，雖與內地各行省小有不同，而其讀書之音則甚正。」這

〔註4〕蕭平（2002）：《客家人》，成都地圖出版社出版，頁24～29。

邊則是爲稱讚客家人的語言爲中原正音。

此篇內容雖然只有短短一千餘字，但是娓娓道來客人的歷史背景、風俗文化及語言，清晰精確地敘述，讓大家對於客人又得到更深一層地了解。

可見大家所熟知的客家人，應是屬中原北方民族的一支，黃河博大寬廣的搖籃不但孕育了中華民族，也培育了客家民系。但江運貴著、徐漢彬所譯的《客家與台灣》〔註5〕卻大膽的推翻此論點：

> 根據最新的科學發現，本書將超越了所謂客家起源在中國北方傳統
> 解釋，而涵蓋更廣闊的議題。

> 第一篇簡明地敘述「客家」用語的定義，並研究在中國少數民族的
> 活動範圍和他們眞正的起源。明確地描述並討論客家人的困境和身
> 分。他們的起源地頗受爭議，但是根據最新的研究報告指出，他們
> 是帶有蒙古血統的民族，從亞洲中部大草原到全世界各地。

客家的源流一直無法有個確定的界說，謝重光先生認爲「客家」應是一個文化的概念，而非種族的概念〔註6〕。但可以確定的是，也因之後的天災及戰亂、外敵的入侵，迫使他們離鄉背景，多次舉家南遷，共同相處生活在贛閩粵地區，以自我的經濟文化優勢，不但同化當地並融合，形成現今的新型文化，有別以往傳統漢民族的舊有文化，至此客家民系才得以產生。

3.1.2. 台灣客家族群遷移過程

我們可以從史料中發現，其實客家人來台時間並不比漳、泉福佬人晚，《台灣客家地圖》一書中也提到〔註7〕：

> 據德國史學家 Riess 研究荷蘭史料後發現，荷蘭人剛來台灣與原住
> 民溝通時，大多是由客家人居間翻譯的。且因爲來台甚早，所以他
> 們講的客家話，已混合了台灣原住民說的南島語。……由荷蘭人殖
> 民印尼的紀錄中看來，客家人沒有缺席，因爲荷蘭人雇用許多客家
> 的技術性農工籍以開墾該地。因此，可能荷蘭人也同樣帶了一批客
> 屬農工來台。

〔註 5〕江運貴著、徐漢彬譯（1996.09）：《客家與台灣》，常民文化事業股份有限公司，頁 16～17。

〔註 6〕謝重光（1999）：《客家源流新探》，武陵出版有限公司，頁 35。

〔註 7〕邱彥貴、吳中杰（2001.05）：《台灣客家地圖》，台北：貓頭鷹出版社，頁 29。

因此對於大部分認爲客家人比閩南人較晚來台的說法，其實應是有待商榷的。康熙二十三年（1684）時，終止了實行多年的遷界政策，恢復發展沿海邊界並開放海禁，因此開放之初，居住在沿岸的漳州、泉州、汀州、惠州、潮州的福佬人與客家人紛紛渡海來台，引起了一股移民至台灣的高潮。但隨後因施琅擔任福建水師提督，爲了防範盜匪，開始嚴格執行渡海禁令，主要內容有三項：

1、欲渡海來台者，須先給原籍地方之照單，並且必須經過嚴格的審核。

2、渡台者不准攜家帶眷，也不得接眷。

3、因廣東之地屢爲海盜根據地，認爲積習未改，因此禁止其居民來台。

由於這三項規定減少了渡台的居民，雖然嚴格執行，但是對於閩省居民只是加強管制，因此仍可憑照渡台，相對於粵省的居民卻是一律禁止，也由於此緣故，使得福佬人在此時期優先佔得了渡海來台的時機，不但數量大大超過了客家人，也搶得了台灣西部沿海及平原的居住地。

自古時期，客家人就好比遊牧民族，爲了生產，從北到南不斷地遷徙，因爲各個時期的政治動亂、人口壓力的暴漲、加上生活地貧困，迫使他們只能不停地從這個地方移至另一個地方，沒有固定的歸宿讓他們只能更加團結，珍惜家族的關係與朋友間彼此的友誼。因此爲了尋找理想的新園地，可以自給自足、保衛家人，歷史上記載著持續兩千年的遷徙熱浪，而最爲人熟知且爲學者們所研究的則有五次。

1、第一次的大遷徙發生在秦始皇統一時期

爲了防止北方匈奴入侵，開始建造第一座長城，但仍是無法確實阻隔匈奴來犯，因此在西元前二一四年的時候，完成了萬里長城。之後又爲了防止南蠻的侵犯，在南嶺粵邊境駐守了五十萬大軍。秦始皇的暴政嚴苛，占領之處皆民不聊生，爲了加強控制，迫使無數的百姓四處遷移、流離失所。這時候的客人也被迫遷往長江以南、河南、安徽一帶。

2、第二次遷徙發生在晉朝五胡亂華時期

因漢朝的滅亡，時勢正處於四分五裂時期，這時引來胡人的侵犯，五胡亂華，時局更加動盪不安，因而促使了第二次遷徙。山西、河北、河南一帶的人，紛紛渡過黃河，轉往江西北部及福建邊境。

3、第三次遷徙發生在唐朝黃巢之亂時期

在唐朝初期，大部的客人處在福建山區避難，但隨後的黃巢作亂、藩鎮割據，不但幾乎毀壞了大部分文物，經濟大幅衰退，首都長安也難以倖免，因此誘發了第三次的遷徙，這時期的客人多遷往江西西部、福建南部及廣東東部與北部。

4、第四次遷徙發生在元明時期

元朝建立之後，客家人仍持續逃亡，大至遷往今廣東省梅縣，直至元朝滅亡後，廣東省東北部大多被客家人所盤據，甚至散佈到廣西與海外，也為客家遷徙的轉捩點時期。明朝更是客家人向外移民的重要時期，不但深入四川、雲南等邊陲地區，更跨足到了海南島及台灣。

5、第五次遷徙發生於十八世紀

由於清廷廢除了移民禁令，荷蘭人大大鼓勵中國人移墾至印尼群島，於是沿海的許多客家人紛紛移至印尼、台灣、婆羅洲、以及越南，遍及了東南亞等地。來自廣東省梅縣的羅芳伯更在西婆羅洲，西元一七七七年創建了「蘭芳大統制」，成為亞洲的第一個民主共和國。但是到了十九世紀，廣東客家人口的斷增加，加上太平天國事件，客家人與當地人發生了一連串的衝突，彼此敵對又無法達成共識，造成人民困苦不安，只好離開尋找更好的樂土。

由此可以知道客家族群及客家精神並非是一朝一夕形成的，而是歷經了多少的苦難和遭遇了多少次的動盪局勢，不是為了逃避而遷徙，而是為了持續的奮戰及保衛家人，不畏艱苦、無懼困難，以及堅強忍耐的精神，因為這樣的歷史背景，才出現了這樣令人敬佩的客家精神。

3.1.3. 台灣客家族群分佈現況

由以上敘述我們可以得知，客人移民至台灣大多為明清時期。台灣及海南島的客家人可以說是漢族最早期的移民，而現在客人佔台灣人口的比例也高達百分之十五，尤其在較為偏僻的鄉村更具有其廣大的勢力。接下來，下面將大致介紹在台客家族群的分佈及發展。

根據《台灣的客家人》〔註8〕書中敘述，依當時的文獻記載，客人大量東移台灣，大致為康熙二十年代之後的事。直到康熙三十年代之後，首批來台的嘉應四屬客家人因已無地可以開墾，於是便南下移至高屏溪及東港流域墾

〔註8〕陳運棟（1989）：《台灣的客家人》，台北：臺原出版社。

居。之後隨之而來的鄉親接踵而至，有的採官方門道，有的則偷渡來台，到達現今的高雄港、鳳山港等等，爲客家人最早期來台的路線。

這批來台的客家人，因爲台灣墾地北移的關係，因此他們移往的路線也逐漸北移，在到達各個港口之後，分別前往其他地區墾居。陳運棟《台灣的客家人》〔註9〕書中就依其到達港口及分區開墾的路線作一詳細的介紹。爲了方便閱讀，筆者在這邊以表格的方式呈現：

表3-1　客家人來台登陸港口與開墾區域表

登 陸 港 口	前 往 墾 居 地 點
鹿仔港、草港、水裏港等港口。	彰化、雲林、南投、台中等地區。
崩山港、大安溪口等港口。	大甲溪上游的貓霧捒所屬的部分區域，如：東勢角、石崗、社寮、新社、水底寮、及潭子鄉等地區。
房裏溪口、吞霄溪口等港口。	今苗栗縣的苑裏、房裏、通霄、及白沙墩等地區。
後壠港。	內陸的苗栗、頭屋等地區。
中港及其附近。	今新竹的香山鄉、或苗栗縣頭份鎮等地區。
竹塹港。	今新竹市附近地區，部份轉向內陸的新埔、湖口等地區。
紅毛港。	今新竹縣新豐鄉及其內陸鄉鎮。
南崁港。	今桃園縣南崁、竹圍及其內陸地區。
淡水河口八里坌。	沿淡水河上溯至台北縣新莊鎮等地區，擴及整個台北盆地。後來部分因閩粵械鬥隨後轉往桃園地區發展。
雞籠港、基隆河至汐止。	新北市石門、瑞芳、雙溪等地區。之後也因閩粵械鬥，部分移至桃園等地開墾。

（以上圖表爲筆者參考陳運棟：1989《台灣的客家人》整理之）

渡海來台的客家先民，經過了長期的開墾與打拼，足跡可以說是遍佈台灣，其規模有大有小，包含保持客家傳統的六堆地區，爲台灣南部地區客家人必定會談到的區域，再來就是因環境發展逐漸商業化的中部地區，包含了嘉義、彰化平原、斗六地區，直至與福佬人漸趨融合共生的北部區域：包括桃竹苗與大台北區域及北海岸等等。因爲來台時間點的差異及墾居地的不同，各地區的文化、族群、腔調與習俗也有所改變。以下筆者就依《台灣客

〔註9〕陳運棟（1989）：《台灣的客家人》，台北：臺原出版社，頁99～100。

家地圖》〔註 10〕與《台灣的客家人》〔註 11〕兩本書之敘述，為台灣地區客家族群的分布，作一概述：

1、北部地區

台北盆地四周的區域，應為北部客家人最早入墾的地方，自北海岸開始，包含淡水、三芝、石門一帶，這裡的客家移民主要來自福建西南部的汀州府。而人數最多為永定縣，並以江姓為最多數。從現今台北縣的新莊、泰山、五股等地區，可以看出另外一批汀州與其他客屬的足跡。除了台北盆地周圍也有些少量的客家人分布外，沿著大漢溪而上，樹林、鶯歌、土城與三峽也有其蹤影。因為十九世紀的分類械鬥，面對勢力逐漸擴大的福佬人，在無法與之抗衡的環境下，使得許多客家人選擇南遷桃園等地區，並在桃竹苗區域匯集，使桃竹苗成為台灣規模最大的客家地區。而蘭陽平原也是到處可以發現客人的蹤跡。

2、桃園地區

桃園中壢市在清初三代時期，就有客家人入墾的身影，之後更發展成為北部最重要的商市街，可惜的是到了二十世紀末，卻只剩下半個中壢市為客家人的聚居地了。與中壢相連的平鎮市，繁榮景象不相上下，最早入墾平鎮的客家人，始於清康熙末年，中國廣東陸豐客家人葉奕明等人先看中這片土地，到了清乾隆九年（1744 年），中國廣東梅縣的客家人宋富麟、宋高麟兩兄弟，加上其宋氏族親來墾，使得當地的開墾到達顛峰，直至清乾隆末年，聚居在這的客家人越來越多，漸趨發展為一個重要的客家聚落。此外，位於中壢邊緣的龍潭鄉，是保有客家文化最多的地方，歸功於地方的出身人士積極推廣相關的客家文化活動，加上關心客家文化的人士頗多，例如鍾肇政先生就住在此街，由此可以看出龍潭人對於客家文化的重視，其中龍潭鄉還有最具代表性的客家史蹟——聖蹟亭，為台灣規模最大也最美麗的聖蹟亭。在桃園南邊的楊梅鎮，初墾以清康熙四十七年（1708 年）中國廣東五華客家人古楊基、古厚基、及古尾基三兄弟入墾為先，但是後來一度受到凱達格蘭的平埔族人的阻礙而無法進一步發展，至清乾隆年間，隨後而來中國廣東梅縣與陸豐的客家人相繼入墾，如此下來，楊梅地區的開墾才算完成。另外，在觀音、以及其南邊的新屋鄉，也有客家人入墾的蹤跡及聚落。

〔註10〕邱彥貴、吳中杰（2001）:《台灣客家地圖》，台北：貓頭鷹出版社，頁 36～63。

〔註11〕劉還月（2000）:《台灣的客家人》，台北：常民文化事業股份有限公司。

3、新竹地區

清雍正八年（1730 年），「陸豐人黃海元、張附春二人，入墾竹塹城東之地今新竹市復中、三民二里（昔稱東勢庄）」〔註12〕，由此可看出雖然新竹市開墾的主要人物大都爲福佬人，但也有少數地方與客家人有關，另外二次大戰後，客家人最早入墾的地方，就是現建爲新竹科學園區的所在地，而初墾的人就是竹北的林家。在古賢里也有不少客家人在此建立家園，並以務農爲主。毫無疑問的，新竹縣可以說是客家人的大本營，除了五峰鄉外，其他皆爲客家人的聚居地，重要的地方包括北埔、竹東、關西、新埔、湖口等地，其中北埔更是與當地原住民發生了多次激烈的戰役，才成功得以入墾，甚至到峨眉、寶山一帶。關於客家人大舉移入竹北，在竹北眞正奠定基業的地方，就屬六張犁了。這個距離竹北市東南方三、四公里的地方，雖在清乾隆初年有福佬人入墾的蹤跡，也有平埔族人建立的東興社，但是規模都不大，直到清乾隆十七年（1752 年），中國廣東饒平的林欽堂、林孫彰，再率同林居震、林先坤等人，從毫港登陸後，決定在此開墾，不但在六張犁開鑿了水圳，灌溉荒埔，又隨後邀請中國的林孫服、林孫檀等人前來拓展事業，清乾隆三十一年（1766 年），更正式建立林家祠，奠定了林家百年家業的基礎。另外舊稱樹杞林的竹東，原本也是原住民的居住地，清道光二十三年（1843 年），福、客兩籍組成金惠成墾殖團，率領中國廣東陸豐、大埔、饒平、嘉應等籍的客家人來此進行大規模的開墾，1921 年後因位於新竹之東，而改爲竹東。昔日舊名爲咸荣硼的關西，茶葉與柑橘是其最重要的農作物，與土地肥沃的湖口，皆爲客家人入墾並定居的主要地方。

4、苗栗地區

苗栗同樣也是北部客家人的聚居地之一，因爲地形關係，素有「山城」之稱。在漢人尚未入墾以前，苗栗的沿海地區原本爲平埔族的道卡斯族部落所居住，但清康熙二十二年（1683 年）隨著施琅攻打台灣，結束了明鄭時期，台灣進入清領時代後，苗栗被歸爲諸羅縣所管轄，也就爲福佬人與客家人的入墾打開了大門。較早入墾的福佬人，先占領了沿海地區，包括今日的竹南鎮、後龍鎮、西湖鄉、苗栗市、通霄鎮、苑裡鎮等鄉鎮；而遲來的客家人只好往較偏遠的山區、丘陵地發展，包含頭份鎮、頭屋鄉、三義鄉、銅鑼鄉、

〔註12〕洪敏麟編著（1983）：《台灣舊地名之沿革第二冊》，台中：台灣省文獻委員會，
　　　頁 90。

公館鄉、大湖鄉、卓蘭鎮以及獅潭鄉等地方。

5、中部地區

台中部區的客家人，自移民之初，所分佈的範圍包含台中縣的清水、神岡、豐原、潭子，以及台中市的南屯區一帶。來自廣東潮州府大埔縣的張達京，娶了巴則海頭目的姑姑，並協助巴則海頭目開鑿了多條的水圳，使台中盆地得以生產大量的水稻。從中取得土地並從閩粵招募佃農，多年之後成為台灣中部的首富。由於他為大埔縣人，因此招募同鄉的佃戶就特別多，如此一來，讓台中的豐原、東勢地區成為全台大埔客家移民分布最廣也最為密集的地區。但清中葉後，閩客族群的械鬥，加上受到福佬人不斷移入墾居的壓力，寡不敵眾的客人因無法保有優勢，僅能守住豐原以東的山區，之後大部分客家人轉往內山遷移，現今要尋訪中部客家人的聚落，可能就只能在台中的新社、石岡、東勢以及南投的一些偏遠山區了。至於台中盆地與其周邊的地區則漸漸為福佬人所佔據。

6、彰化地區

在濁水溪北岸的彰化平原一帶，也曾經有過客家人的蹤跡，從一群來自廣東饒平北部貧瘠山區的客家人，深信可以憑著堅忍的意力克服環境，後來果然成為這一帶的渡台祖。彰化縣的坤頭、員林、和美、田尾……等等，皆為客家人入墾過的區域，此外，被譽為中部客家人所共同信仰的荷婆崙三山國王廟，就為於溪湖鄉。在彰化縣永靖地方，可以從其堂號與宗祠看出與客家的關聯，其中以邱、陳、詹、劉等姓氏為最多，邱氏宗祠敦睦堂，主要祭祀的祖先就是「開饒始祖」邱休，饒意指饒平之意。隨著八堡圳與十五庄圳灌溉系統的實施，吸引陸續前來以饒平為主的同鄉，於是在南彰化平原誕生了許多的客家村落。而至今員林鎮內的第一大姓仍為饒平張氏。

7、雲林地區

客家人在雲林縣主要的聚居地，是位於濁水溪南岸的崙背與西螺等地，這些客家人大多來自中國福建詔安的客家人，因此，又被稱作「詔安客」。關於雲林地區的客家人，歷史紀載並不多，其中也無法提供關於客家人入墾的時間、人數以及地點範圍，但是可以知道的是，位於西螺地區的客家人，主要以廖姓人家為主，在清康熙四十年（1701 年），為中國福建詔安的客家人廖為見帶領族親渡海來台，在濁水溪口登岸後，在二崙與西螺間開墾闢地，歷經多年之後，因家族逐漸龐大，為了增加開墾及發展勢力，將祭祀區

域分作七股，也稱七欠，而後又更改爲七嵌，又稱作七崁。在西螺地區三百年的詔安客家，不但與附近平埔族和平相處，與廣興、七座屋等地的饒平客家也相處融洽，並且還接受了饒平移民的三山國王信仰。在清代時期西螺地區其實治安並不隱定，常有敵人自山區來騷擾，因此習武練拳之風氣在此地區的詔安客庄特別興盛。往南以下在斗六附近也可以看到廣東移民的聚落。在雲林縣的大埤鄉內，虎尾溪與北港溪的匯流口附近，有座太和街三山國王廟，俗稱「新街」，爲雲嘉兩縣最大的客屬地區及族群標誌。此外，在雲林縣境內，還明顯與客家人有關的地方，應該就是大埤鄉、元長鄉以及東勢鄉了。

8、嘉義平原

在台灣中部地區的客家人，開墾地方遍佈了西部平原，從八掌溪以北，北至大安溪南岸，多少都有客家人入墾的跡象。在八掌溪到朴子溪之間，比較明顯的記載在《嘉義管內采訪冊》中：「三山國王廟，在大莆林街中，崇祀三山國王，道光元年捐民財建立。」大莆林後來則改爲嘉義縣的大林鎮。另外，梅仔坑庄是在梅山地區我們還可以找到客家人初墾的庄頭，圳頭庄也有中國潮州府饒平客家人與汀州府永定人廖進生初墾的記錄，大草埔、大半天寮也爲中國福建漳州詔安客所開墾的地方。在嘉義平原中要找尋客家人的據點，應屬於嘉義市成仁街的廣寧宮了，這間三山國王古廟，是先民渡海來台時，直接從中國分香而來的，可惜雖然歷史悠久，但因敵不過福佬客的大量遷入，加上廟的掌權人一再易人，現今已沒落，與之前模樣相差甚遠。隨後建立於 1960 年的義民廟，就成爲嘉義市客家人的主要寄託，義民爺信仰的原始始於日本時代，自新竹地區移民到大埔、中埔的客家人，爲了祈求外出與開墾平安，而從新埔義民廟分香而來的，當時雖然只屬個人私祀，但因之後客家移民越來越多，附近的嘉義市、水上、太保、甚至朴子等地，都湧入大量的客家移民，因此二次大戰之後，地方人士協議建立「廣東同鄉會」，直至二十世紀末，才爲褒忠義民廟所取代。和嘉義相鄰的中埔鄉，很可能是散居客家人最多的地區，在水上鄉的東邊，有許多村落和中埔相鄰，其中村落裡不少都是客家人，聚居較多的爲三界埔和牛稠埔。建立於清代的三山國王廟，在嘉義縣就有十座之多，其中與客家移民較有關係的皆分佈於太保市、鹿草鄉以及新港鎮。此外，在北港溪岸的沖積地也可以發現一些客家人的蹤跡。

9、高屏地區

一提到台灣南部客家族群，一定就會聯想到六堆——爲台灣歷史上最悠久的客庄。「堆」是取自「隊」的近音，暗指如同爲保衛國家的軍隊。六堆應是屬台灣南部客家人口，範圍最廣、人口最多、保存客家文化最良好的地區。關於其最初發跡地的說法，應該是濫濫庄（今屏東縣萬丹鄉四維村），不僅有客家庄之外，還另建有伯公亭，跡象顯示環沿淡水溪向南北拓墾，但是勢力薄弱，直到施琅已故，海禁漸鬆後，加上環境的影響，始有大量客家移民來台。因爲人口的激增，許多客家人需另謀發展，主要的路線有三條，其中又以中路的開發規模最大也影響最深，主要是從麟洛河到潮州附近，往上至五魁寮溪開墾，一共拓墾了屏東縣竹田、萬巒及內埔三個鄉。而南路主要開發地是在佳冬、新埤地區，沿著東港溪到溪州溪流域，一開始是與福佬人的南埔庄混居，後始有部分的村人溯北岸河而上，開發了打鐵庄、建功庄、昌隆庄、茄苳腳、石公徑等十庄，這一路開墾過程正是新埤鄉與佳冬鄉客家聚落的開始。至於最晚開發的北路，則是沿著麟洛河開墾的麟洛與長治兩鄉，另有部分人溯武洛溪而上，開墾隘寮溪南岸，再進而開墾高雄縣美濃、杉林等地區。許多人聽過六堆，卻鮮少人知道是在什麼地方，事實上六堆共分爲：中堆、前堆、後堆、左堆、右堆、及先鋒堆。中堆位於今之屏東縣竹田鄉；前堆則包含了麟洛與長治兩鄉；後堆爲今之內埔鄉境；左堆包括最南的新埤與佳冬；右堆原只有里港鄉的武洛一地，後因朱一貴事件之後，武洛人繼續開墾了高樹地方，因此開庄後的美濃與屏東縣的高樹地區，皆被列爲右堆；至於萬巒位於這些堆後方，鄉勇們大多被徵調爲先鋒部隊，因而稱先鋒堆。也因這樣特殊的背景，使得六堆客家人尤其重視團結，專業的訓練加上高度的向心力，成爲台灣客家的另一種標誌。另外恆春鎮也有許多客家據點，在1848 年之前，恆春地方就已經建立客家庄就有瑯橋溪（今四重溪）南邊的「大埔庄」（恆春鎮網紗里頂大埔），以及「頭溝庄」（頭溝里頭溝聚落），加上「鼻仔頭庄」（南灣里鼻仔頭聚落），及茄冬湖庄（茄湖里茄湖聚落），這四個皆屬於客家聚落。清同治十二年（1873 年），沈葆楨奉命駐守台灣，基於需要，開辦了開山撫墾及移民實邊兩項政策，主要是想回到中國廣東與福建招募壯丁，但是效果不彰，於是改成在台灣本土就近招募，因此吸引了六堆客家人二次移民到恆春半島，其中又以萬巒與內埔的移民爲主，不少人遷入了恆春市街，形成了「客人城」。恆春設縣前後入墾恆春半島的客家人，還有許多是

來自恆春台地邊緣的丘陵地墾荒，由於大多數為萬巒地區的客家人，於是開墾的地方就以原本住的地名相稱，最重要的聚落是頭溝到五溝。在恆春城外，還可以找到客家人的蹤跡，為南門外幾個和原住民混居的聚落。另外最著名的墾丁地名的由來，就是指以前被招墾局招來此開墾的客屬壯丁而得名的。其次滿州地方由於大都為馬卡道人與客家人混居，因此被同化的情形嚴重，除了九棚村內的土地公廟以及家戶中的龍神仍保有些許的客家色彩外，已經很難找到客家的蹤跡了。

10、台南地區

台南市最明顯的客家地標就是位於西門路三段的三山國王廟，初建於清乾隆七年（1742年），也被稱為「潮汕會館」，不僅是台灣保存最完整的中國廣東式建築，也記錄了客家移民的點滴。至於台南縣境內，雖然沒有大規模客家人開墾的事蹟，但在東山鄉境內，也發現有好幾個地方是由客家人參與初墾的，比如：位於「山腳」北邊、「大庄」東邊的「凹仔腳」。經過二次大戰後，東山鄉將「大庄」、「過溝腳」、「山腳」以及「凹仔腳」四庄聯合構成一村，取名為「大客村」。再來白河鎮也有不少客家聚落存在：庄內里、玉豐里、詔安里、廣安里、昇安里、崎內里等皆是。此外，位於楠西鄉的鹿田村，也是「福佬客」的大本營。

3.2. 台灣閩南族群的形成與發展

台灣隔著台灣海峽與中國大陸相望，地理位置加上自然條件的優渥，因此不但聚居島上的族群不少，十六、七世紀後更成為外國國家覬覦的對象，也吸引了大量外來者的遷入。從歷史上我們可以得知，除了本身居住在台灣的原住民及漢民族之外，尚有西班牙人、荷蘭人及日本人在台統治台灣，之後便依序因統治權的喪失而一一撤離，並不能稱為台灣的民族，因此，大抵而言，台灣族群可分為原住民民族與漢族兩種。關於台灣原住民的記載大約在十五世紀之後，依照他們的居住地理形勢可分為高山族與平埔族。

前者因大多居住於山間地勢高聳的地區，故稱為高山族。除來習慣於居住高山地帶之外，以往也被稱之為「生番」。後者「平埔」意指平坦的荒野，因此平埔族就指居住在這裡的族群。平埔族隸屬馬來系的種族，是指好幾個語言與不同文化的台灣平地民族的一個總稱，台灣平埔族原住民人口最多的

地方為高雄地區，較具規模的在台中的岸里大社。在漢人遷入後因逐漸受到影響漢化而學習閩南語，習俗也漸與漢人無異，直至現今已難以區分了。

因此，除了台灣當時原先的原住民外，其他的就屬於漢民族了，而在漢民族之中，又因其語言的不同可分為三種人：即福佬人、客家人與外省人。福佬人就是所謂的閩南人，操閩南語；客家人又稱客人；外省人則多為二次世界大戰之後來台避難的大陸人。相較於外省人，福佬人與客家人因早就遷移至台灣定居，因此又被稱之為本省人。在明末至十六世紀末葉以後，福佬人與客家人才逐漸大量地移入台灣，之後又隨著鄭成功與鄭經來台的難民、軍隊及家屬，其中大多為閩南廈門及漳、泉兩府的居民，他們的居住地以台南為中心，向下擴展至高雄，往北則推往嘉義、彰化及台北等地。

隨後而來的外省人雖然晚本省人至少半個世紀，數量也不多，但是由於之後國民政府來台統治，效仿日本強制推行國語，並多任外省人擔任要職，導致本省人的語言漸趨於弱勢的局面。

據林慶勳教授《台灣閩南語概論》〔註 13〕一書，將台灣閩南語的發展分為四個重要時期：

1、移植時期（1624～1683）

大約為荷蘭據臺及明鄭時期。此時來台的居民多為勞工階級，並無長期定居的打算，因此語言發展並不明顯。

2、開展時期（1684～1895）

為清廷經略台灣時期。這時期由於施琅頒布三項禁令，抑制渡台人數，為了開墾並維持生產，移民決定長期定居下來，且與當地平埔族婦女結婚。長期居住加上與人溝通，此時的語言開始有了發展。

3、沉潛時期（1896～1986）

日人佔臺及國民政府統治時期。由於日本實施皇民化運動，導致台灣閩南語發展遇到第一次重大危機，而台灣光復之後陳儀又為推行國語而實行「剛性的語言政策」，造成了第二次台灣閩南語的危機，大大抑制了閩南語的發展。

4、重現時期（1987～）

〔註13〕林慶勳（2001）:《台灣閩南語概論》，台北，心理出版社股份有限公司，頁 64
～88。

指國民政府解嚴之後。解嚴之後，對於台灣閩南語的研究慢慢出現，學者也紛紛投入研究，至今也獲得政府的關切，這是很好的一個現象。

根據（周長楫：1996）提到，台灣與福建大陸，因爲遠古時代第三世紀末喜馬拉雅山發生造山運動的關係，使得這兩塊陸地相連，雖然之後歷經了三次分離，成爲現在的模樣，但是從台灣海峽河谷地形來看，依稀可以看出台灣是在中國東南沿海的大陸棚上。也是由於這樣的原故，才可以解釋這兩地的氣候條件、自然生態和動植物種類是如此地相仿。

3.2.1. 台灣閩南族群的文化與歷史

台灣閩南文化是福建閩南文化的延伸，是中華文化大家庭中的一員。從特徵來看，它是以閩南方言爲載體，存活於閩南方言通行的社會之中。從地區範圍而言，閩南文化發源於福建泉州地區，逐步向漳州地區、潮汕地區和雷州半島、台灣地區及海南地區擴展；並且隨著閩南人的足跡，沿著江河海岸延伸至廣西平南鬱林地區、浙江平陽地區、東南亞港澳地區，以及內陸的江西上饒周邊地區、江蘇宜興以及本省的閩北、閩東和閩中個別地方。再從數量上來說，國內外認同閩南文化、生活在閩南方言圈的人，大約有 6000 多萬人。從歷史角度說，閩南文化經歷了 2000 多年的風雨歷程，伴隨著社會的發展和閩南人的變遷，其內涵也更趨於豐富。〔註14〕

閩南是福建南部泉州、漳州和廈門的總稱。福建上古時代就被稱爲「閩」，當時的土著稱作閩人。戰國時期至漢武帝期間，福建土著經歷了古閩人和古越人融合以及閩越人整體北遷的歷史大動蕩。漢武帝平閩（前 110 年）之後，閩地空廣，給漢人的發展帶來了很大的空間。

從西漢設冶縣（前 85 年），到東漢末賀齊入閩（漢建安元年，公元 196 年），是漢人入閩並融合閩越遺民的關鍵時期。據朱維幹《福建史稿》，這個時期福建的經濟、社會已具備一定規模。永安三年（260 年）東吳即建東安縣於現在的泉州西門外的豐州，屬建安郡。西晉咸寧六年（280 年），又置綏安縣於漳浦。晉太康三年（283 年）改東安縣爲晉安縣，又從晉安縣中分出同安縣。之後，漢人超大規模入閩大約還有五次，包括史書未曾記載隻在民間流傳家譜出現的東晉初的「八姓」入閩，史書記載的梁朝侯景之亂的大批難民入閩，唐初陳政、陳元光父子率兵入閩，唐末五代時期王潮、王審知率兵平

閩，南宋末期兩個短命皇帝趙昰（端宗）、趙昺（帝昺）在福建就位引來北方保駕抗元的眾多忠義之士入閩。

從語言現象分析，今天的閩南方言繼承了上古漢語的主要特徵，被學術界公認為「活化石」〔註15〕。而魏晉南北朝時期，中原戰亂，胡漢交雜，人口結構明顯變化，當時漢語出現的許多新特徵，卻沒在閩南語中體現。而且，永嘉之亂前閩南地區就有了漢人的墓塚和寺廟道觀。可見入閩漢人早於東晉。到了宋元時期，借助於當時城市的開放，泉州成為「海上絲綢之路」起點，泉州港逐步走向鼎盛，成為與埃及「亞歷山大港」齊名的世界性大港。這個時期閩南人開始大量向外擴展，最終形成了今天閩南人的分布格局。之後想當然耳，閩南族群文化也將觸手伸及台灣。

從移民史來看，雖然遠古至宋元以前有些許零星的移民來台，大部分多由福建沿岸來台，但人數不多。根據史書《三國志》、《隋書》等記載，三國吳黃龍二年（230），孫權曾派將軍衛溫、諸葛直率甲士萬人航海到達台灣；隋大業三年（607），隋煬帝曾派武賁郎將陳稜率兵萬人航海到達台灣。這兩次航海，密切了大陸與台灣的聯繫。南宋時，據趙汝适《諸蕃志》記載，澎湖隸屬晉江。南宋乾道七年（1171），知泉州汪大猷在澎湖建造房屋，留屯水軍。然而，台灣的大開發，台灣文化的形成，卻是在明清閩南人大規模到達以後。〔註16〕從明代起，移民來台的大陸漢人越來越多，至清代更是達到高峰期，以下將會對這些漢人遷徙至台灣的重要時期做說明。

3.3.2. 台灣閩南族群的發展

據周長楫（1996，175～176），從明代來說，漢人來台原因可以分做四個階段：

1、首先為大家所知的，朱明王朝實施遷界移民政策，因此福建和閩南沿海的居民為了逃避沉重的賦稅，皆逃於其中，其中又以同安、漳州等居民為多。

2、明代中葉時期，日本侵臺雞籠與淡水等地，所以福建官員提出設防的對策，除了加強澎湖的防務，對於台灣也要加以視察。這時已有

〔註15〕 林華東（2009）刊載於《光明日報》，
〔註16〕 胡滄澤（2008）〈河洛文化、閩南文化和台灣文化〉，《歷史月刊》，2008 年第184 期，台北：歷史智庫出版股份有限公司。

些漁民到臺灣中南部魍港地區，並進一步擴展到雞籠、淡水等北部漁港。據施琅《盡陳所見疏》，提到明末清初時期，在澎湖居住的漢人有五六千人，台灣則有二三萬人，並多以漁耕爲生。

3、另外再十六世紀到十七世紀中葉時期，當時台灣不時有海上武裝私商集團活動，重要的有林道乾、林鳳、鄭芝龍等。這些集團少則幾百，多則上萬。這些武裝私商集團在閩粵沿海活動時，常與明代官兵發生武裝衝突，一旦處於劣勢時，他們就會退居台灣或是東南亞地區躲避，最後甚至是定居下來。

4、明末時期因爲閩南大旱，鄭芝龍招饑民萬人到臺灣墾殖，給他們種子、牛隻、農具和資金幫助他們耕作，之後這些移民在豐衣足食後還有餘可以向鄭氏納租。此舉讓鄭芝龍成爲第一個將大陸人民有組織地移居臺灣，並且將生產關係體系推行到臺灣的漢人。

總結以上所言，明代移民來臺的漢人多以閩南地區爲主，他們大多是漁民、農民也有商人，但在台灣多以漁耕爲主。他們多半在臺灣定居並和當地人通婚，繁衍後代。除了將生產工具以及漢民族文化帶來台灣之外，他們也將明代的閩南方言傳播在台灣這片土地上，對臺灣發展的貢獻不容小覷。

接著來我們來看清代，清代可以說是移民台灣規模最大，人數也最多的時期，其中重要的幾次如下：

1、1661 年鄭成功與清廷對抗失利，便親自率軍收復臺灣，趕走荷夷。首批軍隊二萬五千人加上第二批軍隊來臺，大約三萬七千人，終於打敗荷蘭殖民軍隊。除了在臺實行軍墾工作外，同時間也積極招募泉州、漳州等居民來臺開墾。鄭成功這次的軍事行動，所來進的軍隊、家屬、加上被迫遷臺開墾的人等等，估計約有十二至十五萬人。這時在臺灣的漢人早已超過台灣當時的土著人口了。

2、康熙二十三年（1684），清朝在台灣設一府三縣，隸屬福建省，又置台廈兵備道，直至光緒十一年（1885），台灣才獨立建省，長達 200 年的閩台合治爲福建人特別是閩南人遷居台灣提供了方便。如雍正年間，清廷允許經官府批准可攜眷入台，便有大批福建人尤其是閩南人舉家遷台，沒有經官府批准的偷渡現象更是數不勝數。

3、十九世紀七十年代，由於日本積極侵臺的野心擴大，清廷開始開放

鼓勵人民移居臺灣。之後又有一批福建閩南地區的居民遷移至臺灣，1811 年至 1887 年，臺灣人口增加一百萬以上，這時候的漢人口已經達到三百二十萬人。

經過明清時期閩南人長期不斷的大、小規模遷入台灣，閩南人已成了台灣居民的主要成分。據 1928 年台灣總督府所作的《台灣在籍漢民族鄉貫別調查》，在 375.2 萬的台灣漢人中，83%來自福建，16%來自廣東，1%來自其餘各省。占總額 83%的福建人中，45%來自泉州府，35%來自漳州府，閩南的漳、泉二府占了福建人的 80%以上。〔註 17〕

在這之後至民國期間，雖然大陸還是陸續有人遷移至臺灣，但人數並不多，顯然已經過了移民的高峰期。泉州地區的移民，大多分布在平坦土地肥沃的沿海平原；漳州地區的移民，則多聚集在離沿海較遠的丘陵山區，或是溪河的中上游區域。

總結以上敘述，魏萼（2007）認爲，閩南文化在台灣的形成，主要應爲下列幾項因素所促成的：

1、台灣移民史的本質：因福建的閩南地區山地、丘陵地多，而耕地少，所以向東南亞、台灣等地移民，主要是基於討生活的關係。

2、台灣一葉孤島歷經荷蘭人、西班牙人、明鄭三代、清領時期、日據時期，以及國民政府統治時期，爲了生存，塑造了台灣閩南人勤勞、節儉、務實、功利等特性。雖然表面上台灣的閩南人是柔順的，但其實在本質上，台灣人的民族性格是軟中帶剛，具有堅忍和生命力的。

3、台灣是受海洋環繞著所形成的文明：台灣閩南文化雖然和福建閩南文化源自一體，但是在歷史、人文、地理上，彼此還是有差異的。相較於漳州人務農的鄉土性、泉州人傾向商業的特色，台灣人則富有農工商並重的特色。

4、台灣儒家文化與媽祖民間信仰：媽祖文化台灣本土化與台灣移民社會有著密切的關係。台灣媽祖文化是儒釋道的結合，並以儒家爲主要基礎，且爲台灣最主要的民間信仰。媽祖文化是台灣精神的所在，也代表著台灣價值觀的核心：居安思危、求眞務實、勤勞節儉、加上富有科學性的創新等優勢，都是台灣邁向現代化文明社會的本錢。

〔註 17〕胡滄澤（2008）〈河洛文化、閩南文化和台灣文化〉，《歷史月刊》，2008 年第 184 期，台北：歷史智庫出版股份有限公司。

3.3. 台灣諺語發展史

臺灣是個多族群又多移民的海島國，除了島上本身的原住民外，客家人、閩南人、外省人……等，都先後來到了臺灣紮根。因此，總結這些族群，歷代在臺灣這片土地上所流傳的諺謠、故事、俗語等民間文學作品，應是無以數計才對；然而，明清時期，卻沒有文人對於臺灣民間文學作品作規模性的收錄活動，或許是對於民間文學的文學價值認知不同，總之，清代以前的漢語典籍對於臺灣的記載多屬零星且簡略。自1683年（康熙二十二年）清治時期開始，逐漸有官員及文人將實際觀察所得記錄下來，可惜這些文獻多顯露出以漢人為中心的價值觀。現今若要對當時的民間文學有所了解，恐怕只能根據最著名的黃叔璥《番俗六考》來了解了。

黃叔璥在《番俗六考》中收錄了「番歌」三十四首，以漢字記音、註釋，從中可以看出當時臺灣各地平埔族歌謠的記錄，胡萬川教授認為：「他為後世留下了如今已被漢族完全同化了的平埔族的最早，而且最珍貴的民間文學，也是民俗學的材料。」〔註18〕之後出來的官修方志，也都只是抄錄黃叔璥的舊文。

在清治時期台灣方志文獻中，內容對「番俗」、「番歌」、「番語」都有一些記錄，可惜在「番語」部分，著重在音義的對照，因此原住民生活上所累積出來的諺語幾乎付諸闕如。

即使如此，我們還是可以從當時的臺灣民間諺語記錄尋找，但主要仍是以文集、方志中的漢族諺語為多。除了反映社會諺語：「三年一小反，五年一大反。」；趣味性的風俗諺語：「偷得蔥，嫁好公；偷得菜，嫁好婿。」；以及物產諺語：「山上獐，海中鯧」外，收錄最多的，仍以氣象諺語為最，或許這也是因為臺灣處於多風多雨的海島環境有關。連橫《雅言》（1933）三十八則提到：

> 臺灣處東南海上，潮流所經，寒熱互至；故其氣候頗與中土不同。而徵之里諺，歷驗不爽。如曰：「六月初三雨，七十二雲頭」；又曰：「芒種雨，五月無乾塗、六月火燒埔」；又曰：「六月一雷止九颱，九月一雷九颱來」；又曰：「雨前濛濛終不雨，雨後濛濛終不晴」。故老相傳，實由經驗；田夫漁子，豫識陰晴。此如巢居知風、穴居知

〔註18〕陳益源（2002）〈明清時期的臺灣民間文學〉，《明清時期的臺灣傳統文學論文集》，台北：文津出版社。

雨，有不期然而然者也。

又四十則說：

> 南方患熱、北方苦寒，此自然之理也。臺南地近赤道，長年溫煦。
> 冬春之際，常在華氏六、七十度；有時昇至八十餘度或降至四十二、
> 三度，不過一、二日而已。里諺曰。「未食午節糭，破裘勿甘放」。
> 又曰：「正月寒死豬，二月寒死牛；三月寒死播田夫，四月寒死健乖
> 新婦」。亦可以見氣候之激變矣。

其中三十八則「雨前濛濛終不雨，雨後濛濛終不晴」以及「六月一雷止
九颱，九月一雷九颱來」，早在黃叔璥的《臺海使槎錄》（1737）就出現過，
此外，在〈赤崁筆記〉「形勢」當中也提到：「安平、七鯤身，環郡治左臂；
東風起，波浪衝擊，聲如雷殷。諺云：『鯤身響，米價長』，謂海湧米船難於
進港。」〔註19〕、另外「冬山頭，春海口」……等，都是臺灣民間特有的古
老氣象諺語，展現了當時民眾的生活經驗。其他尚有「三日風、三日霜，三
日大日光」、「火燒薄暮天」、「早日不成天」、「旱天多雨意」、「竹風，蘭雨」、
「騎秋雨，一來不肯止」、「日圍箍被雨渥，月圍箍被日暴」……等等，都可
散見於清治時期的臺灣方志中。

此外，清治時期臺灣的民間諺語出自傳說性的故事頗多，連橫《雅言》
（1933）當中收錄不少，但或許是因為臺南的開發較早，所以多出於臺南安
平的相傳故事，例如二十九則中：「無端且出趙簡子」一語，以喻事之唐突；
四十九則：「打鼓山十八哈籃」之語，蓋謂埋金十八窖，有福者方能得也；
五十則：「林道乾鑄銃撲家治」之諺，以言害人自害也；五十一則的：「呂祖
廟燒金，糕仔昧記提來」之諺。皆為民間故事衍生而來的諺語。

3.3.1. 台灣客家諺語與在地文化的融合

> 文化是一個複合的整體，其中包括知識、信仰、藝術、道德、法律、
> 習俗以及作為社會成員的人而獲得的任何其他能力與習慣。〔註20〕

客家文化源自於客家精神，多次艱辛的遷移過程，培養了他們即使再困
苦的處境，都可以為自己闖出一條道路。由於「客居」的歷史背景，客家人
勤勞節儉，以力求溫飽；也因為缺乏安全感以及保守的心態，他們注重鄉土

〔註19〕《臺海使槎錄》，頁7。
〔註20〕艾德華・泰勒（1999）：《文化與個人》，浙江人民出版社。

的保護，彼此的合作和團結，不在乎過程中遇到的所有磨難，不屈不撓、一路劈荊斬棘的精神，終讓他們得以嘗到豐碩的果實。

客家諺語所展現的客家生活，是以農業文人的文化為主，是刻苦耐勞、熱愛土地、對天氣自然現象觀察入微的樂觀積極生活：「立春落水透清明，一日落水一日晴」、「雲遮中秋月，水打元宵夜」、「水打五更頭，行人毋使愁」、「冬至月中央，霜雪兩頭光」……等，均為農事經驗長年累積、觀察下的結晶。另外一方面，客家諺語也顯示了對人倫生活的體驗，儒家思想、中庸之道的影響：「但存方寸地，留與子孫耕」善德傳子的精神、「木匠師傅無眠床，地理先生無屋場」重道不重術的態度、「惜花連盆，惜子連孫」愛屋及烏的真情，展現了客家人樸實無華的真性情。

此外說到客家人自強不息、不怕吃苦的精神、以及重教的觀念，民風保守的他們重視儒生的心態極為明顯，在客家諺語中，更是隨處可見：「不怕火燒屋，只怕人無志」、「有志成龍，無志成蟲」、「人爭氣，火爭煙」、「生子毋讀書，不如養頭豬」、「路不走不平，人不學不成」、「撿漏趁天晴，讀書趁年輕」等等，因此，「萬般皆下品，唯有讀書高」的風氣在客家族群中更是高漲，也成為該族群的特色之一。透過這些客家諺語，皆可看出其豐富的文化內涵，以及獨特之處。

歷史上的大規模遷徙和居於山林環繞的偏僻環境，客家人展現了頑強的生命力，以其獨特的生活方式，創造了自己的社會文化。之後因官方的教化、在地族群之間的交流與通婚，彼此的融合之下，新的客家文化就此誕生。例如：新竹縣的關西客家文化，就是融合了四縣、海陸、饒平等地區的客家先移民與道卡斯族原住民、泉州福佬等多元文化而成。中臺灣大甲溪流域的客家文化，融合了大埔、饒平、泰雅族原住民與福佬風味。臺東縣客家文化，則是從西臺灣東遷的客家二次移民，融合了北臺桃竹苗、南臺六堆客家、平埔原住民文化，並與在地的阿美族、卑南族之間密切互動的成果。〔註21〕因此新的客家文化，不但整合了原鄉的差異性，延伸了客家族群的寬廣度，也肯定了原鄉的文化價值。

臺灣客家族群和閩南族群、原住民族群，一直以來都處於競爭共生，區隔又融合的矛盾處境，如此的共生共存之下，才得以擴大了文化的延展性和豐富性。依照來臺先後的不同，在臺發展的據點、環境生態也不盡相同，不

〔註21〕陳板：http://info.gio.gov.tw「臺灣客家文化」。

但在全臺各地創造著互有異同的客家文化,連語言腔調也產生了變化。

經過「唐山過臺灣」的艱辛過程,不僅僅凝聚了臺灣客家人的內聚力,先民因地制宜的生存智慧,也逐漸發展出來臺先祖未曾想像的客家新風貌。

3.3.2. 台灣閩南諺語與在地文化的融合

臺灣的地方文化隨著臺灣移民社會的形成而逐漸發展。以民間故事、神話傳說、民歌民謠、諺語隱語等為主要內容的地方文學,隨福建移民傳入臺灣並廣為流傳,成為臺灣地方文化生活的重要組成部分。〔註22〕

使用共同的語言、遵守共同的風俗習慣、養成共同的心理素質和性格是文化的基本要素。閩南文化是閩南人為適應自然環境和經濟要求而產生的具有高度共識的意識和行為。

雖然臺灣閩南和福建存在著大致相似的口述基礎,以及文化背景,有著血緣、地緣、物緣、文緣、神緣的關聯性〔註23〕,但從明清多次規模的遷徙之下,這些移民們在臺灣紮根長住,除了承襲舊有的文化外,受到了地緣的影響,不但加以演變,又和在地民族文化長期適應與融合,發展出一套臺灣閩南的在地文化。

文化顯現出一個民族的特性和區域特點,這些特性對於社會歷史研究有很大的意義。我們可以藉由閩臺地區的一些文化特點來探討閩臺之間的文化連結,從語言、信仰、禮俗或是口耳相傳的諺謠,都可以顯示出其中的文化關係。例如兩地諺語的押韻方式大致相仿,有押尾韻、中韻、頭韻、頭尾皆押韻、頭中尾押韻,但臺灣閩南諺語以多押尾韻為多。

此外,還有利用音節的方式來營造句型,例如三三句:「偷老古,得好婦」;四四句:「去家千里,不食枸杞」;五五句:「天無照甲子,人無照情理」……等。兩地共用的諺語也是不勝枚舉,例:「未吃五月節粽,破裘唔甘放」、「好貓管百家」、「瘦馬也有一步踢」、「作雞著掙,作人著秉」……等等,不過受到人文地理的影響,也發展出只有臺灣閩南才特有的諺語,例:「竹風,蘭雨」、「雞籠這號天,雨傘倚門邊」、「福佬風寒死人」、「九月九降風」、「四月二十二,買無豆干來做忌」……等等,這些都是經過長期地適應之後,經驗

〔註22〕 夏敏（2009）:《閩台民間文學》,福州市:福建人民出版社。
〔註23〕 夏敏（2009）:《閩台民間文學》,福州市:福建人民出版社,頁5。

的累積，所延伸出來的成果。

一種文化的命名，就在於它具有自身獨立的特色和存在價值。我們可以看出閩南文化的基本精神特徵可以包涵：重鄉崇祖的生活哲學、愛拼敢贏的精神氣質、重義求利的價值觀念和山海交融的行為模式。〔註24〕

1、重鄉崇祖

閩南人因為遠離中原，就特別注重保存歷代流傳的文化信息。在閩台地區，在東南亞，在海外，閩南人都十分強調認宗認譜，結社建館；通過修族譜、建祠堂、注「堂號」來凝聚家族血緣關係，建立濃厚的鄉土觀念。此外，也十分重視傳承民間信仰，例如：媽祖文化雖是在福建湄洲發芽，但是卻是在台灣成長、茁壯的，並且還成為整體媽祖文化中的領導地位。〔註25〕

2、愛拼敢贏

閩南地區是一個移民的社會。移民性質促使閩南人為了生存產生拼搏意識。古代閩越人在惡劣環境中的抗爭精神，也融入閩南文化之中。

3、重義求利

閩南人有著極強的創業能力和經商天賦，亦商亦儒成風。從信仰上，閩南人推崇關羽之義，稱之為關公。在現實中，閩南人急公好義，四處皆然。

4、山海交融

地理環境能夠塑造人，並催生文化特色。閩南地區背山臨海，依山者從山求生，面海者向海謀發展。生存環境造就了泉州人多選擇經商，漳州人務農、憨厚老實的性格，潮汕人積極向外的拓展意識。雖然，閩南文化內部有這樣的差異，但是，其內在卻有著山海交融的共性。

台灣閩南文化有其歷史、人文和地理等特色，雖然和福建的閩南文化有些不同，但是在本質上，不但是屬於閩南文化的一支，更是中原文化的一支。事實上，台灣的閩南文化已經構成整體閩南文化的主要文化，它在福建閩南生根發芽，可是卻已在台灣成長、茁壯。

3.4. 結　語

其實無論客家人、閩南人，民族族群都本是一家人，源自中原，基於人

〔註24〕林華東（2009）刊載於《光明日報》，
〔註25〕魏萼（2007）：《中華文藝復興與台灣閩南文明》，台北：文史哲出版社。

文與地理背景的不同，在彼此的民族文化性格上，難免會有些差異。但是由於具有相同的過程（遷徙背景），即使歷經多次的械鬥和衝突，經過時間的洗練之後也逐漸趨於融合。刻苦耐勞、重鄉重祖等多元的文化性格，不但爲他們在台灣紮下根基，也顯示了台灣的開放性，並且豐富了台灣的民族性。

4. 台灣閩客二十四節氣諺語的分類

　　本章節就所收羅到的閩客諺語，以春、夏、秋、冬四季來作為區分比較及說明。

4.1. 二十四節氣的意涵

　　二十四節氣起源於黃河流域。春秋《尚書》最早就有提及到節氣的觀念，遠在春秋時代，就定出仲春、仲夏、仲秋和仲冬等四個節氣。之後經過不斷地改進，到秦漢年間，二十四節氣已完全確立。公元前 104 年，由鄧平等制定的《太初曆》，正式把二十四節氣訂於曆法，明確了二十四節氣的天文位置。〔註1〕

　　中國自古以農立國，如何配合節氣變化，栽種適合的作物，古人聰明地「立竿測影」以觀寒暑季節，大概在殷商時古代人們已知使用。人們制定了冬夏至以後，又在春秋雨季發現各有一天晝夜時間長短相等，便定這兩天為「春分」和「秋分」。「春分」、「秋分」及「夏至」、「冬至」這個「二分二至」的觀察氣象現象在《左傳》中已有記載。「二至二分」的「春分、夏至、秋分、冬至」都是四季「中點」的日子，因此古人稱這些「中點」分別是「仲春、仲夏、仲秋、仲冬」合稱「四仲」。「二分二至」的劃分最先確定了「春夏秋冬」的四季。

　　其後為了因應農事的需要，古人按推測又增加了「四立」，「立」即「開始」之意，一年四季的「開始」謂之「四立」、即從「四仲」日向前後外延四

〔註 1〕http://tw.myblog.yahoo.com/enter640403

十五天或四十六天，就可以得到四季「開始」的日子，也就是「立春、立夏、立秋、立冬」。「四立」和「二分二至」稱為「分至啟閉」，亦稱「八節」，加上春夏秋冬的四時，合稱「四時八節」。後來伴隨著農業生產的發展，「四時八節」已不敷農事安排之用，除「四時八節」之外，到了秦代，在《呂氏春秋》中又載有「雨水」、「小暑」、「處暑」、「白露」和「霜降」等節氣。〔註2〕

兩漢時期，農業有了更進一步的發展，而節氣名稱更進一步增加。在《淮南子》書中的（天文訓篇）中，又增加了「驚蟄」、「清明」、「穀雨」、「小滿」、「芒種」、「大暑」、「寒露」、「小雪」、「小寒」、「大寒」等節氣，於是二十四節氣便逐漸完備。

西漢《淮南子‧天文訓》中始有完整的二十四節氣的記載，它是以北斗星斗柄的方位定節氣，定立春為陰曆的正月節（節氣），雨水為正月中（中氣），依此類推。全年共十二節氣和十二中氣，後人就把節氣和中氣統稱為節氣。二十四節氣在天文學上是以視太陽在黃道上的位置來確定的。以黃經0為春分，以下每15為一節氣，周天為360而成二十四節氣。在公曆上每個月兩個節氣的日期也基本固定。二十四節氣後傳入朝鮮、日本等鄰國。日本在江戶時代（1603～1867）開始採用，並傳至今日。

西漢《淮南子》是目前所見關於二十四節氣的最早記載。這是古代祖先掌握農事得到的結晶成果，替後人免除了許多的困難和失敗，是非常重要的一項發明。事後人們為了便於背誦，還流傳著這首二十四節氣歌：

　　春雨驚春清穀天，夏滿芒夏暑相連；

　　秋處露秋寒霜降，冬雪雪冬小大寒。

古人以地球繞太陽一周分為二十四等分，每十五度為一個節氣，一季則有六個節氣，雖然地球繞太陽的軌道會有些傾斜，偶有一、兩天的偏差，但是相對於陰曆而言，陽曆仍是較為固定準確。因此我們所知的二十四節氣日期，應是以陽曆為主的。

二十四節氣主要形成於黃河流域中下游地區，所以該名稱和含義基本上反映了這個地區的農業生產季節和農業氣候特徵。在二十四節氣中，以四季轉折為準的有：立春、春分、立夏、夏至、立秋、秋分、立冬、冬至；反映溫度變化的有：小暑、大暑、處暑、小寒和大寒；另外反映降水量的有：雨水、穀雨、白露、寒露、霜降、小雪、大雪；其餘反映自然物候和農業物候

〔註2〕魏吉助（2002）：〈「自然之師」──臺灣節氣諺語透天機〉演講稿。

的則是：驚蟄、清明、小滿、芒種。所以可將二十四節氣看作是一部全年的農業氣候曆。反映日照的二分、二至四個節氣和反映溫度的小暑、大暑、小寒、大寒，在全國和一些鄰國基本上都能適用。至於其餘各節氣則大都是屬於黃河中下游地區農業氣候特徵的寫照，因此，其他地區在使用二十四節氣時，必須要根據當地農業氣候特點，賦予適於當地的內容。

圖 4-1　二十四節氣反映圖

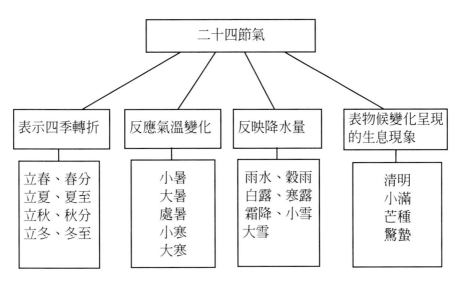

（以上圖表為筆者自行整理）

　　二十四節氣應農業生產的需要而產生，但其實它在其形成之初就已應用於生產。戰國末期的《呂氏春秋》中有按夏至計算始耕日期的記載。東漢崔寔所著的《四民月令》擺脫了《禮記》中濃厚的天人感應的神秘色彩，提倡根據科學的節氣、物候來定農時，少有迷信的色彩。主要內容包含〔註3〕：

1、祭祀、家禮、教育及維持改進家庭和社會上的新舊關係。

2、依照時令氣候，安排耕種，收穫糧食、油料、蔬菜等。

3、養蠶、紡織、漂染、制裁等「女紅」。

4、食品加工及釀造。

5、修治住宅及農田水利工程，收采野生植物、藥材等。

6、保存家中各項用具。

〔註 3〕馮賢亮（2004）：《歲時節令：中國古代節日文化》，揚州市：廣陵書社。

7、糶糴。

8、其它雜事，例如：養身保健等。

崔寔詳細分配了每個月的農業生產，包含了耕地、播種、耘鋤、收藏、養蠶、畜牧、林木經營等等，並強調須注意農業生產的地區性，根據不同的地理環境安排不同類型的農業活動。因此，《四民月令》在內容上，是偏向普遍農民生活的。相對於《禮記·月令》，它完成了由「官方月令」到「農家月令」的轉換。〔註4〕

以後的歷代農書更廣爲引用，作爲決定農時的根據。元代《王禎農書》中設計了一個《授時指掌活法之圖》，按照二十四節氣、七十二候逐一編排農事，將二十四節氣從農業氣候曆發展爲系統性的農事曆。隨著農業的發展，各地按節氣編出大量的農諺、歌謠用以指導農業生產，成爲中國農業氣象經驗的寶庫。現代農業氣象學興起以後，很多地區將二十四節氣與農業氣象資料相結合，編制農業氣候曆、農事曆或農事活動表，使古代經驗與現代科學技術結合，相互參照、補充，在現代農業生產中繼續發揮作用。

4.2. 春季節氣諺語

表 4-1　春季節氣表

春　季	節氣	太陽黃經	陽　曆	陰曆	涵　意	代　表農作物
客 lip8chun1/ 閩 lip chhun	立春	315度	2月4～5日	正月節	春季開始	正月蔥
客 i2 sui2/ 閩 ú súi	雨水	330度	2月18～19日	中月中	雨水增加	
客 kiang1 chiit8/ 閩 kiⁿ tit	驚蟄	345度	3月5～6日	二月節	始雷，多眠動物驚醒	二月韭菜
客 chun1 fun1/ 閩 chhun hun	春分	0度	3月20～21日	二月中	晝夜平均	
客 chiang1 miang5/ 閩 chheng bêng	清明	15度	4月4～5日	三月節	天氣溫暖、清新	三月莧

〔註4〕馮賢亮（2004）：《歲時節令：中國古代節日文化》，揚州市：廣陵書社，頁85。

| 客 kuk4 i2/
閩 kok ú | 穀雨 | 30 度 | 4 月 20～21 日 | 三月中 | 雨水增加 | |

（整理自國立歷史博物館編輯委員會，2002，頁 10）

立春：立為開始的意思，立春為二十四節氣中第一個節氣，意謂著大地萬物開始有了生機。依據陽曆在二月四號或五號，而在陰曆多半為正月或是年底的時候，有時還與元宵節近。古時，在立春時節還盛行鞭春牛的活動，立春為春耕之始，前一天便將春牛台近皇宮，讓皇帝御覽，立春當天就用五色絲杖鞭打他，此舉意為牛休息了整個冬天，需在此時鞭策牠，不然將使其怠惰；每邊打一下，書史則會在旁大聲念誦一句吉祥話：風調雨順、國泰民安等等，等待鞭春牛活動結束之後，在旁圍觀的百姓們就會蜂擁而上，搶奪牛肉，以取得個好采頭，雖然現在這個習俗以漸漸消失，但在台南市安南區的土城聖母廟自 1987 年起，每逢春節必會舉辦「摸春牛」的活動，而摸春牛的口訣也因摸到的部位而有所不同，其閩南語的口訣如下〔註 5〕：

> 摸牛頭，兒孫會出頭；
>
> 摸牛嘴，大富貴；
>
> 摸牛腳，家貨沒吃乾；
>
> 摸牛尾，剩家貨；
>
> 摸牛耳，吃百二；
>
> 摸牛肚，家貨剩億萬；
>
> 摸春牛，年年有餘。

另外，雖然台灣已沒有鞭春牛的活動，但為了重視農民，自民國三十年後，將立春這天訂為「農民節」來表達對農民的感恩之情。

雨水：雨水自古以來一直都是農業社會重要的資源之一，立春之後，因為冰雪溶化的關係，空氣中水蒸氣增加導致這天開始降雨，雨水變多，而此舉正好為播種的農民所需要，如此才能使作物順利的成長茁壯。在古代，人們確信海龍王為掌管下雨的神，因而雨水神就是海龍王。而在此時最重要的節日莫過於「元宵節了」，不但花燈高高掛，家家戶戶準備豐富佳餚祭拜祖先神明，地方上更有「猜燈謎」的活動，其熱鬧程度不亞於過年時節。

〔註 5〕李秀娥（2004）：《台灣民俗節慶》，台中，星辰出版有限公司，頁 98。

驚蟄：此時氣溫逐漸回暖，春雷初響，驚動了冬日蟄伏在地底洞穴的生物，使其紛紛甦醒，出來活動。「雷鳴動，蟄蟲皆震起而出。」根據古人對這個時節的觀察，在春雨之後，春雷也會隨之而來，農民們也會以驚蟄這個時期是否有打雷來斷定今年的收成好壞。若是有打雷，則表示今年的收成會很好；反之，則會是個災害連連的一年。這時，氣溫相對也漸漸回升了，百花齊放，充滿著春意盎然的氣息。這時期最重要的活動莫過於「作頭牙」，農曆二月初二是土地公的重要生日，二月初二稱為頭牙，台灣工商農業奉土地公為財神，每逢初二、十六會作牙祭拜土地公，準備三牲及四果，另外一個應景的供品是「潤餅」。十二月十六稱為「尾牙」，祭拜的儀式也極為隆重。

春分：這是春季九十天中的分界點，「分」，為均分的意思，意旨春天剛好過了一半，這天晝夜相等，因此古時也稱春分秋分為晝夜分。過了春分，白晝越來越長，正好也提醒了當時勤於作物的農民們，有更充分的工作準備時間。這時氣候還不甚穩定，乍暖還寒，俗語說：「春天後母命」。需要多加注意天候的變化，以免敢冒著涼。農曆二月十五是慶祝百花爭相吐艷的花期，百花齊放，充滿著迎春的氣氛。

清明：清明也為二十四節氣之一，為「春分」之後的第十五天，這時東南風吹起，氣候開始暖和，花卉草木生長於氣清景明的氣息中，萬物具顯，而稱「清明」。清明前兩日為「寒食」，古人將寒食節訂為掃墓之期，宋朝在寒食至清明幾日會出城遊玩、踏青、放風箏的郊遊活動，直至現代後人為了方便，於是將掃墓與踏青兩個活動結合在一起。一般的民眾多以清明為主要掃墓的日期，但也有人為了避面眾多的祭祖人潮，選擇清明前後十日作為掃墓的彈性時間。清明節當天除了掃墓祭祀祖先外，也要清理墳墓四周的環境，最後還要「掛紙」（放一些掃墓用的黃古紙），表示該墳塚有其後代子孫所祭祀。

穀雨：穀雨為春季最後一個節氣，此時雨水增多，對穀物生長極為有利，意謂「雨生百穀」之意。這時的茶農忙著採茶，春茶採收的日子一定要拿捏得剛剛好，若是遲些了，茶的品質就會不好。三月二三迎媽祖，進入一年一度的媽祖進香旺季，其中最受矚目的大甲鎮瀾宮「大甲媽祖回娘家」的活動，每每動輒數十萬人，可稱為台灣最大規模的宗教活動。

4.2.1 台灣客語方面

1、立春落水透清明，一日落水一日晴。（何石松，2001，61）

　　　lib8　chun1/cun1　log8　shui2/sui2　teu3　ciang1　miang5,

　　　rid4/id4　ngid4　log8　shui2/sui2　rid4/id4　ngid4　ciang5.

指立春之時如下雨，之後天氣可能會陰晴不定，直到清明才有可能真正放晴。主要是因為立春開始，寒氣已經逐漸散開，春風頻動，冬雪消融，而化成水氣，因此雨水才會接踵而來，所以立春所帶來的雨水，並非是不好的，只是表示雨水充沛的意思。因而也有「立春東邊起橫雲，米穀家家屯」、「立春晴一日、農家笑盈盈」……等說法。

2、交春晴一日，農夫不用力。（涂春景，2002，19）

　　　gau1　cun1　ciang5　id4　ngid4,　nung5　fu1　bud4　iung3　lid8.

交春，為立春之意。表示立春這天若天氣晴朗，則這一季將風調雨順，要農民不用太費心。

3、年前交春緊啾啾，年後交春慢悠悠。（涂春景，2002，77）

　　　ngien5　cien5　gau1　cun1　gin2　ziu1　ziu1,

　　　ngien5　heu3　gau1　cun1　man3　iu1　iu1.

表示立春如果在過年前，農事非常急迫，要趕緊春耕；如果立春在過年後，節氣來的較晚，有多點時間處理農事，所以可以慢慢來。意同：六月秋緊啾啾，七月秋慢悠悠。（涂春景，2002，39）

4、雨水作好水，驚蟄牛藤直。（徐運德，2003，224）

　　　iˊ　suiˇ　tsok˙　hoˇ　suiˇ,　kiaŋˊ　tsˈïˇ　n̩iu　teuˇ　tsïtˋ.

此句是說：正月的水是好水，所以辛勤的牛隻又要開始忙碌起來了。

5.雨水甘蔗節節長。（徐運德，2003，232）

　　　iˇ　suiˋ　kamˋ　tsaˇ　tɕietˋ　tɕietˋ　tsˈoŋˋ.

雨水節是農節之一，此時為植物向榮時期，也是甘蔗和柑橘生長最快速的時節。

6、驚蟄不凍蟲，冷到五月中。（徐運德，2003，226）

　　　kiaŋˊ　tsˈïtˋ　putˋ　tuŋˊ　tsˈuŋˋ,　laŋˊ　to　ŋˊ　n̩ietˋ　tsuŋˋ.

這邊說明如果驚蟄時節不冷的話，之後就會一直冷到五月中了。

7、驚蟄牛藤直，春分亂紛紛。（徐運德，2003，226）

    kiaŋˊ tsʻïtˋ ȵiuˋ tenˊ tsïˋˋ, tsʻunˊ funˊ lonˊ funˊ funˋ.

表示正月的時候牛隻繁忙，二月春分時農民們就忙著種田，藉此用來說明春天繁榮的景象。

8、春分秋分，日夜平分。（徐運德，2003，229）

    tsʻunˊ funˊ tɕʻiuˊ funˊ, ȵitˋ iaˋ pʻinˊ funˊ.

表示春分和秋分兩天，白天和夜晚長短都一樣，都是十二個小時。

9、春分清明，有食懶行；芒種夏至，有食懶去。（徐運德，2003，221）

    tsʻunˊ funˊ tɕʻinˊ minˋ, iuˊ sïtˋ lanˋ haŋˋ,

    moŋ tsuŋˊ haˋ tsïˋ, iuˊ sïtˋ lanˋ hiˋ.

這句話是在描述春分、清明、芒種和夏至這四個節氣，都是在暮春初夏時，由於這時的氣候植物正處於發芽長葉的季節，因此空氣中碳氣含量較氧氣多，所以大家全身都會感到懶洋洋的，不想走動，即使有美食當前，也懶得去享受。

10、清明前，好蒔田；清明後，好種豆。（何石松，2001，63）

    ciang1 miang5 cien5 ho2 shi3/sii3 tien7,

    ciang1 miang5 heu7 ho2 zhung3/zung3 teu7.

表示在清明以前，應先將秧苗插好；清明之後，才好種豆。不僅提醒農民，也告誡人們應掌握時機。

11、雨生百穀。（徐運德，2003，232）

    iˊ senˊ pakˋ kukˋ.

表示春天最後一個節氣就是「穀雨」。

4.2.2. 台灣閩語方面

1、立春落雨到清明，一日落雨一日晴。（陳主顯，2005，69）

    lip-chhun-lȯh-hô o kàu chheng-bêng,

    chit-jit loh-hô o chit-jit chêng.

表示立春這天如果下雨的話，就會一直連續下到清明節為止。

2、春甲子雨，赤地千里。（陳主顯，2005，70）

　　chhun　kah-chí　hō，chhiah-tē　chhian-lí.

假如入春的「甲子」這天下雨的話，之後恐有旱災之憂慮。

3、雨水，海水卡冷鬼。（陳主顯，2005，71）

　　ú-suí，haí-chuí　khah　léng　kuí.

說明已是春降大地，雨水時節，海水還是依然如此冰冷，讓捕魚維生的人不知如何是好。

4、未驚蟄，三九日烏；雷拍驚蟄，三九日雨。（陳主顯，2005，73）

　　boē　kiⁿ-tit，siap-kaú-jit　o；luî-phah　kⁿ iⁿ-tit，siap-kaú-jit　hō.

表示若是驚蟄以前打雷，則春季暖空活動劇烈，可能會陰雨連綿；若是驚蟄當天打雷，則是長雨難免。

5、春分秋分，暝日平勻。（陳主顯，2005，75）

　　chhun-hun　chhiu-hun，mî-jit　pîⁿ-ûn.

表示「春分」和「秋分」這兩日的白晝與夜晚長短皆一樣。

6、清明時節雨紛紛。（陳主顯，2005，76）

　　chheng-bêng　sî-cheh　ú-hun-hun.

說明清明時節的天氣細雨紛紛。

7、清明穀雨，寒死老虎母。（陳主顯，2005，77）

　　chheng-bêng　kok-ú，koâⁿ-sí　laū　hó-bú.

表示雖然春季已到了末尾，但是此時的氣溫仍是偏低的，因此提醒人們仍要注意保暖。

　　由以上諺語所知，客家春季諺語在表達上，呈現一股樂觀忙碌的精神，例如：雨水作好水，驚蟄牛藤直、驚蟄牛藤直，春分亂紛紛、年前交春緊啾啾，年後交春慢悠悠……等；而閩諺則顯示了凡事小心謹慎的態度，例如：春甲子雨，赤地千里、雨水，海水卡冷鬼，以及清明穀雨，寒死老虎母等等。

4.3. 夏季節氣諺語

表 4-2　夏季節氣表

夏　　季	節氣	太陽黃經	陽　曆	陰曆	涵　意	代　表農作物
客 lip8 hai3/ 閩 lip ħe	立夏	45 度	5 月 5～6 日	四月節	夏季開始	四月蘿
客 seu2 man1/ 閩 siáu boán	小滿	60 度	5 月 21～22 日	四月中	農作物開始飽滿	
客 mong5 cung3/ 閩 bông chéng	芒種	75 度	6 月 5～6 日	五月節	麥豐收，稻種植	五月匏
客 hai3 cii3/ 閩 ħe chi	夏至	90 度	6 月 21～22 日	五月中	白晝最長	
客 seu2 chu2/ 閩 siáu sú	小暑	105 度	7 月 7～8 日	六月節	天氣漸熱	六月瓜
客 thai3 chu2/ 閩 tāI sú	大暑	120 度	7 月 22～23 日	六月中	天氣漸悶	

（整理自國立歷史博物館編輯委員會，2002，頁 p11）

　　立夏：此時的天氣已經相對炎熱了，為夏天的初始，古時稱夏，含有「大」的意思，意謂著農作物逐漸長大之意。立夏時期進入五、六月冷暖交鋒之期，替台灣帶來了豐沛的雨量，進入了梅雨季。雨水對農作物來說極為重要，雨水若是不充沛的話，就很難有好收成。此時桃李及葡萄盛產，台灣將進入水果的盛產期。

　　小滿：「滿」意指飽滿，說明麥類穀類等作物開始結實飽滿。因台灣氣候炎熱，作物多為早熟，中南地區的稻米，更是豐盈飽滿，再待些時日即可收割。此時台灣正式進入了梅雨季。中國北方原是指梅子熟成之後下的雨，但這時台灣的梅子早已採收完畢，但雨勢會持續一個月左右，雖然有時會令人感到困擾，但對於農作物來說是非常重要的。

　　芒種：表示有芒作物開始成熟，例如：稻米、麥子、黍，都已經結實成「種」了，故稱「芒種」。這時已經進入炎熱的夏季了，「夏」表示長大的意思，不只作物成熟，許多水果盛產，南部種植的稻米，都可以收割了呢！在

此節氣中，最重要的一個節慶活動，莫過於「端午節」了，為台灣三大節慶之一。端午可稱「重五」、「端陽」、「蒲節」、「五月節」、「天中節」等，一般人民的認知，是要過了端午，夏天才算是眞正的來臨。古代每月初五都稱之為「端午」，直到唐代，五月五日才正式成為端午節的專稱。除了掛香包、艾草與包粽子之外，還有划龍舟的慶典活動。事實上，在隋唐時期就有競渡的活動，而據說台灣最早的競渡活動則是於乾隆二十九年在台南法華寺舉行〔註6〕。

夏至：這天太陽直射北回歸線，北半球受光最多，中五太陽位置最高，日影最短，為白天最長，黑夜最短的一天。這時期極為酷熱，因此古代有「歇市」和「避暑」的一些活動，或是放幾天假，好比我們現在學校的放暑假一般。當時還有一首應景的「夏九九」傳唱著：〔註7〕

　　一九至二九，扇子不離手；

　　三九二十七，冰水甜如蜜；

　　四九三十六，汗出如沐浴；

　　五九四十五，頭戴秋葉舞；

　　六九五十四，乘涼入佛寺；

　　七九六十三，床頭尋被單；

　　八九七十二，思量蓋夾被；

　　九九八十一，階前鳴促織。

小暑：表示這時候的天氣已經極為炎熱了，但還並非是最熱的時期。過了小暑之後，天氣會越來越熱，此時也會聽見樹上傳來此起彼落的蟬鳴聲。在農曆六月六日的「天貺節」這天，為天將賜福給民間的日子，人民會去廟裡拜拜，祈求「補運」。這個時候剛好是荷花盛開的時期，台南縣白河鎮每年這時都會舉辦「蓮花節」來吸引觀光可前來觀賞。除此之外，芒果也進入盛產期，南部所盛產的芒果，令人垂涎欲滴，讚不絕口。

大暑：小暑之後，天氣一天比一天熱，接踵而來的是「大暑」，表示炎

〔註6〕國立歷史博物館編輯委員會（2002.12）：《歲時節慶 —— 親子共學知節氣》，台北：國立歷史博物館，頁81。

〔註7〕國立歷史博物館編輯委員會（2002.12）：《歲時節慶 —— 親子共學知節氣》。台北：國立歷史博物館，頁86～87。

熱的程度達到最高峰。此時的台灣進入颱風季，要隨時注意氣象預報以防風
災發生。農曆六月十五的「半年節」，當天為過完年的一半，因此全家人會
在祭拜完神明之後聚在一起吃象徵團圓的甜湯圓。另外值得注意的是，由於
天氣炎熱的緣故，冰品就成為大家消暑的最愛，但也需特別注意衛生安全，
以免胃腸吃壞；家中四周環境也要定期清潔，以防止傳染病流行。

4.3.1 台灣客語方面

1、立夏小滿，盆滿缽滿。（涂春景，2002，152）

    lib8 ha3 seu2 man1, pun5 man1 bad4 man1.

表示立夏小滿時節雨水正多，池塘到處都積滿了水。

2、立夏起北風，十口魚塘九口空。（涂春景，2002，152）

    lib8 ha3 hi2 bed4 fung1,

    siib8 heu2 ng5 tong5 giu2 heu2 kung1.

表示立夏時節若刮起北風，天氣不調和，池魚將反塘，因此十口魚池中就有
九口是空的。

3、端陽有雨兆豐年，芒種響雷穀滿田。（涂春景，2002，152）

    don1 iong5 iu1 i2 seu3 fung1 ngien5,

    mong5 zung3 hiong2 lui5 gug4 man1 tien5.

如果端午節下雨、芒種日打雷的話，則表示今年將稻穀豐收。

4、芒種雨漣漣，夏至曬白田。（涂春景，2002，161）

    mong5 zung3 i2 lien5 lien5, ha3 zii3 sai3 pag8 tien5.

說明如果芒種時節連續數日都下雨的話，則到了夏至，就會連續好幾日都是
炎熱的天氣。

5、芒種芒頭脫，小滿江河滿。（徐運德，2003，223）

    moŋ˩ tsuŋ˥ moŋ˩ teu˩ t'ot˩, seuˇ manˇ koŋˇ ho˩ manˇ.

小滿以及芒種為四月初夏時節，此時雨水充足，最適合播種插秧。

6、芒種芒頭脫，夏至水流秧。（徐運德，2003，230）

    moŋ˩ tsuŋ˥ moŋ˩ teu˩ t'ot˩, ha˩ tsïˇ suiˇ liu˩ ioŋˇ.

描述芒種時若稻穗脫落的話，到了夏至將會降下大雨。

7、夏至毋過毋暖，冬至毋過毋寒。（徐運德，2003，222）

　　haȴ tsïꜛ mꜜ koꜛ mꜜ nonˊ, tuŋˊ tsïꜛ mꜜ koꜛ mꜜ honꜜ.

描述過了夏至，天氣就漸漸熱了起來；而過了冬至，就逐漸轉冷了。

8、夏至無雨入三伏。（徐運德，2003，224）

　　haiꜛ tsïꜛ moꜜ iˊ n̠ipˊ samˊ fukꜜ.

表示夏至如不下雨的話，將令三伏炎熱。三伏為：初伏 —— 夏至第三更日、中伏 —— 夏至第四更日、出伏 —— 交秋第一更日。

9、夏至至長，冬至至短。（徐運德，2003，228）

　　haȴ tsïꜛ tsïꜛ tsʻoŋꜜ, tuŋˊ tsïꜛ tsïꜛ tonˊ.

此句是指，夏至是晝長夜短；冬至而是晝短夜長。

10、到了夏至節，鑊頭無停歇。（涂春景，2002，45）

　　do3 ve5 ha3 zii3 zied4, giog4 teu5 mo5 tin5 hied4.

表示到了夏至，臺灣北部的早稻要收成，晚稻要插秧，是農夫最忙的時節，鋤頭拿起來都沒辦法停歇。

11、夏至見晴天，有雨在秋邊。（涂春景，2002，57）

　　ha3 zii3 gien3 cin5 tien1, iu1 i2 cai3 ciu1 bien1.

表示夏至若是天氣晴朗的話，則在立秋前後會有雨季。

12、大暑小割，小暑大割。（徐運德，2003，230）

　　taiꜛ tsʻuˋ seuˋ kot.ꜜ, seuˋ tsʻuˋ taiꜛ kot.ꜜ.

小暑為農曆六月初，天氣逐漸變熱；而大暑已是六月中，天氣正炎熱，因此趁天氣還未在極熱之時趕快收割的話，大暑一到則會嚐到苦頭。

4.3.2. 台灣閩語方面

1、立夏小滿，雨水相趕。（陳主顯，2005，86）

　　lip-hē siáu-boán, hᵒ o-chuí sio-koáⁿ.

表示從「立夏」到了「小滿」，正式梅雨的天氣，若不做好排水的工作，大量的降雨可能會導致農民辛勤耕作的作物被雨水所浸爛。

2、四月芒種雨，五月無焦土，六月火燒埔。（陳主顯，2005，87）

si-goen bông-chéng hō o, gō o-goeh bô ta-thô,
lak-goeh hoé-sio po.

說明農民感嘆芒種之後下大雨，接著又有數日的炎熱天氣，讓農民難為。

3、芒種逢雷，好結穗。（黃少廷，2004，216）

bong5 cing2 hong5 lui5, ho2 kiat4 sui7.

描述芒種時，稻子正好開花結果，如果此時又逢打雷的話，更能使稻穗長得結實肥大。象徵將會大收穫。

4、夏至，風颱就出世。（陳主顯，2005，89）

hē-chì, hong-thai chī u chhut-sì.

用來警告人們，夏至梅雨期將結束，接踵而來的是颱風等天然災害。

5、夏至，早慢鋸。（黃少廷，2004，50）

ha7/he7 ci3, ca2 ban7 ki3.

表示每年到了夏至，就可以動刀割稻了。

6、夏至，愛食 無愛去。（黃少廷，2004，53）

ha7/he7 ci3, ai3 ciah8 bo5 ai3 khi3.

夏至天氣轉熱，大家都寧可待在室內吃東西，也不想去外頭走動；或有另一說，表示就算外面有好吃的東西，也懶得出去。

7、夏至，禾頭空。（黃少廷，2004，56）

ha7/he7 ci3, ho5 thau5 khang1.

描述夏至到了，稻田一遍光禿（意指已被收割完畢）。

8、夏至，種子愛趕緊播落去。（黃少廷，2004，70）

ha7/he7 ci3, cing2 ci2 ai3 kuann2 kin2 po3 loh4 khi3.

描述農民的辛苦，雖然是大熱天，但為了十月好收成，還是要趕緊犁田播種，不得閒。

9、小暑一聲雷，倒轉做黃梅。（陳主顯，2005，90）

siáu-sú chit-siaⁿ luî, tò-tńg choè n̂g-muî.

表示可以藉由「小暑」的天氣來觀測晴雨：小暑之後，多半是晴朗的好天氣，但是這天若聞雷聲隆隆，可能梅雨再臨，黃梅也因而再開。

10、小暑驚東風，大暑驚紅霞。（陳主顯，2005，91）

　　siáu-sú kiaⁿ tong-hong, tā i-sú kiaⁿ âng-hâ.

表示小暑這天若是颳起颱風，而大暑這天傍晚又滿天紅霞的話，則是颱風來襲的警告，讓人擔心。

11、夏至小暑，雨季終止。（黃少廷，2004，213）

　　ha7/he7 ceh4 sio2 su2, hoo7 kui3 ciong1 ci2.

夏至小暑為農曆六月下旬至七月上旬，這時五月陰雨連綿的天氣宣告終止，表示炎熱的夏季即將來臨。

12、小暑溫馴，大暑熱。（黃少廷，2004，98）

　　sio2 su2 un1 sun5, tua7 su2 juah8/luah8.

這句話是對照大暑與小暑，雖然小暑已經很炎熱，但和大暑的酷熱難耐相比，小暑的天氣就顯得溫馴多了。

13、小暑大暑，有米嘛貧憚煮。（黃少廷，2004，104）

　　sio2 su2 tua7/tai7 su2, u7 bi2 ma7 pin5 tuann7 cu2.

描述每逢小暑大暑天氣炎熱之際，活動一下就滿身大汗，所以讓人懶於做事，連飯都不想做了。

14、小暑大暑，曝死鰗鰡。（黃少廷，2004，117）

　　sio2 su2 tua7/tai7 su2, phak8 si2 hoo5 liu1.

描述小暑大暑的炎熱高溫，連生長在泥地中的泥鰍都會被曬死。

　　在夏季諺語中，不論是客諺或是閩諺，都表達了在炎熱環境下埋頭苦幹的辛苦，雖然這個時候不用擔心缺水的問題，但是梅雨季、颱風期，接連來地大雨，都有可能讓農夫們的作物毀於一旦，因此不得不慎防。

4.4. 秋季節氣諺語

表4-3　秋季節氣表

秋　季	節氣	太陽黃經	陽　曆	陰曆	涵　意	代　表農作物
客 lip8 chiu1/閩 lip chhiu	立秋	135度	8月7～8日	七月節	秋季開始	七月筍

客 chu3 chu2/ 閩 chhù sú	處暑	150 度	8 月 23～24 日	七月中	天氣漸涼	
客 phak8 lu3/ 閩 pėh lô	白露	165 度	9 月 7～8 日	八月節	天涼有露水	八月芋
客 chiu1 fun1/ 閩 chhiu hun	秋分	180 度	9 月 23～24 日	八月中	晝夜平均	
客 hon5 lu3/ 閩 hân lô	寒露	195 度	10 月 8～9 日	九月節	天氣漸冷	九月芥藍
客 song1 kong3/ 閩 sng kàng	霜降	210 度	10 月 23～24 日	九月中	天氣轉冷，開始降霜	

（整理自國立歷史博物館編輯委員會，2002，頁 12）

　　立秋：表是秋天的開始，意味著夏天即將過去，迎接著的是秋涼的天氣。不過通常這時候的台灣仍是炎炎夏日，這時天氣也不甚穩定，午後時有來的快去，的也快的「西北雨」發生。七月初七為七夕，相傳牛郎織女相會的日子，而天上的七仙子，會保佑人間未滿十六歲的小孩順利長大成人，為了表達敬意，民眾多以「七娘媽」稱之，因此當日又稱「七娘媽生」。因為祭拜「七娘媽」有七位，因此準備的供品更為豐盛。

　　處暑：處為「打住」之意，表示暑氣到此為止。事實上，雖然已邁入秋季，但台灣這時仍是酷熱難擋，因而有「秋老虎」之稱。除此之外，此時也是颱風頻繁的時期。到了農曆七月，俗稱「鬼月」，因此有慶中元的活動。為神明體恤長期受苦的孤魂野鬼們，讓他們可以暫時回到人間，接受民眾的普渡布施。

　　白露：意指氣後轉涼之後，清晨溫度明顯下降，水氣凝結，晨間草葉之上的露珠會結成白色的冰霜，而稱「白露」。另外還有一說法，因古代是以四時五行來看的，而秋屬「金」，這個季節代表的顏色為「白」，因而稱「白露」。這時秋天的氣氛已經逐漸瀰漫開來，北風起，日夜溫差變大，而因應這個時候的水果，例如：文旦、柿子等，都紛紛上市了。比較特別的是，因為颱風頻仍，所以農民會利用這個時間種植生長期比較短暫的作物，比如：莧菜、小白菜、菠菜等，從播種到採收只需一個月左右的時間。此時重要的節慶活動，就屬中秋節最為重要了，農曆八月十五日除了是太陰娘娘的誕辰之外，也是土地公的聖誕日，因此此時也需祭拜土地公，準備月餅、水果等牲禮。闔家賞月、烤肉、吃文旦，也成為現在人民的中秋娛樂節目之一。

秋分：為秋季九十天的中間，同春分意思一樣，這天晝夜相等，陰陽等分，但是過了秋分之後，白晝會日漸縮短，夜晚則相對拉長，氣溫也逐漸轉冷了。民間也流傳著一首歌謠：

> 秋分天氣白雲多，處處歡聲歌好禾；
>
> 只怕此日雷閃電，東來米價貴如何。

意指秋分當日天氣晴朗的話，當年將會豐收好過冬，反之，若是打雷閃電的話，則會欠收。九月時節，颱風仍舊不時發生，因此需特別注意。

寒露：水露先白而後寒，表示氣候已逐漸轉冷的意思。農曆九月九日，稱重九，而在中國的陰陽曆中，九算「陽」，所以又稱「重陽」，因此，該日又稱作「重陽節」。古代重陽節盛行登高避禍，人人當天會插茱萸來趨吉避凶；至一九七四年後，政府則將九九重陽節視為長壽之意，因而將該日訂為「老人節」、「敬老節」，將敬老尊賢的文化發揚下去。此外，又因風大的關係，該節也盛行放風箏等休閒活動。

霜降：表見霜之意。為秋季最後一個節氣。這時可明顯感受到比之前冷了許多，不但日夜溫差大，嚴重的話，還可能對農林漁牧業造成傷害。據說，農民會以霜降來預測明天收成的好壞，若是見霜，表示收成良好，反之，則會替來年擔憂了。另外這個時期會颳起「九降風」，新竹人變利用這股風力來快速吹乾米粉，讓它吃起來的口感香 Q 有勁；新埔人也會利用此時將柿子風乾做成好吃的柿餅。

4.4.1. 台灣客語方面

1、七月頭立秋，早暗也有收。（何石松，2001，108）

cid4　ngied8　teu5　lib8　ciu1,

zo2　am3　ria3/ia3　riu1/iu1　shiu1/su1.

七月耕作時間充足，作息又正常，因此早晚都會有豐收的喜悅。

2、光目秋，禾米有；盲目秋，番薯芋兒有。（涂春景，2002，34）

gong1　mug4　ciu1, vo5　mi2　iu1;

mo1　mug4　ciu1, fan1　su5　vu3　ve2　iu1.

光目秋，表示立秋落在白天；盲目秋，代表立秋落在晚上。整句話說明：立秋如果落在白天，則稻米收成豐足；反之，立秋如果落在晚上，則菜園裡的

番薯、芋頭會有好的收成。

　　3、六月秋緊啾啾，七月秋慢悠悠。（涂春景，2002，39）

　　　　liug4　ngied8　ciu1　gin2　ziu1　ziu1,

　　　　cid4　ngied8　ciu1　man3　iu1　iu1.

表示如果立秋在農曆六月，節氣來的較早，農事緊湊；反之立秋如果是落在七月，來的較晚，農事處理可以較爲延緩。意同：年前交春緊啾啾，年後交春慢悠悠。（涂春景，2002，77）

　　4、立秋處暑，憑壁著褲。（涂春景，2002，151）

　　　　lib8　ciu1　cu3　cu2,　ben3　biag4　zog4　fu3.

憑壁著褲，意指靠在牆上穿褲子。表示臺灣北部的農家，在處暑前兩個月，就要收成早稻、耕耘晚稻，因此都累到連穿褲子都得靠著牆壁幫忙。

　　5、立秋雷公響，百日無霜。（涂春景，2002，151）

　　　　lib8　ciu1　lui5　gung1　hiong2,　bag4　ngid4　mo5　song1.

表示立秋這天若打雷的話，則秋天將會非常溫暖，百日內不會下霜。

　　6、不怕白露雨，最怕寒露風。（徐運德，2003，230）

　　　　put.˩　pʻa˧˩　pʻet˩　lu˥　i˩,　tsui˥　pʻa˧˩　hon˩˩　lu˥　fuŋ˩.

表示農民不怕白露時節下雨，只怕寒露時颳颱風。

　　7、白露淋天，丟肥落河。（徐運德，2003，231）

　　　　pʻet˩　lu˥　lim˩　vo˩,　tiu˩˩　pʻi˩　lok˩˩　ho˩.

說明當「白露」時節，施肥只是徒勞無功罷了。

　　8、寒露過三朝，早慢共下飆。（涂春景，2002，72）

　　　　hon5　lu3　go3　sam1　zeu1,　zo2　man3　kiung3　ha3　beu1.

爲一農諺。表示寒露之後三天，無論是早、慢插的秧苗，都會一起快速飆長。

　　9、霜降遇重陽，十家燒火九家亡。（徐運德，2003，221）

　　　　soŋ˩˩　koŋ˥　ɲi˥　tsʻuŋ˩˩　ioŋ˩,

　　　　sïp˩　ka˩˩　seu˩˩　fo˥　kiu˩˩　ka˩˩　moŋ˩.

爲一傳說，表示如霜降那天正好碰到九月九日重陽節，農家們則不敢生火炊飯，怕因此而招來災害。

4.4.2. 台灣閩語方面

1、立秋一擺落雨，一擺涼。（黃少廷，2004，240）

    lip8 chiu1 cit8 pai2 loh8 hoo7, cit8 pai2 liang5.

表示過了立秋之後，每下一次雨，天氣就比一次涼爽。

2、立秋無雨最擔憂，萬物從來只半收。（黃少廷，2004，258）

    lip8 chiu1 bo5 hoo7 cue3 tam1 iu1,

    ban7 but8 ciong5 lai5 ci2 puann3 siu1.

此句表示農民的擔憂，立秋這天若是不下雨，不但影響作物生長，也可能造成該期收穫只有往年的一半。

3、立秋煎鰗鰡。（陳主顯，2005，95）

    lip-chhiu chian hô-liu.

說明立秋天氣極為炎熱，連深潛在泥地下的鰗鰡都烤死了。

4、處暑難得十日陰。（陳主顯，2005，96）

    chhù-sú lân-tit chap-jit im.

表示已經到了秋季的第二個節氣，照理來說應該是涼爽的天氣，但此時台灣仍是非常炎熱。

5、白露南，十九日霑。（陳主顯，2005，97）

    peh lō lâm, chap-kaú-jit tâm.

表示白露這天若是颳南風，之後必會連續數日降雨。

6、白露湧開，卡大天頂。（陳主顯，2005，98）

    peh lō éng khui, khah-tō a thiⁿ-téng.

此話為給漁民們的警告：表示在白露時節出海需格外小心，因為東北季風增強，風浪高頂天。

7、白露雨，寒露風，較聖過三界公。（黃少廷，2004，323）

    peh8 loo7 hoo7, han5 loo7 hong1,

    khah4 siann3 kue3 sam1 kai3 kong1.

描述每逢白露時節必會下雨，寒露時節必會颳風，其準確性更勝三界公（天、地、水三界）。

8、秋分，日暝對分。（陳主顯，2005，99）

　　chhiu-hun,　jit-mî　tǔi-pun.

說明秋分節氣，白天和夜晚的長短一致。（與春分同）

9、落霜有日照，烏寒死無藥。（陳主顯，2005，103）

　　loh-sng　u　jit-chiò,　o-koâⁿ　sí　bô-ioh.

由霜降這天來看冬季的氣候：表示這天天氣若是晴朗，則今年冬天則會冷死人。

10、霜降，風颱走去藏。（陳主顯，2005，103）

　　sng-kàng,　hong-thai　chaú-khì　chhàng.

表示霜降之後至明年颱風季之前，都不會再有颱風來了。

　　客家諺語和閩南諺語在關於秋諺的例子中，除了一方面體會收成的喜悅外；另一方面也忙碌地種晚稻，還要擔心「寒露風」來搗亂。

4.5. 冬季節氣諺語

表 4-4　冬季節氣表

冬　季	節氣	太陽黃經	陽　曆	陰曆	涵　意	代　表農作物
客 lip8 tung1/閩 lip tang	立冬	225 度	11 月 7～8 日	十月節	冬季開始	十月芹菜
客 seu2 siet4/閩 siáu soat	小雪	240 度	11 月 22～23 日	十月中	開始飄雪	
客 tha3 siet4/閩 tāi soat	大雪	255 度	12 月 7～8 日	十一月節	開始下大雪	十一月蒜
客 tung1 cii3/閩 tang chi	冬至	270 度	12 月 21～22 日	十一月中	夜最長	
客 seu2 hon5/閩 siáu hân	小寒	285 度	1 月 5～6 日	十二月節	天氣寒冷	十二月白
客 thai3 hon5/閩 tāi hân	大寒	300 度	1 月 20～21 日	十二月中	天氣酷寒	

（整理自國立歷史博物館編輯委員會，2002，頁 p13）

立冬：冬這邊為終了的意思，收割起來的作物要收藏起來，因為這天冬天已經開始了；也有此一說，冬為「凍」之意，當然這是以天候方面來看的。在台灣有一個傳統的習俗，就是到了立冬，就要補冬。以前的人認為天氣寒冷，所以需要補充營養，因此會燉一些麻油雞、四物、八珍、十全等中藥來滋補全家的身體，除了犒賞大家一年來的努力外，更為了來年的工作，儲備更多的體力。

小雪：這時候已經開始降雪了，但還不多。因節氣的制定當時是以大陸的黃河流域為主，但是台灣位屬熱帶與副熱帶地區，降雪的機率極小，只有偶爾寒流來襲，才會在高山上見到，不然其實並不常見。農曆十月十五日為水官大帝的誕辰日，稱為「下元節」，除了祭拜之外，有些廟宇還會作年尾戲來謝平安，稱作「平安戲」。

大雪：表示降雪量開始由小增大。但是同樣和「小雪」一樣，這兩個節氣都不太符合台灣的氣候。在台灣，一年四季幾乎都是見不到雪的，除非是遇到寒流，帶來足夠的水氣，才可能在高山降雪，但由字面上，由小→大，其實可以明顯感覺到天氣的轉變，北部冬季中，也不時會下起雨來，感受到低溫的寒冷。

冬至：代表冬天真的來臨了，這時候太陽照射從南迴歸線向北移，北半球的畫日開始縮短，這天太陽在天空中位置最低，白天最短，夜晚最長，過了冬至，夜晚會逐漸拉長。冬至又稱「長日」、「冬節」，雖然周代以有冬至的習俗，但是到了漢朝之後，視冬至更為隆重，甚至被訂為正式的節日，在唐代更與新年並重，因而有「冬至大如年」一說法。冬至這天不僅要吃湯圓表示長大一歲，也象徵著圓圓滿滿的意思。

小寒：和小暑意思一樣，表示雖然寒冷，但還不算是最冷的時候，但是正式邁入冬季最嚴寒的時節，不時會有寒流南下，使氣溫驟降。農曆中，稱十二月為「臘月」，「臘」在古代，表示歲終獵捕野獸祭拜祖先的意思。後來佛教傳入中國之後，慢慢也影響了中國傳統的一些習俗，農曆十二月八日，佛教會準備五味粥供奉佛祖，之後逐漸演變成「臘八粥」，近代也有人用八寶飯來取代。

大寒：為二十四節氣中最後一個，也是最為嚴寒的日子。過了大寒，代表一年即將結束，很快就要過新年了。十二月十六日，各個公司也會舉辦年終尾牙，犒賞員工這一年來的辛勞，並供奉土地公感謝祂的保佑。大寒前後

常有寒流南下，嚴重的話造成寒害，對農民來說損失傷害極大，因此要特別嚴防，以防災害發生。

4.5.1. 台灣客語方面

1、小雪大雪，煮飯毋掣。（徐運德，2003，229）

seu╲ ɕiet.┃ tai┐ ɕiet.┃, tsu╲ fan┐ m┘ tsʻat.┃.

描述小雪以及大雪的白天時間很短，只要一過了午飯時間，就覺得天色馬上就變暗，又要煮晚餐了。

2、冬至大如年。（徐運德，2003，233）

tuŋ╱ tsï┐ tai┐ i┘ nien┘.

表示冬至和過年一樣重要。到了冬至，家家戶戶都要搓湯圓，代表圓圓滿滿，也長了一歲。

3、冬至在月頭，家家煨牛頭，冬至在月腰，家家無柴燒，冬至在月尾，做事毋知飢。（徐運德，2003，223）

tuŋ╱ tsï┐ tsʻai┐ n.iet┃ teu┘, ka╱ ka╱ voi╲ n.iu┘ tʻeu┘,

tuŋ╱ tsï┐ tsʻai┐ n.iet┃ ieu╱, ka╱ ka╱ mo┘ tsʻeu┘ seu╱,

tuŋ╱ tsï┐ tsʻai┐ n.iet┃ mi╱, tso┐ sï┘ m┘ ti╱ ki╱.

表示：冬至若在月初，則因提早寒冷而家家烤火取暖；冬至若在月中，因已把柴燒盡取暖，所以已經無柴可燒；冬至若在月末的話，因為冷在後頭，所以大家都拼命工作，甚至忘了飢餓。

4、冬至晴，元旦雨；冬至雨，元旦晴。（何石松，2001，120）

dung1 zhi3/zii3 ciang5, ngien5 dan3 ri2/i2;

dung1 zhi3/zii3 ri2/i2, ngien5 dan3 ciang5.

表示冬至那天若是天氣晴朗，則農曆元旦就會下雨；反之，冬至若是下雨，農曆元旦就會放晴。

5、冬至月中央，霜雪兩頭光。（何石松，2001，125）

dung1 zhi3/zii3 ngied8 dung1 ong1,

song1 sied4 liong2 teu5 gong1.

表示冬至當天若是在農曆月半（十五日），則天氣將會極為寒冷，雪霜紛飛，

氣溫遽降。

6、冬至日子短，兩人共一碗。（徐運德，2003，229）

tuŋˇ tsïˊ n̩it.˙ tsïˇ tonˋ, lioŋˋ n̩inˊ k'iuŋˉ it.˙ vonˋ.

說明冬至前後白天較短，因為少了生產，所以要省點吃。

7、大寒不寒，人馬不安。（何石松，2001，137）

tai7 hon5 bud4 hon5, ngin5 ma1 bud4 on1.

此句話在描述氣候變化無常，該冷的時候不冷，不只是令人，讓馬（動物）也無法適應。

8、大寒像春天，家家哭少年。（涂春景，2002，59）

tai3 hon5 ciong3 cun1 tien1, ga1 ga1 kug4 seu3 ngien5.

大寒，為一年中最嚴寒的時節，如果變得像春天一樣暖和的話，亂了時序，少年因些氣方剛易惹禍端，令長輩費神。

4.5.2. 台灣閩語方面

1、立冬晴，一冬晴。（陳主顯，2005，105）

lip-tang chêng, chit-tang chêng.

表示只要立冬這日天晴，則今年冬天將必晴朗。

2、冬至〔註8〕暝，夏至日。（陳主顯，2005，106）

tang-cheh mî, hˉ e-chî jit.

表示冬至的「暝時」為年中最長的一夜，而夏至的「日時」則是最長。

3、大寒小寒，穿較濟衫嘛是寒。（黃少廷，2004，91）

tai7 han5 siau2 han5,

ching7 khah4 ce7 sann1 ma7 si7 han5.

描述大寒、小寒這個時節天氣寒冷，即使多穿幾件衣服，仍然覺得十分寒冷。

關於冬季諺語，由以上例子我們可以看出無論是客家或是閩南，都十分重視「冬至」這個時間，關於冬至的例子佔多數；另外，或許是氣候環境的差異，所以對於「大雪」、「小雪」的例子並不易見。

〔註8〕根據作者的標音，這邊的冬至應改為冬節較為恰當。

4.6. 結　語

　　由以上敘述可以了解，無論是客諺或是閩諺，只要熟悉該節氣諺語，就可以占天氣晴雨，不至於手忙腳亂，疏於防備。例如：客諺的：「立春落水透清明，一日落水一日晴」、閩諺的：「立春落雨到清明，一日落雨一日晴」，表示立春的時候若下雨，之後的天氣可能都不會穩定，直到清明才可能真正放晴，或是「冬至晴，元旦雨；冬至雨，元旦晴」，也是一樣的意思，冬至那天天氣晴朗的話，則可以預知農曆元旦就會下雨；相反的，冬至那一天若下雨，則農曆元旦時會是大晴天。

　　熟悉節氣諺語，也可以幫助農家們透視動植物的生長，並配合農事活動。例如客諺的：「大暑小割，小暑大割」、「七月頭立秋，早暗也有收」，閩諺的：「芒種逢雷，好結穗」、「小暑一聲雷，倒轉做黃梅」、「小暑小禾黃」、「立秋無雨最擔憂，萬物從來只欠收」、「夏至，早慢鋸」、「夏至，禾頭空」等等。其次，從「正蔥，二蒜」，「寒露麥，露降豆」……中，農民從「節氣諺語」中知道正月的蔥、二月的蒜是最好吃；而「寒露」時適合種麥子，「露降」時適合種豆子。另外，或許是因處於靠海的環境，閩諺也多有和漁業相關的諺語，例如像：「白露湧開，卡大天頂」，就是給漁民的警告，在白露時節東北季風增強，因此出海要特別小心。　而客諺方面，則仍是以農諺偏多。

　　由於先民將他們觀察氣象變化的心得，以及播種作物的經驗，簡單轉變成琅琅上口的諺語，代代相傳，讓我們不單只能是「靠天吃飯」，而是利用對「祂」的了解，來幫助農事以及作物的成長。此外，臺灣人民自閩粵大量來臺，時間雖只三四百年，但臺灣先民已把祖先源自大陸的節氣諺語，自成一格地融入臺灣特殊的海島型氣候中，有別於大陸的農諺，成為臺灣特色的農業諺語，例如：「六月秋，快溜溜」、「夏至，風颱就出世；霜降，風颱走去藏」、「九月颱無人知」、「六月雷，七月湧，六月菝仔，七月龍眼」……等，都為台灣天氣特有的諺語。

　　總結以上所言，從這些諺語中我們知道，不論是客家族群或是閩南族群，他們都展現了對土地的熱愛、為生活而打拼的精神、勤奮且踏實的性格，以及「不違農時」的智慧。

5. 台灣客閩氣象諺語展現的文化意涵

　　以下筆者將延續上一章的討論，參考陳主顯（2005）將台灣閩南氣候諺語分作：天氣、田園和健康三類為依據；本文試將台灣客、閩族群氣象諺語作細分，進一步延伸討論至七個層面：耕作產物、動物世界、人與自然、疾病保健、工作生活、地域特性、以及人生哲理，讓讀者可以清楚知道氣象諺語，不單只是從事農務的農民才需了解，諺語中蘊含的智慧，不僅環環相扣、博大精深，甚至伸及各種層面。下節筆者將逐一例舉說明。

圖 5-1　客閩諺語文化意涵圖

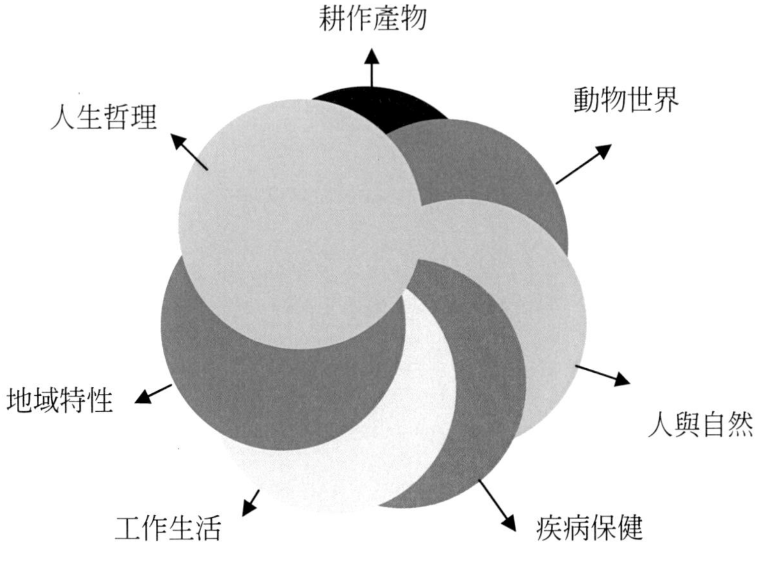

（以上圖表為筆者自行整理）

5.1. 應用於耕作產物方面

以前老百姓主要是靠天吃飯，一遇到風災、乾旱、降霜、落雪……都大大影響農事及漁獵的發展，為了要討口飯吃，觀天話節氣，就是想要提醒農民們，多注意天氣的變化，才得以提前防範或是準備。因此節氣諺語產生的最初目的，無非都是為了保護辛勤已久的作物，免受災害的摧殘。

客諺例句

1、單望立春晴一日，風調雨順好耕田。（徐運德，2003，248）

tanˊ   monˉ   lip│   ts'unˋ   tɕ'ianˊ   it.│   n̩ it.│,

funˊ   t'iauˋ   iˋ   sunˉ   hoˋ   kanˉ   t'ienˋ.

表示立春那天若是晴天，則今年天氣一定會很好，也好種植作物。

2、蒔田到穀雨，有穀就無米。（徐運德，2003，273）

sïˉ   t'ien│   toˉ   kuk.│   iˋ,   iuˊ   kuk.│   tɕ'iuˉ   moˋ   miˋ.

表示插秧若是延至穀雨，稻禾雖然長得茂盛，但是結的稻穗裡面常常沒有米。（意同：蒔田到穀雨，一條禾苗減隻米。）

3、芒種前十日，後十日，膨風茶菁打第一。（涂春景，2002，162）

mong5   zung3   cien5   siib8   ngid4,   heu3   siib8   ngid4,

pong3   fung1   ca5   ciang1   da2   ti3   id4.

膨風茶，為新竹北埔、峨眉一帶所產的茶；茶菁，指尚未加工過的茶葉。整句話為：芒種前後十日所摘下來的茶菁，可以製成上等的膨風茶。

4、處暑落水又起風，十個桔園九個空。（徐運德，2003，246）

ts'uˉ   ts'uˋ   lok'│   suiˋ   iuˉ   hiˋ   funˊ,

sïp│   keˉ   kit.│   ien│   kiuˋ   keˉ   k'unˊ.

說明處暑（七月）起風又下雨，耕作橘子園的農民，收成肯定會不好。

5、處暑定犁耙，再蒔總過差。（徐運德，2003，275）

ts'uˉ   ts'uˋ   t'inˉ   lai│   p'aˋ,   tsaiˉ   sïˉ   tsunˋ   koˉ   ts'aˋ.

表示到了處暑，才想到要犁田翻土，準備插第二期的秧苗，已經太遲了。

6、冬至晴，禾落坑，冬至烏，禾出埔。（徐運德，2003，227）

tuŋˇ tsïˊ tɕ'iaŋˇ, voˇ lokˋ haŋˇ,

tuŋˇ tsïˊ vuˇ, voˇ ts'utˋ p'uˇ.

表示冬至當天若是晴天，則收成不好；反之，如是陰天，則稻子就好收成。（意同：冬至烏，禾攤鋪。）

7、落雨好蒔禾，好天好種茄。（涂春景，2002，165）

log8 i2 ho2 sii3 vo5, ho2 tien1 ho2 zung3 kio5.

表示下雨天適合插秧，晴朗的天氣適合種茄子。

8、落雨蕹菜禾，好天莧菜茄。（涂春景，2002，165）

log8 i2 vung3 coi3 vo5, ho2 tien1 han3 coi3 kio5.

蕹菜，指空心菜。表示下雨天適合種植水稻和空心菜；天晴則適合種莧菜和茄子。

9、十月朝，米齊粑隻隻燒。（徐運德，2003，227）

sïp'ˋ ɲietˋ tseuˇ, tɕ'iˊ paˇ tsakˋ tsakˋ seuˇ.

說明十月收冬季，家家戶戶慶豐收，因此會做糯米製成的米齊粑來享用。

閩諺例句

1、作田無定例，全靠著節氣。（陳主顯，2005，141）

choh-chhân bô tēng-ˊ e, choân-khò-tioh cheh-khùi.

這句話就說明了農事耕作沒有定例，但是一定都是一步一步依照節氣來整地、播種、插秧及收成的。

2、早春，慢播田。（陳主顯，2005，142）

chá-chhun, bˆ an pò-chhân.

此句話有二種說法：有一說，如果立春是在雨水豐沛的十二月，那麼播種的時間就需延遲些，以免稻種浸爛。其二是，早冬春耕，只靠春雨灌溉的話，若是遇到乾旱，就會耽誤到春耕的時間。

3、雨水節，接柑橘。（陳主顯，2005，143）

ú-suí chiat, chiap kam-kiat.

表示雨水時節正逢豐沛的雨量，正是許多作物生長的最佳時期，尤其是柑橘，是此節氣最適合栽種的水果。

4、春分前好播田，春分後好種豆。（陳主顯，2005，143）

chhun-hun chêng hó pò-chhân, chhun-hun āu hó chèng-taū.

這句話是描述台灣北部地區的農作現象，在春分前就開始播種，春分後就種豆。但並不適用於所有豆類，例如土豆的話，就要在清明後種，才不會因為春雨的影響而容易腐爛。

5、立夏，稻仔做老父。（陳主顯，2005，145）

lip-hē, tīu-á choè lāu-pē e.

令農民開心的時刻，表示辛勤的稻作已經開苞吐穗了，想著不久將看到飽滿的稻穗，讓農民們不禁大聲歡呼，恭賀稻仔終於當爸爸了。

6、夏至，種子唔免去。（陳主顯，2005，147）

ħe-chì, chéng-chì m̄-bián khì.

提醒農民要把握耕作時機，到了夏至，台灣中南部的第二期的作物種子已經紛紛播入土裡了，來不及的人，只能等下次了。

7、小暑小禾黃。（陳主顯，2005，147）

siáu-sú siáu-hô ng.

農民最興奮的一刻，此時台灣的第一期水稻已見豐滿稻穗，收成在望，欣喜萬分。

8、小暑不見禾，大暑不見蒿。（陳主顯，2005，160）

siáu-sú put-kiàn hô, tāi-sú put-kiàn kó.

為勸告農民們農事要趕在小暑、大暑之前完成，以免要冒著颱風毀稻的危險。

9、大暑食鳳梨。（陳主顯，2005，161）

tāi-sú chiàh ông-laî.

表是大暑時期正是鳳梨最好吃的時候。

10、白露，唔通攪土。（陳主顯，2005，149）

peh-Ꮁo, m̄-thang kiáu-thô.

警示農民們，第二期的稻作農務應在六月就已經完成，水稻也正在抽穗，所以此時勿翻動田土，以免妨礙稻作的生長。

11、立冬田頭空，青黃割到空。（陳主顯，2005，149）

      lip-tang chhân-thaû khang, chhiⁿ-n̂g koah-kaù khang.

到了立冬，台灣中南部的第二期稻作也開始收割，甚至都已收割完畢，留下一片空曠的田地。

12、白露筍，一枝發，一枝穩。（黃少廷，2004，346）

      peh8 loo7 sun2, cit8 ki1 puh4, cit8 ki1 un2.

表示白露時節，天氣雨量適中，因此這個時期長出來的筍子，不但外觀良好，吃起來也十分可口。（另一種類似說法為：白露筍，粉粉粉，穩穩穩。）

13、白露大落大白。（黃少廷，2004，362）

      peh8 loo7 tua7 loh8 tua7 peh8.

描述白露這天下大雨的話，則會破壞作物生長，使將成長的稻穗外觀呈現白色狀，裡頭空空沒結穗。（同：白露水，較毒鬼。）

14、白露、秋分，稻仔倒成墩。（黃少廷，2004，438）

      peh8 loo7、 chiu1 hun1, tiu7 a2 to2 sing5 tun1.

表示白露、秋分時節天候若是良好，又正逢稻穀成熟，滿滿的稻穗使稻莖無法支撐，而呈現倒垂狀，收割時也堆積如山。

15、芒種、夏至，檨仔落地。（黃少廷，2004，413）

      bong5 cing2、 ha7 ceh4, suainn7 a2 loh8 te7.

表示每逢這個時刻，為芒果的盛產期，不但量多，果肉也十分鮮甜。

16、秋分若霆雷，米價會較貴。（黃少廷，2004，434）

      chiu1 hun1 na7 tan5 lui5, bi2 ke3 e7 khah4 kui3.

若秋分這天打雷下雨，則今年下半年作物將歉收，米價也會隨之上揚。

17、寒露麥，霜降豆。（陳主顯，2005，165）

      hân-lō͘ beh, sng-kàng taū.

表示寒露和霜降時期，最適合種植麥類以及豆類等作物。

5.2. 應用於動物世界方面

在農村社會中，飼養家禽是司空見慣的情形，對農民來說不但是儲蓄，

也是一種投資的行爲。例如飼養牛隻，可以幫助農事，豬隻與飼雞，更是過年過節親朋好友往來交際的禮品。因此，農民飼養家禽不僅用心照顧，看作是平日的工作之一，也在這些家禽以及對自然界動物的觀察身上得到了一些啟示。

客諺例句

1、臨暗雞鴨早入籠，天光日頭紅彤彤。（涂春景，2002，159）

　　lim5　am3　gie1　ab4　zo2　ngib8　lung1,

　　tien1　gong1　ngid4　teu5　fung5　tung1　tung1.

臨暗，指傍晚；日頭，太陽。表示如果第一天傍晚雞群和鴨群較早回籠舍的話，則第二天天氣將十分晴朗。

2、正月凍死牛，二月凍死馬，三月凍死耕田家。（徐運德，2003，220）

　　tsaŋˊ ȵietˋ˩ tuŋˊ çiˇ ȵiuˊ, ȵiˇ ȵietˋ˩ tuŋˊ çiˇ maˊ, samˊ ȵietˋ˩ tuŋˊ çiˇ kaŋˊ tˊienˊ kaˊ.

表示雖然大地已經回春，但是正月、二月、三月的氣候，仍是非常寒冷，其寒冷程度不但可能會凍死牛馬，連農家們都會受不了。

3、長鳥嘴個雷公。（徐運德，2003，232）

　　tsˊoŋˊ tiauˊ tsoiˇ keˇ luiˇ kuŋˊ.

表示春雷初響，蟲類鳥類紛紛震起而出，已是邁入仲春的時候到了。

4、斑鳩叫，晴天利。（徐運德，2003，239）

　　panˊ kieuˊ kieuˇ, tçˊiaŋˊ tˊienˊ liˇ.

表示在陰雨的天氣中，若是在林中聽到斑鳩的叫聲，就代表了即將雨過天晴的意思。以前的人們相信自然界的動物，尤其是蟲類，最爲敏感，可以預知天氣的動態，例如螞蟻搬家、蚯蚓鑽出地面一樣，都是表示將要下雨的徵兆。

5、貓洗面，雨出現。（徐運德，2003，239）

　　meuˊ seˇ mienˇ, iˇ tsˊut.˩ hienˇ.

描述若是貓用前腳在臉上抓扒，似洗面狀，則表示爲要下雨的預兆，同「狗洗身，有水到。」

6、水蟻滿屋飛，毋愁無雨蔭田。（徐運德，2003，241）

suiˇ ȵieˊ manˊ vuk.ˋ piˊ, mˋ seuˋ moˊ iˊ imˊ t'ienˇ.

此句是說，如果晚上開燈，發現有滿屋子的水蟻（即白蟻、飛螞蟻）飛來飛去，意為即將下雨，農家們也不用擔心之後無雨耕田。

7、蟻公搬家魚反塘，三日大路變湖洋。（徐運德，2003，260）

　　ȵieˊ kuŋˊ panˊ kaˊ ŋˊ fanˇ t'oŋˋ,

　　samˊ ȵit.ˋ taiˊ luˋ pienˊ fuˋ ioŋˋ.

表示天氣要轉壞的徵兆，螞蟻便會搬家，看到這種情況，可以預知將要下大雨了。

8、鵝叫風，鴨叫雨。（徐運德，2003，258）

　　ŋoˋ kieuˊ fuŋˊ, ap.ˋ kieuˊ iˇ.

表示若聽到鵝叫聲，將會有風；聽到鴨叫聲，則將會有雨。

9、上午虫另仔叫，下午雨就到。（徐運德，2003，258）

　　soŋˊ ŋˇ kuaiˇ eˇ kieuˊ, haˊ ŋˇ iˇ tɕ'iuˊ toˊ.

說明青蛙也可以感受到天氣的變化，會叫，就表示很快就要下雨了。意同：「白蟻出洞，大雨就送。」、「蜈蚣爬出洞，不久有雨送。」、「蛞螻上牆，大水沖梁。」

10、鷓鴣滿山啼，放心去斫樵。（徐運德，2003，260）

　　tsˊaˊ kuˋ manˊ sanˊ taiˋ, p'ioŋˊ ɕimˊ hiˊ ts ok.ˋ ts'euˋ.

說明若聽到鷓鴣滿山啼叫，代表天氣即將好轉，可以放心去斫柴木了。

11、蟾蜍下了三次塘，趕緊播春秧。（徐運德，2003，261）

　　samˋ ts'uˊ haˊ liauˋ samˊ ts'ïˊ t'oŋˋ,

　　konˇ kinˇ poˋ ts'unˊ ioŋˊ.

表示蟾蜍都已經下塘三次了，就代表水溫夠暖，可以趕快插春秧了。

12、楓葉開烟，鯽魚就翻。（徐運德，2003，261）

　　p'uŋˊ iap.ˋ k'oiˊ ienˊ, tɕit.ˋ ŋˊ tɕ'iuˊ fanˊ.〔註1〕

表示當楓葉盛開時，鯽魚變會翻肚而亡。

13、白頭鳥結群，將有寒流奔。（徐運德，2003，262）

〔註1〕這邊的「翻」fanˊ應改為 pien2 才符合押韻的形式。

　　　p'ak˦ t'eu˥ tiau˩ kiet˦ k'iun˩, tɕ'ioŋ˩ iu˩ hon˥ liu˥ pun˩.

說明當白頭鳥〔註2〕在天空成群結隊時，就是寒流來襲的徵兆。

閩諺例句

1、鳥隻傍冬熟。（陳主顯，2005，215）

　　chiàu-chiah　pīng-tang　se̍k.

表示人鳥共生的情形。稻穀成熟了，也表示農民可以收冬的時候也到了。

2、罩濛掠烏魚。（黃少廷，2004，132）

　　ta3　bong5　liah8　oo1　hi5.

表示天氣起大霧的時候，正是捕烏魚的好時機。

3、濛若開，曝死烏龜，濛無開，穿棕蓑。（黃少廷，2004，135）

　　bong5　na7　khui1，pha8　si2　oo1　kui1，

　　bong5　bo5　khui1，ching7　cang1　sui1.

描述當天早晨若是起大霧，如之後能逐漸散去，則當天必艷陽高照，甚至可以曬死烏龜；反之，若是大霧久久不散，能見度低的話，則當天必定下雨，人們外出時就要記得穿上蓑衣了。

4、烏鶖佇電火線做岫，風颱走ㄆ各拔尾溜。（黃少廷，2004，187）

　　oo1　chiu1　ti7　tian7　hue2　suann3　co3　siu7，

　　hong1　thai1　cau2　kah4　pueh8　bue2　liu1.

表示雖然以前科技不發達，沒有氣象站可以觀測天氣，但是以前的人們相信動物皆有其靈性，可以感受到大自然的變動。這句話就是在說明：如果看到烏鶖〔註3〕（即大捲尾）在電線上築巢的話，就代表那一年將不會有颱風。

〔註2〕筆者猜測這邊的白頭鳥可能是指白頭翁，根據周鎮（1998）《台灣鄉土鳥誌》一書，白頭翁，稱白頭殼，或又稱白頭殼仔。爲台灣平地最常見、也最普遍的鳥，其頭部羽毛呈現白色而得名。分佈於台灣屏東縣楓港以北之西部平地至低山區，東台灣則見於花蓮以北之平原。

〔註3〕據周鎮（1998），烏鶖，即捲尾，又稱大捲尾。乾隆朝之台海見聞錄（董天工，1753）曰：「烏鶖，似八哥，而通體皆黑，喙如錐，尾長，飛最疾，鳴如鶯，善作百鳥聲，夜則隨更遞換，能搏鷹鷂，遇諸惡鳥飛空中，則竄啄其胸，鷹鷂飛較遲，抓不能及，負痛飛鳴而去，宿處惡鳥不敢近。」烏鶖通常活動於

5、立秋曝死鰗鰡，處暑曝死鳥鼠。（黃少廷，2004，271）

　　lip8　chiu1　phah8　si0/si2　hoo1/hoo5　liu1,

　　chu2　su2　phah8　si0/si2　niau2　chi2/chu2.

說明到了立秋，天氣應當是很涼爽才是，可是這時候的天氣仍然炎熱難耐，連泥地裡的泥鰍都會被曬死；同理而言，處暑雖爲立秋之後，但是其炎熱的程度來說，就連田鼠都會被曝曬而死。這種天氣也就是我們常常所講的「秋老虎」。

6、清明穀雨寒死老虎母。（黃少廷，2004，335）

　　ching1　bing5　kok4　u2　kuann5　si2　lau7　hoo2　bu2.

描述每年清明、穀雨時節，這時候台灣天氣仍是極爲寒冷，就連兇猛的老虎都有可能被冷死。

7、穀雨，鳥仔做母。（陳主顯，2005，221）

　　kok-ú,　chiáu-á　choè　bú.

表示穀雨的前後時節，鳥隻懷春，又爲健壯，因此紛紛進行交配以繁衍後代。

8、燕低飛，幪棕簑。（陳主顯，2005，31）

　　ìⁿ　kē-poe,　moā　chang-sui.

說明當看見燕子低飛的時候，也就是將要下雨的時候，農民得把簑衣拿出來了。

9、田嬰飛簾簷，雨落在目前。（陳主顯，2005，32）

　　chhân-iⁿ　poe　nî-chîⁿ,　hō͘　lȯh-tī　bȧk-chêng.

田嬰，指蜻蜓。表示蜻蜓飛不高，又靠近簾簷的時候，就是降雨的徵兆。

10、蜜蜂飛出岫，好天隨時有。（陳主顯，2005，32）

　　bȧt-phang　poe　chhut-siū,　hó-thiⁿ　suî-sî　ū.

蜜蜂表示晴雨。當夏季野花齊放，見到蜜蜂紛紛飛出蜂巢，則是晴朗的天氣。

11、家蟻出來飛，風雨來相會。（陳主顯，2005，34）

　　ka-choȧh　chhut-laî　poe,　hong-hō͘　laî　siong-hoē.

農村，是與農家最接近的鳥類之一。在農耕地捕蟲爲食，對農作物蟲害的防止有相當的幫助。

家蟻，指蟑螂。因為蟑螂對於外界的動態十分敏感，所以若是看到蟑螂不安於室，代表必有風雨來襲。

12、白蝦奔波，風起便和。（陳主顯，2005，36）

　　　pe̍h-hê　phun-pho,　hong-khí　piān-hô.

表示如果看見白蝦成群逆波而游，即使海面颱風不平靜，但也會逐漸轉成和風。

5.3. 應用於人與自然方面

　　自然界的能力和變化，是無限的廣大與奧妙，它的美麗令人懾服，它的無情也令人卻步，即使是聲稱萬物之靈的人類，也需要好好適應與大自然相處，千萬別低估了它的能力，否則它的反撲力量可是不容小覷的。因此，善於觀察天氣的變化，除了可以幫助農事生活外，也可以讓人事先預防或是避免一些災害。

客諺例句

　　1、日動晴，夜動雨。（涂春景，2002，94）

　　　ngid4　tung1　ciang5,　ia3　tung1　i2.

動，指地震。說明若白天發生地震，則未來應是晴朗的天氣；反之，地震若發生在夜晚，那不久就將會下雨。

　　2、芒種火燒山，大水十八番。（涂春景，2002，161）

　　　mong5　zung3　fo2　seu1　san1,　tai3　sui2　siib8　bad4　fan1.

火燒山，指天氣炎熱；十八番，指十八次。表示若芒種前後天氣炎熱的話，不久就將會有多次洪水出現。

　　3、吂落雨先唱歌，有落也無多。（徐運德，2003，234）

　　　maŋˈ　lokˈ　iˈ　çienˈ　tsʻoŋˈ　koˈ,　iuˈ　lokˈ　iaˈ　mˈ　toˈ.

表示在下雨之前，就先聽到雷聲響，就代表即使下雨雨量也不會太大，可以不用擔心。這邊的「唱歌」指的是雷聲的意思。

　　4、雲遮中秋月，雨打下年宵。（徐運德，2003，234）

iunˇ tsaˋ tsuŋˇ tɕʻiuˋ ȵietˋ, iˋ taˋ haˇ ȵienˇ seuˋ.

表示如果中秋節那天是陰天的話，則翌年的元宵節必會下雨。

5、月光帶枷，大雨將下。（徐運德，2003，235）

ȵietˋ konˇ taiˇ kaˋ, tʻaiˇ iˋ lokˋ haˋ.

「枷」，這邊表示月暈、日暈的意思。整句話是說明，如果當天夜晚呈現月暈的話，是即將下雨的預兆。

6、東虹晴，西虹雨。（徐運德，2003，235）

tuŋˇ fuŋˋ tɕʻiaŋˋ, ɕiˋ fuŋˋ iˋ.

表示如果東方出現虹的話，則天氣晴朗；反之，若是西方起虹的話，則會下雨。

7、六月旱，桿竿斷。（徐運德，2003，236）

liukˋ ȵietˋ honˋ, tamˇ konˋ tʻonˋ.

以前的客家人要去挑水都會用到桿竿，如果遇上旱災，那更要時常去挑水回來，在使用量大的情況下，桿竿都有可能被挑斷了。

8、年初八滿天星，五穀豐登好年辰。（徐運德，2003，236）

ȵienˇ tsʻuˋ patˋ manˋ tʻienˋ senˋ,

ŋˋ kukˋ fuŋˋ tenˋ hoˋ ȵienˇ sïnˋ.

表示每逢春節後，在年初八的晚上，若是滿星高掛，代表這一年將會五穀豐收，風調雨順。

9、旱七有問題，旱八餓肚皮。（徐運德，2003，237）

honˋ tɕʻitˋ iuˋ munˇ tʻiˋ, honˋ patˋ ŋoˋ tuˇ pʻiˋ.

表示旱七若沒下雨，無法插秧，也就沒有好的收成。

10、十月有霜，碓頭有糠。（徐運德，2003，237）

sipˋ ȵietˋ iuˋ soŋˋ, toiˇ teuˋ iuˋ honˋ.

說明十月若下霜，是謂早霜，早霜為天氣好，所以就會有好收成，碓上就會有米糠。

11、月光擎枷風，石柱轉潤雨。（徐運德，2003，238）

ȵietˋ koŋˊ kʻiaˋ kaˋ fuŋˊ, sakˋ tsuˊ tsonˇ iunˋ iˋ.

表示月亮周圍有光暈圍繞，則會起風；而屋外的石柱若呈現潮濕的現象，則為下雨的徵兆。

12、朝霞暗雨，暗霞無點雨。（徐運德，2003，239）

tseuˋ haˋ amˊ iˋ, amˊ haˋ moˋ tiamˇ iˋ.

說明早晨若東邊出現紅霞，則到了晚上，必會下雨；反之，若是紅霞出現在傍晚西邊的話，則不會下雨。意同：「朝起紅霞晚落水，晚起紅霞晒死鬼。」

13、烏雲攔東，毋係雨就係風。（徐運德，2003，241）

vuˋ iunˋ lanˋ tuŋˊ, mˋ heˊ iˋ tɕʻiuˊ.

表示如果天空東邊滿佈烏雲的話，即使沒下雨，也會起風的意思。意同：「雲轉東，毋係水就係風。」

14、夏至雷鳴三暑旱，毋旱就會穿。（徐運德，2003，248）

haˊ tsïˊ luiˋ minˋ samˋ tsʻuˋ honˋ,

mˋ honˋ tɕʻiuˋ voiˋ tsʻonˋ.

表示夏至如果雷鳴的話，就是旱天的徵兆。

15、冬暖晴，夏暖旱。（徐運德，2003，250）

tuŋˋ nonˋ tɕʻiaŋˋ, haˊ nonˋ honˋ.

表是冬天暖和的話，白天大多是晴朗的好天氣；但夏天若是暖和的話，多半是因為無雨而成旱。

16、近河多風，近山多雨。（徐運德，2003，251）

kʻiunˊ hoˋ toˋ fuŋˋ, kʻiunˊ sanˋ toˋ iˋ.

表示在河邊多有風，近山邊則多雨。

17、春季東風雨連連，夏季東風水斷源。（徐運德，2003，252）

tsʻunˋ kuiˊ tuŋˋ fuŋˋ iˋ lienˋ lienˋ,

haˊ kuiˊ tuŋˋ fuŋˋ suiˋ tʻonˋ ȵienˋ.

說明春天吹東風可以帶來雨水；反之，夏季的東風而會帶來旱災。

18、秋季東風禾百穗，冬季東風雪滿天。（徐運德，2003，252）

tc'iuˋ kuiˊ tuŋˋ fuŋˋ voˋ p'akˊ suiˊ,

tuŋˋ kuiˊ tuŋˋ fuŋˋ ɕiet.ˋ manˋ t'ienˋ.

說明秋天的東風會暖和天氣；冬季吹的東風卻是冷冰冰。

19、久晴西風雨，久雨西風晴。（徐運德，2003，253）

kiuˋ tc'iaŋˋ ɕiˋ fuŋˋ iˋ, kiuˋ iˋ ɕiˋ fuŋˋ tc'iaŋˋ.

說明只要吹西風時，天氣就會有很大的變化。

20、八月西風多，車水灌田禾。（徐運德，2003，254）

pat.ˋ ɲietˊ ɕiˋ fuŋˋ toˋ, ts'aˋ suiˋ konˊ t'ienˋ voˋ.

說明如果八月的時候吹西風的話，就代表著天旱。

21、一朝春霜百日紅。（徐運德，2003，255）

it.ˋ tseuˋ ts'unˋ soŋˋ pak.ˋ ɲitˊ fuŋˋ.

表示春天中若有結霜過一次，以後就將會是好天氣。

閩諺例句

1、四季流行，萬物化生。（陳主顯，2005，228）

sù-kuĭ liû-hêng, bān-bu̍t hoà-seng.

表示大自然的偉大能力，四季的變化，生成了萬物。

2、冬雨卡貴過酒，春雨卡貴過麻油。（陳主顯，2005，229）

tong-ú khah-kuĭ-koè chiú, chhun-ú khah-kuĭ-koe moâ-iû.

表示冬天和春天的雨水珍貴。主要是因為我國冬季中南部少雨，缺水嚴重；夏季北部五月、六月時梅雨又恐不足，因此也有旱旱的可能，因而才有此一說，比喻雨水比酒和麻油價值更顯重要。

3、天無雨，人無步。（陳主顯，2005，232）

thiⁿ bô-hō, lâng bô-pō͘.

說明老天若不給下雨，人類就算再怎麼聰明，也是一點辦法都沒有。

4、秋霖夜雨，卡肥過屎。（陳主顯，2005，235）

chhiu-lîm iā-ú, khah-puî-koè saí.

也是說明雨水的重要。表示秋季下的雨，就算是嘩啦大雨或是散雨，對於農

作物來說，其養份比任何農家施的肥都來的有用。

　　5、唔去三頓空，要去天唔做人。（陳主顯，2005，235）

　　　　m̄-khì　saⁿ-tǹg　khang, beh-khì　thiⁿ　m̄-choè　lâng.

這句話說明了漁民的悲哀。這邊的「要去」指的是出門討海的意思。整句話表示爲：颱風天，浪高頂天，怎麼下海去捕魚?但是不去，三餐沒有著落，該如何活下去?

　　6、北風若行，嗄龜的著知輸贏。（陳主顯，2005，236）

　　　　pak-hong　nā　kiâⁿ, he-ku--ê　tiȯh　chai　su-iâⁿ.

表示秋涼之後，北風吹來，患有氣喘疾病的人，就會了解它的威力有多厲害。

　　7、小暑大暑無君子。（陳主顯，2005，238）

　　　　siáu-sú　tāi-sú　bô　kun-chú.

表示小暑大暑天氣酷熱難耐，所以人們紛紛脫上衣保持涼快，但是也有人認爲光天化日之下赤裸上身也太過隨便，有傷風化，爲小人之行徑。

　　8、溪若無水兜無魚，山若無林留無鳥。（陳主顯，2005，241）

　　　　khe　nā　bò-chúi　tau　bô-hî, soaⁿ　nā　bô-lîm　laû　bô-chiáu.

提醒人們環境保育的重要。反對竭澤而漁、燒山耕作等自私短視的行爲。

　　9、人無照天理，天無照甲子。（陳主顯，2005，244）

　　　　lâng　bô-chiàu　thiⁿ-lí, thiⁿ　bô-chiàu　kah-chí.

說明天災會降臨是由於人禍導致而成的。由於人類不按照天理而行，所以才會招才上天的懲罰。

　　10、五月無乾（焦）土（塗）。（黃少廷，2004，17）

　　　　goo7　gueh8　bo5　ta1　thoo5.

表示五月因爲正值梅雨季，不斷下毛毛雨，因此地上的土都沒有乾過。

　　11、六月火燒埔。（黃少廷，2004，26）

　　　　lak8　gueh8　hue2　sio1　poo1/phoo1.

表示台灣的六月天，極爲炎熱，如同大火在燒一樣。

　　12、九月颱無人知。（黃少廷，2004，31）

kau2　gueh8　thai1　bo5　lang5　cai1.

表示九月的颱風往往難以預測，提醒人們平時要做好防範的準備，才不會釀成災害。

13、春南夏北，無水通磨墨。（黃少廷，2004，59）

chun1　lam5　he7　pak4,　bo5　cui2　thang1　bua5　bak8.

顯示台灣的氣候特徵：如果春天吹南風，夏天吹北風的話，則天氣將十分乾燥，不但不會下雨，就連滴一滴水用來磨墨都沒有辦法。

14、西北雨落，無過田岸。（黃少廷，2004，74）

sai1　pak4　hoo7　loh8,　bo5　kue3　chan5　huann7.

表示台灣的一種地型雨，大都在白天的時候發生，突然下起大雨，之後又瞬間停止，往往讓人措手不及。下雨的範圍也不大，甚至可能這頭下雨，對面卻出太陽的奇特景象。

15、一雷破九颱。（黃少廷，2004，81）

cit8/it4　lui5　phua3　kau2　thai1.

以前的人雖然沒有科學研究所考證，但是經由他們的經驗所觀察，只有天雷一響，就可以驅走或是抵擋住九個颱風的來襲。

16、南風若轉北，王城去一角。（黃少廷，2004，84）

lam5　hong1　na7　tng2　pak4,　ong5　siann5　khi3　cit8　kak4.

表示台灣夏季如果吹南風的話，可以帶來豐沛的雨量，但是若改往吹北風，天氣不但變得乾燥，還可能會形成颱風，就連雄偉建築的屋頂都有可能被吹掉一角。意同：「六月無善北。」這是十分有科學根據的經驗，因該吹北風時，大氣中高氣壓與低氣壓相碰，就有可能會造成颱風。

17、春天後母面。（黃少廷，2004，95）

chun1　thinn1　au7　bo2　bin7.

表示春天的天氣變換無常，就如同為人後母的情緒一樣不穩定。

18、日頭戴大笠，雨水欲落地。（黃少廷，2004，112）

jit8/lit8　thau5　ti3　tua7　leh8,

hoo7　cui2　beh4　loh8　te7/tue7/ter7.

這句話也是附有科學根據的，表示太陽高掛，但是其周圍出現了一個大圈，將太陽圈住，好似戴著一頂斗笠似的，這就代表近日天氣會轉壞，是一種將要下大雨的徵兆，現今這種現象我們稱做「日暈現象」。意同：「日圍箍予雨沃，月圍箍予日曝」。

19、六月秋快溜溜。（黃少廷，2004，166）

lak8 gueh8 chiu1 khuai3 liu1 liu1.

表示農曆六月中邁入秋天，秋天短，天氣轉涼，很快就會進入冬天了。

20、清早起海雲，風與隨時歕。（黃少廷，2004，184）

ching1 ca2 khi2 hai2 hun5, hong1 hoo7 sui5 si5 pun5.

表示如果天一亮，就看見海邊或海上出現烏雲時，就代表不久將會有風雨來襲。

21、六月雷，七月湧，六月菝仔，七月龍眼。（黃少廷，2004，209）

lak8 gueh8 lui5, chit4 gueh8 ing2,

lak8 gueh8 pat8 a2, chit4 gueh8 ling5 ging2/king2.

表示台灣的天氣：六月常打雷，七月風浪大；而六月正好產芭樂，七月則盛產龍眼。此句話主要是想說明，因為大自然的變化，進而影響了農民的生活。

22、立夏小滿，江河水也滿。（黃少廷，2004，244）

lip8 he7 sio2 mua2, kang1 ho5 cui2 ia7 mua2.

說明每逢，立夏、小滿兩個節氣時，經常會下大雨，使江河爆滿。提醒人們要做好防颱措施，慎防水災發生。

23、空心雷，無過午時雨。（黃少廷，2004，263）

khang1 sim1 lui5, bo5 kue3 goo7 si5 hoo7.

表示天空一直傳來打雷的聲音，但是都一直未下雨。這種現象常發生在中午，而且就算下雨，時間不長，雨量也不大。

24、東爍，無半滴。（黃少廷，2004，283）

tang1 sih4, bo5 puann3 tih4.

表示當天夜晚若東邊天空出現一到閃光或閃電的話，就代表近日天氣呈現乾燥，不會下雨，與「西爍，抱囝走去覕。」意思剛好相反，說明夜晚西邊若

是出現閃光，近日內會下大雨，所以做母親的要趕緊把小孩抱去屋內躲雨。

25、先雷後雨淋濕地，先雨後雷無地下。（黃少廷，2004，292）

  sing1 lui5 au7 hoo7 lam5 sip4 te7,

  sing1 hoo7 au7 lui5 bo5 te3 he7.

表示如果天空先打雷後下雨的話，則不用太擔心，因為雨量不會太大，頂多讓地面呈現潮濕狀；反之，若是先下雨而後才聽到打雷聲的話，則要提防大雨發生。提醒人們若遇到後者的情況，要嚴加戒備，作好防洪措施。

26、光星照澹地，雨水落ㄔ各無地下。（黃少廷，2004，315）

  kng1 chinn1/chenn1 cio3 tam5 te7,

  hoo7 cui2 loh8 kah4 bo5 te3 he7.

說明白天下雨，可是晚上卻出現滿天星斗時，只是一時的假象，因為接踵而來的大雨，連大地都無法容納。表示大雨來臨前的徵兆，提醒人們千萬不要掉以輕心。

5.4. 應用在疾病與保健方面

  隨著天氣的濕熱、溫度變化，空氣中的微塵，都可能會引起人們的不適，為了一家大小，三餐餬口，從前的人多半靠著勞力不斷辛勤工作，相對的，職業病痛也隨之而生。透過這些諺語，我們可以從旁得知前人對疾病的看法、找尋的對策，或者是有什麼特殊的偏方。俗話說：「預防勝於治療」，真正要杜絕病痛的根源，平常的衛生管理和保健就要確實做好。前人對疾病的處理方式多半也有正面的態度和知識：除了知道要就醫外，也懂得要對症下藥，並且也有自我一套養生概念。

客諺例句

1、豬頭皮。（徐運德，2003，213）

  tsuˇ teu˩ pʻi˩.

表示指腮幫腫脹的病痛。這種病普遍見於春天，尤其多出現在小孩身上。

2、三日潮，四日漲。（徐運德，2003，213）

　　　　sam˧ ȵit˩ tsʰeu˩, çi˥ ȵit˩ tsoŋ˥.

這邊的潮、漲，指的是生病的意思。意指一個人氣虛，體弱多病。

　　3、三月食毛桃，毋死也疲勞。（徐運德，2003，216）

　　　　sam˧ ȵietˋ siˇ˩ mo˧ to˩, m˩ çi˥ ia˥ pʰi˩ lo˩.

表示如果吃到三月未熟的桃子，由於不成熟的桃子細毛特多，若不小心吃到的話，恐會致病而死亡。

　　4、六月雞子毒如蛇。（徐運德，2003，218）

　　　　liuk˩ ȵietˋ kie˧ tsiˇ tukˋ i˩ sa˩.

表示六月天氣正炎熱，而雞又屬於燥熱性質，如果這時吃太多幼雞的話，容易患熱毒等疾病。

　　5、五月毋食蒜，鬼在身邊鑽。（涂春景，2002，17）

　　　　ng2 ngied8 m5 siid8 son3, gui2 ci1 siin5 bien1 zon3.

這邊的鬼，表示爲各種的病菌。農曆五月盛夏將至，病媒孳生，前人認爲吃蒜可以殺菌衛生，否則將容易受到傳染。

　　6、寒嘮嘮，狗蝨多。（涂春景，2002，72）

　　　　hon5 lo1 lo1, gieu2 sed4 do1.

寒嘮嘮，表天氣寒冷；狗蝨，這邊指的是傳染病的意思。整句話爲：冬天天氣寒冷，容易藏有寄生蟲，傳染病多。

　　7、東風一包蟲，西風一包藥。（徐運德，2003，274）

　　　　tuŋ˧ fuŋ˧ it˩ pau˧ tsʰuŋ˩, çi˧ fuŋ˧ it˩ pau˩ iokˋ.

表示東風起代表春天來了，萬物甦醒，昆蟲也紛紛出洞。而西風吹，天氣轉涼肅氣盛，疾病滋生，需要的湯藥就多了。

　　8、冬至魚生，夏至狗肉。（徐運德，2003，215）

　　　　tuŋ˧ tsiˇ ŋ˧ saŋ˧, ha˥ tsiˇ kieu˧ ȵiuk˩.

表示冬季應該要陽生，因爲人到了冬天，內火較爲旺盛，所以此時吃性質清涼的生魚片，可以化解內火；夏季就要陰生，這時人的臟器比較虛寒，狗肉屬性溫，夏天吃可以溫腸暖胃，可避免腹瀉。

9、朝食三片薑，餓死街頭賣藥坊。（徐運德，2003，216）

    tseu˪ sïˋ samˊ p'ienˇ kioŋˋ,

    ŋoˊ çiˇ kie˪ t'eu˪ maiˊ iokˋ foŋˋ.

表示每天早上吃三片薑，助消化又保健，街坊藥店都沒生意可做了。意同：
日食一片薑，勝過一碗野蔘湯。（涂春景，2002，93）

閩諺例句

1、北風若行，嗄痀。（陳主顯，2005，271）

    pak-hong nā kiâⁿ, he-ku--ê tio̍h chai su-iâⁿ.

口夏痀指氣喘。意指天氣轉涼，北風起，會刺激人們的呼吸器官，此時患有
氣喘的人多半可能會發作。

2、病人拖節氣。（陳主顯，2005，280）

    pīⁿ-lâng thoa cheh-khùi.

表示一個病危的人，往往會在節氣轉變的前後去世。以前的人認為，在節氣
的時候進補事調養身體最好的時機，但是對於病危的人來說，只要錯過了這
些有利的節氣，生命也隨之結束了。

3、食著愛照三頓，睏著愛照五更。（陳主顯，2005，319）

    chia̍h tio̍h-ài chiàu saⁿ-tǹg, khùn tio̍h-ài chiàu gō͘-kiⁿ.

表示吃飯和睡覺一樣都要有規律的習慣。一日三餐，按時進食；睡覺，也要
早睡早起，生理時鐘要調整好。這句話沿用至今仍被許多健康人士奉為圭臬，
由此可看出前人的智慧的確有其道理。

4、秋茄，白露甕，卡毒飯匙鎗。（陳主顯，2005，327）

    chhiu-kiô, pe̍h-lō͘ èng, khah-to̍k pn̄g-sî-chhèng.

表示吃東西要分寒燥並且看天氣吃。秋天就不宜吃茄子，白露時節不可吃甕
菜，這兩種屬於苦冷的蔬菜，有礙健康。

5、食桃肥，食李瘦。（陳主顯，2005，328）

    chia̍h-thô puî, chia̍h-lí sán.

表示桃和李得分別：桃子性溫，可以令人長肉；李子屬淡冷，可以讓人清瘦。

6、每工食菜頭茶，氣到先生土腳爬。（陳主顯，2005，328）

　　muí-kang　chiàh　chhài-thaû　tê,　khì-kah　sian-siⁿ　thô͘-kha　pê.

表示多吃菜頭多喝茶，身體保健康，就毋須看醫生了。俗話說：「冬吃蘿蔔夏吃薑，毋需醫生開藥方。」果然有其道理。

7、穀雨補老母，立夏補老爸。（陳主顯，2005，335）

　　kok-ú　pó͘　laū-bú,　lip̍-hē　pó͘　laū-pē.

表示在穀雨和立夏兩個時節，要給爸媽多補一補。

5.5. 反映於工作生活

　　以前沒有發達的科技，也沒有完善的設備，人民的生活基本上都是「看天吃飯」，如果老天爺賞臉，在適當的時機下雨，充足的雨量可替農、林、漁牧業帶來不少的收穫；反觀如果天公不做美，數月不下雨，又或者是接連的大雨滂沱，這些災害都對農民的生活和工作帶來極大的影響。由此可知，臺灣以前的農業生活是仰賴天氣幫助的，長久日子下來累積的經驗，各個行業也流傳著相關的諺語，但大致上，仍是以農諺居多。

客諺例句

　　1、日看東南，夜看西北。（涂春景，2003，58）

　　ngid4　kon3　dung1　nam5,　ia3　kon3　si1　bed4.

為一句農諺。說明了解天氣的好壞：白天要看東南方，晚上則要注意西北方，如果有積厚的烏雲的話，未來可能會下雨。

　　2、好雨知時節。（涂春景，2003，92）

　　ho2　i2　di1　sii5　zied4.

在農業時代，作物生長都需仰賴雨水的灌溉，因此，該下雨的時候就下雨，該放晴的時候就放晴。是農民們對及時雨的讚嘆。

　　3、春山頭，冬海角。（涂春景，2003，143）

　　cun1　san1　teu5,　dung1　hoi2　gog4.

這句話也是農民所體會出來的氣象諺語。春天需看山頭，冬天反而要看海邊；

若頭一天山頭、海角烏雲籠罩的話，則次日天氣不好；反之，若頭一天山頭、海角天氣晴朗的話，則次日將會是個好天氣。

4、秋霖夜雨當過糞。（涂春景，2003，153）

　　ciu1　lim5　ia3　i2　dong3　go3　bun3.

秋霖，表示秋天連續下三天以上的雨；當過為勝過之意；這邊的糞，指的是有機肥料。因臺灣中北部，秋季雨量較少，這時如果連天下雨，對農作物的成長而言，比施肥的效果更好。

5、蒔田愛搶先，割禾愛搶天。（涂春景，2002，166）

　　sii3　tien5　oi3　ciong2　sien1, god4　vo5　oi3　ciong2　tien1.

表示插秧要看時節，所以動作要快；收割時要好天氣，所以要趁天氣晴朗的時候。

6、七月好倒竹，八月好斫木。（涂春景，2002，6）

　　cid4　ngied8　ho2　do2　zug4, bad4　ngied8　ho2　zog4　mug4.

倒竹意砍伐竹子；斫木為砍樹之意。此為一農諺，說明農曆七月可以砍伐竹子，砍樹則要等到八月才行。

7、三月三日雨，蓑衣笠母礑到死。（涂春景，2002，7）

　　sam1　ngied8　sam1　ngid4　i2,

　　so1　i1　lib4　ma5　zag4　do3　si2.

表示農曆三月三日若下雨的話，代表這一季會多雨，農民們整個月都將穿蓑衣、帶笠帽了。此例還有反義句為：三月三日晴，蓑衣笠母好上棚；表示蓑衣笠帽可以安心地擺放在棚架上。（涂春景，2002，6）

8、久晴鹹菜甕出味，不久天公會落雨。（涂春景，2002，16）

　　giu2　ciang5　ham5　coi3　vung3　cud4　mi3,

　　bud4　giu2　tien1　gung1　voi3　log8　i2.

為農家的經驗。以前客家人總會將鹹菜醃在甕裡，天晴一段時日之後，如果聞到鹹菜甕飄出香味的話，則代表不久之後將會下雨。

9、八月響雷公，十莢豆兒九莢空。（涂春景，2002，36）

　　bad4　ngied8　hiong2　lui5　gung1,

　　siib8　giab4　teu3　ve2　giu2　giab4　kung1.

表示如果八月打雷的話，天氣不穩，收成也不好，十個豆莢有九個都是空的。

10、冬雪肥，春雪瘦。（涂春景，2002，42）

　　　dung1　sied4　pi5, cun1　sied4　pi5.

表示冬天如果下雪，是來年豐收的預兆；春天如果下雪的話，農民春耕將十分辛苦。

11、冬種木，春種竹。（涂春景，2002，42）

　　　dung1　zung3　mug4, cun1　zung3　zug4.

表示冬天適合種樹，春天適合種竹子。

12、子竹高過娘，一冬暖洋洋。（涂春景，2002，68）

　　　zii2　zug4　go1　go3　ngiong5, id4　dung1　non1　iong5　iong5.

這裡的子竹為新竹；娘，指的是老竹。整句話意思為：若有新竹高過老竹此異象的話，那麼，今年的冬天將會十分暖和。

13、春發東風高吊船，夏發東風斷水源；秋發東風蟲滿田，冬發東風雪滿天。（涂春景，2002，97）

　　　cun1　fad4　dung1　fung1　go1　diau3　son5,

　　　ha3　fad4　dung1　fung1　ton1　sui2　ngien5；

　　　ciu1　fad4　dung1　fung1　cung5　man1　tien5,

　　　dung1　fad4　dung1　fung1　sied4　man1　tien1.

這一農諺表示：春天若吹東風將會有大風浪，船隻也跟著水漲船高；夏季刮東風則代表這季將天旱，河流的水源都斷了；秋季吹東風天氣溫暖，蟲隻在田園紛飛，晚稻將收成不好；冬季刮冬風，則天寒地凍，霜雪滿天。

14、春霧晴夏霧雨，秋霧黃牛會曬死。（涂春景，2002，97）

　　　cun1　vu3　ciang5　ha3　vu3　i2,

　　　ciu1　vu3　vong5　ngiu5　voi3　sai3　si2.

表示春天起霧天氣晴朗；夏天起霧將下雨；秋天起霧則天氣炎熱，連黃牛都會被曬死。

15、白露筍，摘來做老本。（涂春景，2002，141）

　　　ped8　lu3　sun2, zag4　loi5　zo3　lo2　bun2.

白露筍，指白露時節的嫩茶芯。以前白露時節茶葉大都已採收完成，只剩下少許的嫩茶芯，老婆婆就會將那採來賣錢，存起來當老本。由此也可以看出前人勤儉不浪費的本性。

閩諺例句

1、二月寒死播田夫。（黃少廷，2004，120）

　　li7/ji7　gueh8　kuann5　si2　po3　chan5　hu1.

表示農曆二月天氣寒冷，快凍死在田裡忙著農事的農夫們。

2、雷拍秋稻尾光溜溜。（黃少廷，2004，174）

　　lui5　phah4　chiu1　tiu7　bue2　kng1　liu1　liu1.

表示秋天（尤其是立秋之日）如果打雷的話，則年末的稻作收成將不好，沒有結穗，光禿禿一片。

3、四月二十六，海湧著開目。（黃少廷，2004，205）

　　si3　gueh8　ji7/li7　cap8　lak8,　hai2　ing2　tioh8　khui1　bak8.

表示每年農曆四月二十六之後，風浪就開始興起，提醒出海的漁民們要特別小心注意。

4、芒種逢雷好結穗。（黃少廷，2004，216）

　　bong5　cing2　hong5　lui5　ho2　kiat4　sui7.

表示芒種時節稻子正值開花結穗，這時若是打雷的話，可以讓稻穗長得更結實肥大，之後會有豐足的收成。

5、端陽逢雨是豐年。（黃少廷，2004，220）

　　tuan1　iong5　hong5　hoo7　si7　hong1　ni5/lian5.

表示端午節那天若下雨，則該年會是豐收的一年。

6、做乞食望普渡，做田望落雨。（黃少廷，2004，342）

　　co3　khit4　ciah8　bang7　phoo2　too7,

　　co3　chan5　bang7　loh8　hoo7.

表示乞丐人窮志短，期待在普渡的時候可以多討點東西吃；而農夫們則期望插秧、耕耘的時候，老天爺可以及時下雨，讓農作物得以好好生長，有好的

收成。

7、白露大落大白。（黃少廷，2004，362）

  peh8 loo7 tua7 loh8 tua7 peh8.

表示白露時節下雨的話，稻作外表呈現白色，裡頭空空沒結稻穗，作物歉收。

8、八月半看田頭。（黃少廷，2004，399）

  peh4/pueh4 gueh8 puann3 khuann3 chan5 thau5.

表示可以從八月中稻作生長的情形，看出第二期稻作的收穫量。

5.6. 反映於地域特性

  隨著地形與環境的不同，臺灣各地也有其特殊的區域氣象。這些不同的氣象影響時間可長可短，但是對於當地的居民來說，足以改變他們的生活環境以及產物。也因為如此不同的區域特性，才造就了臺灣如此多元的風貌。

客諺例句

  1、九月九降風。〔註4〕

  為新竹特有，因為新竹地勢的關係，為河口沖積平原地形，地形上呈西北向東南的喇叭狀開敞、故不論是冬季的東北季風或夏季的西南季風，只要風一吹到新竹，風力即受地形的約束而增壓、增強，吹起俗稱的「九降風」。

  2、新竹風、基隆雨。〔註5〕

  新竹以九降風而聞名，基隆則以多雨著名。

  3、三分日曬，七分風乾。〔註6〕

  為新竹地區曬米粉的俗諺，每年中秋到翌年清明，乾冷的東北季風盛行，此時利用「霜風」所生產的米粉，因空氣冷冽且水分少，做出來的米粉品質最好，因為好米粉的條件是「三分日曬，七分風乾」，若是有一點陽光的出現，通常就是曬米粉最佳的時機了。

〔註 4〕擷選自 http://hcnoodles.pixnet.net/blog/post/25077888。
〔註 5〕擷選自 http://hcnoodles.pixnet.net/blog/post/25077888。
〔註 6〕擷選自 http://hcnoodles.pixnet.net/blog/post/25077888

4、有女莫嫁銅鑼圈、扛水就要大半天。〔註7〕

一句流傳於龍潭鄉高原、高平兩村附近的客家諺語。以前因為當地地勢較高、水源缺乏，民生用水幾乎全靠人力挑運，十分不方便，來回挑水也相當費力、辛苦，而在當時負責挑水工作的，往往是家庭中的女性。因此這句諺語是來提醒人們：如果家中有待嫁女兒，千萬別許配給當地男子，以免飽受挑水之苦。

閩諺例句

1、雞籠這號天，雨傘倚門邊。（陳主顯，2005，114）

　　ke-lâng　chit-hó͘　thiⁿ,　hó͘-soàⁿ　oà　mn̂g-piⁿ.

表示基隆這般長年紛雨的天氣，只好隨時將雨傘放在門邊，以便外出使用。

2、新竹風，宜蘭雨。（陳主顯，2005，117）

　　sin-tek　hong,　gî-lân　hó͘.

新竹風大，宜蘭多雨，已經成為這兩個都市的天氣特色，更為新竹贏得「風城」之稱號。

3、鹿港風，彰化蚊。（陳主顯，2005，120）

　　lo̍k-káng　hong,　chiong-hoà　báng.

表現出鹿港老鄉親的民情和暗諷之句。鹿港風大，尤其中秋過後，風勢增強，其風速不亞於新竹；但反觀隔壁的彰化縣，因為八卦山的庇護，可以免受此風災，安逸過日子，所以用一諺語諷刺彰化鄉民：彰化出惡蚊。

4、福佬風寒死人。（陳主顯，2005，121）

　　hō-ló-hong　koâⁿ　sí-lâng.

為客家諷刺閩南人的一句諺語。這邊說的「福佬風」指的是每年十月至次年四月時，侵襲我國南部美濃、高樹一帶的冷鋒面。

5、發海西。（陳主顯，2005，122）

　　hoat　haí-se.

說明臺灣西部特有的風吹特色。在晴朗的天氣，午後往往西風大作，由西海吹來，為「陸海風」，是臺灣西部與北部地區的著名天氣特色。

〔註7〕擷選自 http://www.gyps.tyc.edu.tw/learn/green_seed/htm/b14.htm。

6、落山風。（陳主顯，2005，123）

　　lȯh-soaⁿ　hong.

此風為乾燥的強烈地面性陣風，從東北或是山頂直竄而下，像恆春半島西部肆虐，出現時間短則幾小時，長則持續數日，多半發作於每年十月到次年四月。

7、澎湖風，雞籠雨。（陳主顯，2005，124）

　　phiⁿ-ô͘　hong, ke-lâng hō͘.

基隆多雨的天氣前面已講述，但是關於「澎湖風」，我們了解澎湖以「風島」聞名，但是當澎湖的風大作時，其「鹹雨」和「火燒風」的破壞程度，使作物缺乏營養難以生長，令居民深感困擾。為此，島上居民利用當地咕咾石所砌成的堅固圍牆，來阻擋澎湖惡風的侵襲，也發展出茉宅和蜂巢田來應對，間接形成澎湖的獨特景觀。

8、麒麟暴，草木焦。（陳主顯，2005，125）

　　kî-lîn-pò,　chhaú-bȧk　ta.

這邊的「麒麟暴」指的就是焚風。多出現在台東一帶，強勁的西風順著中央山脈而下，不僅波及作物，連人畜都受到影響。

9、九月，九降風。（陳主顯，2005，127）

　　kaú-goȧh,　kaú-kàng　hong.

說明一進入農曆九月，九降風就出現，並且風勢會逐漸增強，侵襲臺灣本島和澎湖群島。尤其是澎湖毫無屏障的地理位置，以及新竹「喇叭口」的地勢，更為九降風肆虐的地區。

5.7. 反映於人生哲理

　　諺語最大的特色，不但是以古喻今，更可以顯示未來，這也是它足以流傳至今，仍被許多人奉為圭臬的原因之一。因此，即使是關於天氣的諺語，其中也蘊含著人生道理，令人不得不感佩前人的智慧與洞察能力。

客語例句：

1、一下雷鳴天下響。（涂春景，2003，1）

　　　　id4　ha3　lui5　miang5　tien1　ha3　hiong2.

一下，指的是「一聲」的意思。表示大地一聲雷，大家皆得而聞之；也形容
一個人若對社會國家有所貢獻，必定聲名遠播，受人愛戴。

　　2、一尺風三尺浪。（涂春景，2003，2）

　　　　id4　cag4　fung1　sam1　cag4　long3.

只有一尺風，卻吹起三尺浪。說明一個人誇大不實，加油添醋之意。

　　3、好時好日多風雨。（涂春景，2003，92）

　　　　ho2　sii5　ho2　ngid4　do1　fung1　i2.

好時好日表良辰吉日之意。對於婚喪喜慶，客家人皆有擇日之習俗，凡喜慶
之日適逢風雨，便會以「好時好日多風雨」來安慰自己。

　　4、近水無魚食，近山無樵燒。（涂春景，2003，116）

　　　　kiun3　sui2　mo5　ng5　siid8,　kiun3　san1　mo5　ceu5　seu1.

說明人都會傍山水而居，認爲有吃不完的魚，以及燒不完的木柴。因此平常
都不會有儲存的習慣，等到需要時，又適逢颱風下雨的話，臨時打不到柴燒，
捕不到魚，就只好餓肚子了。此句勸人要懂得未雨綢繆，才能有備而無患。

　　5、寒天食冷水，點滴記在心。（涂春景，2003，194）

　　　　hon5　tien1　siid8　lang1　sui2,　diam2　did4　gi3　cai3　sim1.

以寒天喝冰水，點滴在心頭；來比喻別人對自己不友善的舉動，會讓人記憶
深刻、銘心刻骨。

　　6、落雨天降介。（涂春景，2003，211）

　　　　log8　i2　tien1　giung3　ge3.

降介，表出生的。表示陰雨綿綿的天氣，東西易腐壞。此句也用來譴責不學
好的不肖人士，就好比下雨天的物品，腐敗不堪。

　　7、天怕秋來旱，人怕老來寒。（涂春景，2002，62）

　　　　tien1　pa3　ciu1　loi5　hon1,　ngin5　pa3　lo2　loi5　hon5.

臺灣北部稻作秋天正需要雨水的灌溉，因此，農夫們最怕秋旱；而人一旦到
了老年，最怕還是貧困度日，一事無成。意同：禾怕寒露風，人怕老了窮。（涂
春景，2002，147）

8、禾怕寒露風，人怕老了窮。（涂春景，2002，147）

  vo5　pa3　hon5　lu3　fung1, ngin5　pa3　lo2　ve5　kiung5.

表示稻子到了寒露時節，應是開花抽穗的時候，如果此時受到冷風吹襲，這樣收成就會不好。整句話說明稻禾最怕寒露時節的冷風；就像一個人最怕老了還是窮困潦倒一般。此句意同上一句：天怕秋來旱，人怕老來寒。（涂春景，2002，62）

9、好愁毋愁，愁該六月天公無日頭。（涂春景，2002，65）

  ho2　seu5　m5　seu5,

  seu5　ge3　liug4　ngied8　tien1　gung1　mo5　ngid4　teu5.

農曆六月天，太陽正炎熱。說明一個人該擔心的不擔心，不用怕六月天沒太陽。意指做人毋需杞人憂天。

10、春天面時時變，臨晝落雨下晝好天。（涂春景，2002，96）

  cun1　tien1　mien3　sii5　sii5　bien3,

  lim5　zu3　log8　i2　ha1　zu3　ho2　tien1.

臨晝，指近午的時候；下晝，下午。表示春天天氣多變，中午前才下雨，下午又放晴了，以此來形容一個人之善變。

11、春來一钁頭，冬來一碗頭。（涂春景，2002，97）

  cun1　loi5　id4　giog4　teu5, dung1　loi5　id4　von2　teu5.

钁頭，指鋤頭；一碗頭，一碗飯之意。表示只要春天勤奮，冬天就會有收成。說明：要怎麼樣的收穫，就要怎麼栽。

12、未冬節就挼圓，莫講冬節毋挼圓。（涂春景，2002，110）

  mang5　dung1　zied4　ciu3　no5　ien5,

  mog8　gong2　dung1　zied4　m5　no5　ien5.

表示冬至還沒到，就已經在搓湯圓了，那更別說到了冬至了！意指一個人時候未到就急得去做某件事，那時候到了豈不更熱衷嗎？

13、毋經冬寒，仰知春暖。（涂春景，2002，117）

  m5　gin1　dung1　hon5, ngiong2　di1　cun1　non1.

仰知，為怎知道之意。整句話表示為：不經嚴寒，怎知春暖。可解釋為：不經一番寒徹骨，焉得梅花撲鼻香。

14、**腳走*毋*過雨，嘴*詏毋*過理。**（涂春景，2002，159）

　　giog4　zeu2　m5　go3　i2,　zoi3　au3　m5　go3　li1.

表示跑再快的腳，有跑不過雨；嘴再怎麼能言善道，也說不贏有理的一方。

15、**補漏趲晴天，讀書趲少年。**（涂春景，2002，171）

　　bu2　leu3　gon2　cin5　tien1,　tug8　su1　gon2　seu3　ngien5.

說明房子屋頂漏水了，就要在天晴的時候趕緊補好；讀書則要趁還年輕的時候，記憶力、體力都好的時候，這樣讀書效率才會高，等到年老了才想讀時，往往已是力不從心，事倍功半了。

16、**人愛人講，田靠水養。**（涂春景，2002，25）

　　ngin5　oi3　ngin5　gong2,　tien5　ko3　sui2　iong1.

講，指譏諷。表示人需要別人激將，才會因此發奮努力而成功；好比水田需要水來維持農作物一樣。

17、**出門看天色，入門看臉色。**（涂春景，2002，43）

　　cud4　mun5　kon3　tien1　sed4,

　　ngib8　mun5　kon3　mien3　sed4.

表示出門前要看天氣的陰晴好壞來決定穿著以及是否需要攜帶雨具；而到別人家中拜訪，也要先察看主人的臉色，視他歡迎與否。

閩諺例句

1、**九月九爁日。**（黃少廷，2004，41）

　　kau2　gueh8　kau2　na3　jit8/lit8.

表示九月天日照時間短暫，晝短夜長，太陽很快就西下了。此句也是在奉勸人們要及時把握白天可以工作的時間，不要虛度時日。

2、**十月日生翼。**（黃少廷，2004，44）

　　cap8　gueh8　jit8/lit8　sinn1/senn1　sit8.

到了十月，白天的時間越來越短，天一下就黑了。整句話意同上一句，同樣是要規勸世人多珍惜白天的時間，好好工作。

3、**六月秋快溜溜。**（黃少廷，2004，166）

　　lak8　gueh8　chiu1　khuai3　liu1　liu1.

表示如果立秋落在農曆六月中的話，秋季將過得十分快，很快就進入冬天了。整句話也是在勸人要及時把握時光，多做一些事情。

4、早出日不成天。（黃少廷，2004，233）

ca2　chut4　jit8/lit8　put4　sing5　thinn1/tian1.

表示一天一大早就出現耀眼的陽光時，則美景往往不會持久，過不久，就會轉變為陰雨的天氣。此句也在意指一個人如果少年得志，太年輕就發跡的話，不見得是件好事，因為往往不會長久，反而很容易就因為揮霍度日而身敗名裂。

5、六月芥菜假有心。（黃少廷，2004，403）

lak8　gueh8　kua3　chai3　ke2　u7　sim1.

本意是指六月天氣炎熱，不適合種植芥菜，因為裡頭不長心（莖）。現今多為批評一個人虛情假意、花言巧語之意。

5.8. 結　語

從以上論述的文化意涵上，筆者分成七項觀點去詮釋，從世代交替傳承的經驗中應用在耕作產物、飼養家畜、人文自然；落實在疾病保健；反映於工作生活、地域特性、以及人生哲理，呈現了客家及閩南族群在物質、精神、與文化上的相似與差異。

圖 5-2　客閩族群在精神、物質、文化的相似與差異圖

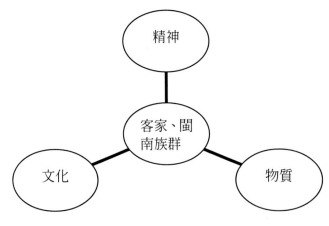

（以上圖表為筆者自行整理）

　　從物質方面來看，因爲地緣的差異，客家人近山，閩南人靠海，因此客家人缺少關於漁業方面的諺語，除農業外，則其他多屬林業，例如「鷓鴣滿山啼，放心去斫樵」，聽到鷓鴣滿山叫，就可以放心去砍柴；「敢去一擔樵，唔去屋家愁」，形容即使天氣不好，爲了生存，仍是要冒險去砍柴木的悲苦、「七月好倒竹，八月好斫木」，表示農曆七月就可以砍伐竹子，砍樹則須等到八月才行；「冬種木，春種竹」……等等；至於閩諺除農諺外，其餘多有與漁業相關，例如：「罩濛掠烏魚」，表示起大霧的時候，正是捕烏魚的好時機；「四月二十六，海湧著開目」，農曆四月二十六之後風浪開始興起，提醒出海捕魚的漁民要注意；「唔去三頓空，要去天唔做人」，和上例客諺「敢去一擔樵，唔去屋家愁」有異曲同工之妙，說明：颱風天，浪高頂天，要如何出海捕魚呢?但是不去的話，三餐沒著落，也不知該如何生存下去，由此也可看出漁民的辛酸。

　　其次從精神方面來看，客家人和閩南人都展現了樂觀愛土的精神，不論是雨天晴天，都有適合種植的作物，例如客諺：「落雨好蒔禾，好天好種茄」、「落雨薅茶禾，好天莧茶茄」，表示下雨天可以適合插秧種植水稻和空心莧，好天氣則適合種莧菜和茄子；「好時好日多風雨」來安慰自己；閩諺的：「雨水節，接柑橘」，雨水時節豐沛的雨量，最適合栽種橘子了；「寒露麥，霜降豆」則表示寒露和霜降時期，適合種植麥類與豆類等作物；「溪若無水兜無魚，山若無林留無鳥」，提醒人們環境保育的重要，反對竭澤而漁，燒山耕作的自私行爲。另外也有顯示勤儉樸實的一面，例如客諺：「春來一鑊頭，冬來一碗頭」，說明要怎樣的收穫，就要怎麼栽；「毋經冬寒，怎知春暖」意同於不經一番寒徹骨，焉得梅花撲鼻香；「白露筍，摘來做老本」，表示客家人勤儉不浪費的本性。此外，閩諺的：「鹿港風，彰化蚊」以及客諺：「福佬風寒死人」，都展現了鄉親們可愛的一面，一面說氣象，一面諷刺人；前句爲鹿港鄉戲謔彰化人過於安逸；後句爲客家人借「風」發揮，諷刺福佬人。

　　最後從文化方面來說，客家人及閩南人對於養身保健方面，都認爲預防勝於治療、吃東西應按節氣，例如客諺：「朝食三片薑，餓死街頭賣藥坊」，表示吃薑助消化又保健，藥坊都沒生意可做了；「五月毋食蒜，鬼在身邊鑽」，先民認爲吃蒜可以殺菌，不易受到傳染；「三月食毛桃，毋死也疲勞」，表示吃到三月未成熟的桃子，恐會致病死亡；另外還有「六月雞子毒如蛇」、「冬至魚生，夏至狗肉」……等等；至於閩諺，相關的諺語也有：「秋茄，白露

甕，卡毒飯匙鎗」，表示吃東西要分寒、燥，依天氣而定，秋天不宜吃茄子，白露時節不可吃甕菜；「每工食菜頭茶，氣到先生土腳爬」，表示多吃菜頭和喝茶，身體自然健康，也就毋須看醫生了；其他還有「穀雨補老母，立夏補老爸」含敬孝的概念……等等。 由此可知，客家先民以及閩南先民早對於健康有一番見解，並有其一套獨特的保養之道。另外從客諺中：「芒種前十日，後十日，膨風茶打第一」、「十月朝，米齊粑隻隻燒」、「久晴鹹菜甕出味，不久天公會落雨」等，都顯示了除了農事之外，客家人尚有採茶生活、製做米齊粑的樂趣、以及醃鹹菜的傳統文化。

6. 結　論

6.1. 研究發現與成果

　　郭紹虞（1921，9）：「諺是人的實際經驗之結果，而用美的言詞以表現者，於日常談話可以公然使用，而規定人的行爲標準之言語。」可見諺語不單只是琅琅上口，易於傳記，還賦予語言音樂性的特殊美學，含有濃厚的價值觀，喻說諷勸，鮮明的方言也具有獨特的地域性特色。至此，回顧第一章，經本文歸納、分析後所得，諺語應含下列六項特點：

　　1、爲人類智慧的結晶。

　　2、爲人類生活經驗的傳承。

　　3、具有普遍的通俗性。

　　4、琅琅上口具有音韻。

　　5、簡易確具豐富的內涵。

　　6、深具教化功能。

　　其次，從第四、五章我們可以發現，台灣的氣象諺語眞是包羅萬象，可以根據風向與風速的變化預知天氣，也可以根據冷熱的變化預測天氣，還有依照霧、露、霞、虹、暈、以及天空的顏色來預占天氣，甚至是根據動物的習性提前得知天氣的變化。我們何其慶幸先民得以將如此智慧的結晶保存至今，讓後世人們可以奉爲圭臬。從這些諺語我們可以了解「雨水」對於務農的客、閩族群來說，是有多麼的重要，幾乎八成以上的例子都與雨水相關。此外，客家、閩南族群也有許多語意相似的天氣諺語，例如客諺：「立春落

水透清明，一日落水一日晴」同閩諺：「立春落雨到清明，一日落雨一日晴」；
「敢去一擔樵，唔去屋家愁」意同「唔去三頓空，要去天唔做人」；「月光帶
枷，大雨將下」同：「日頭戴大笠，雨水欲落地」；「朝食三片薑，餓死街頭
賣藥坊」同：「每工食菜頭茶，氣到先生土腳爬」……等，都是具有異曲同
工之妙之處。俗諺語的理解是需要語言與概念以互補關係共同構築的，具有
形式系統和概念系統的雙重作用性〔註 1〕，因此，筆者試以客諺「敢去一擔
樵，唔去屋家愁」以及閩諺「唔去三頓空，要去天唔做人」兩者爲例，從內
容形式和概念內涵進行分析，並以圖示之〔註2〕：

圖6-1　客諺「敢去一擔樵，唔去屋家愁」話語整合圖

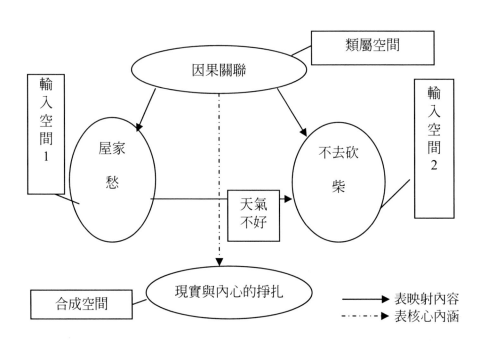

（以上圖表爲筆者整理參考自張燕玲：2008 整理之）

〔註 1〕張燕玲（2008）：《台灣閩南俗諺語的認知語義學研究——以含有「鬼」的俗
　　　諺語爲範圍》，頁 104。

〔註 2〕圖 6-1 整合與分解理論參考自張燕玲（2008）：《台灣閩南俗諺語的認知語義學
　　　研究——以含有「鬼」的俗諺語爲範圍》，頁 104～106。

圖6-2　閩諺「嘸去三頓空，要去天嘸做人」話語整合圖

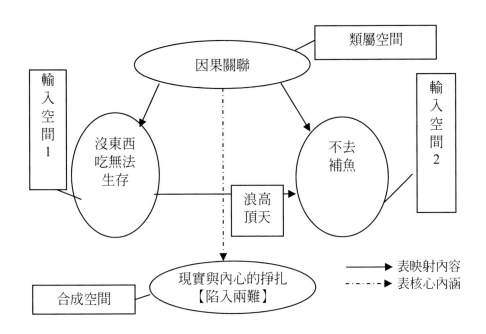

（以上圖表爲筆者整理參考自張燕玲：2008整理之）

　　雖然這兩句諺語皆缺主語，但補語是謂語必然之結果，整合其概念系統分析，「敢去一擔樵，唔去屋家愁」隱喻內涵爲：雖然天氣不好，敢去→至少還有一擔柴可用；不去→必定沒柴可燒，全家都煩惱。而第二句閩諺「嘸去三頓空，要去天嘸做人」該隱喻內涵爲：即使海邊風浪高頂過天，天氣不佳，不去→沒東西可吃要挨餓；硬著頭皮去→老天不從人願，天公不作美。前後兩句諺語皆顯示出樵夫以及漁民爲了討生活的悲哀。

　　再者，第五章從文化意涵觀點切入，特別將蒐集的氣象諺語分爲耕作產物、動物世界、人與自然、疾病保健、工作生活、地域特性、以及人生哲理七個方面去討論，以拋磚引玉的方式分析出客、閩族群在：物質、精神、文化三個層面上的差異與相似之處。朱介凡《中國諺語論》（1964，p275）中提到造成地域性差異的原因有六點：

1、各地方言、口語腔調、遣詞用字、取喻事象之不同。
2、地方生活背景之不同。

3、風俗習慣之不同。

4、地方歷史背景之不同。

5、氣候之不同。

6、諺語傳述四方，字句增減乃必然之事。

相同的族群身處在不同的地理、自然環境，諺語及生活文化都會有所差異，更何況是跨族群的客家與閩南文化，雖然地緣的差異讓這兩個族群在物質與文化上有所不同，然而，同樣遷徙的背景以及農耕的生活，讓他們體悟出不違農時、愛鄉重土、樂觀勤奮的精神；以自小農謀生的能力，思想的辯證，加上長久的經驗，親朋好友彼此間的互動與交流，因為他們的生活，讓他們的諺語更為豐富與充實，不但琅琅上口且還饒富韻味與趣味，比其他的詩詞歌賦更貼近於真實生活，也是它得以傳承至今的優勢。

最後，根據筆者收集資料發現，台灣客閩族群關於氣象方面的諺語，並無顯著差異，除了地緣關係，客諺少有漁業諺語，多有與山、林相關諺語，且在應用於動物世界方面也較閩諺豐富，除家禽外，山林中的鳥類、蟲類，池塘的生物等，皆顯示在客諺當中；相較之下，閩諺則相反，靠海的環境，漁業興盛，因此除農諺外，漁業相關諺語較多，山、林諺語則少見。

6.2. 研究限制與心得

本文受限於時間以及個人的能力因素，蒐集的資料有限，為了要讓讀者一目了然，因此特地挑選具有標音的諺語例句來作為解釋說明，總共擷取二百餘則，選取資料如下：

表 6-1　諺語例句收集來源表

書　　　名	作者	出版時間	選取條數
《客諺一百首》	何石松	2001	6
a.《聽算無窮漢 —— 有韻的客話俚諺 1500 則》	涂春景	2002	52
b.《形象化客家俗語》		2003	10
《客家諺語》	徐運德	2003	64
《台灣諺語（四）氣象篇》	黃少廷	2004	52
《台灣俗諺語典卷八 —— 天氣田園健康》	陳主顯	2005	65
網路來源			4

（以上圖表為筆者自行整理）

　　然而，諺語是傳自民間口耳相傳的智慧結晶，若想要全盤了解，應必須長期做全盤性的田野普查與記錄，至今我們在書上所見的諺語，充其量只是客、閩諺語實質中的一小部分，其餘大部分仍是保留在他們的日常生活中，以及逐漸流失的耆老口中，因此，諺語的保留刻不容緩，我們應正視這個問題，並有賴各個學者爲保留台灣民間文學而盡一份心力。再者，關於客家話、閩南語文字部分尚未統一，可能增加諺語流傳的差異與訛傳。就好比以前音標尚未發表統一版本，各家作者各標其音一樣，不但有失其正確性，也讓讀者看得一頭霧水。因此，客家與閩南諺語傳承與保存工作的先決條件，應爲文字的統一。

　　此外，時代性或許也是部分諺語難以保存的原因之一。楊夅英（2000，142）：「所謂諺語的時代性，指的是諺語所體現出特殊的時代氣息。它是社會歷史的變化發展在諺語中的投影和烙印，是時代的風貌在諺語身上的一種凝固。……諺語在時代性特色的表現是：諺語內容表現當代的情況，但隨著時代腳步的遷移，以失去其功能。」除了傳承之外，創新也是重要的一環，筆者在整理這些諺語資料當中，發現大部分的諺語例句仍是取材自先民的經驗，除了地域性諺語外，其餘近代新作部分卻是少之又少；劉福增（1991，63）表示：台灣客家文化要避免式微，應該秉持「以創新爲傳承」、「以發展爲保存」之理念。筆者認爲，不只是客家文化、閩南文化、原住民文化皆然，我們都要爲保留台灣文化尋找方針，而非見它們逐漸衰弱。以創新爲出發點，如何讓這些諺語、文化更貼近於大眾的生活，讓大家感同深受、學以致用，是我們應該努力的課題。

　　最後，關於母語的推廣應爲首要著手的工作之一，當大家都不再說某一種語言的時候，那怎還能奢望大家會去了解它的文化，甚至是諺語呢？這個情況在客家族群中較閩南族群嚴重，筆者爲客家人，會說部分的客語，也聽得懂客家的語言，但是身邊同樣是客家人的朋友們，大都已經不會說客家話了。語言是文化的根基，語言若消失，文化就會有斷層的憂慮，如果政府和民間未能配合做好客家語言及文化的傳承，在四、五十年後，會說流利客家話的一輩消逝之後，客家文化將會失傳，客家族群就會消失。因此客家文化的傳承和推動，除了家庭肩負重任，要重拾母語做爲溝通的語言之外，同時是需要長期紮根深入學校之後，再擴及整個社會層面的一項重要工作。

　　雖然在一九八八年十二月二十八日的「還我母語」運動之後，客家意識

逐漸抬頭，客家議題也逐漸受到國人的普遍重視，且經由客家族群長期蘊釀的深厚能量，呈現出政府與民間努力的成果，客家文化也走進民眾的生活，與客家相關的藝文活動與休閒產業慢慢登上舞台，例如「行政院客委會」、「客家電視台」以及各縣市的客委會等。但是在電視傳媒的宣傳以及教育推廣上，和閩南語仍是有一段落差，這也是有待我們加強的部分。

6.3. 未來展望

至此，我們可以了解，諺語發展的演變原因，楊冬英（2000：210）提出從「時間 」以及「空間」兩方面來分析，且以圖示之：

圖 6-3　諺語發展的演變原因

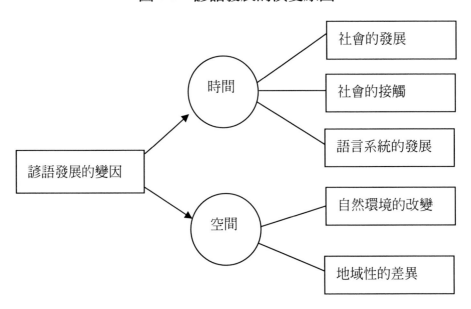

（以上圖表出自楊冬英 2000，p210）

如此一來，值得我們擔心的是，諺語的發展既然是經由時間與空間所塑造出來的產物，那是否會因為時代性的轉移，以及空間的改變而逐漸淘汰或是衰亡？周盤林（1975，16～17）也提到：「蓋語言先於文字，故古時諺語皆賴口耳相傳，不見於文字。周以後始有見於文字之諺語。農業社會中，傳述諺語較盛。社會進步，出版物增多，諺語之傳述反而減少，而其傳述且須借助於文字。廣泛之口頭傳述為諺語之形骸而已。現今工業社會，個人空間時

間減少，人與人之交往接觸亦不如農業社會之頻繁，活在人們唇邊之諺語亦相對銳減也。」

　　因此，時間與空間的改變，導致諺語使用頻率降低的情況，是可以預見的，但是誠如筆者上一節所言，因為人為的母語能力低落，也是造成諺語衰微的重要原因之一。所幸鄉土教育逐漸受到重視，政府也開始著手致力於保存台灣本土的文化，才讓這些前人珍貴的瑰寶不至消逝殆盡。為了要讓諺語能夠交接給下一代，「以創新為傳承」就是我們應該要努力的目標，以現代人的觀點創作出新的諺語，才能將此智慧發揚下去。

參考書目

本文參考文獻依照專書、碩博士論文、單篇期刊與其他，共分為四部份來編排。

一、專　書

1. 江運貴著、徐漢彬譯，（1996.09）：《客家與台灣》，常民文化事業股份有限公司。

2. 李赫，（1987）：《台語的智慧》，永和：稻田出版社。

3. 李赫，（1995）：《台灣諺語的智慧》，永和：稻田出版社。

4. 呂自揚，（1994）：《台灣民俗諺語析賞探源》，高雄：河畔出版社。

5. 李盛發，（1998）：《客家話諺語、歇後語選集》，屏東：安可出版社。

6. 何石松，（2001）：《諺語一百首》，台北：五南圖書出版。

7. 吳瀛濤，（1975）：《台灣諺語》，台北：台灣英文出版社。

8. 邱彥貴、吳中杰（2001.05）：《台灣客家地圖》，台北：貓頭鷹出版社。

9. 周盤林，（1975）：《中西諺語比較研究》，台北市，文史哲出版。

10. 周明德，（1992）：《台灣風雨歲月：台灣的天氣諺語與氣象史》，台北：聯明出版社。

11. 周長楫、魏南安，（1992）：《台灣閩南諺語》，台北：自立晚報。

12. 周長楫，（1996）：《閩南話的形成發展及台灣的傳播》，台北市：台笠出版社。

13. 周鎮，（1998）：《台灣鄉土鳥誌》，南投縣鹿谷鄉：台灣省立鳳凰谷鳥園。

14. 林志冠，（2000）：《林志冠的氣象諺語》，台北：麥田出版社。

15. 林慶勳,（2001）:《台灣閩南語概論》,台北,心理出版社股份有限公司。

16. 林淑慧,（2004）:臺灣文化采風——黃叔璥及其《臺海使槎錄研究》,台北市:萬卷樓圖書股份有限公司。

17. 洪惟仁,（1993）:《台灣哲諺典》,台北:台語文摘雜誌社。

18. 高宗熹編著,（1997）:《客家人——東方的猶太人》,武陵出版有限公司。

19. 徐運德,（1993）:《客家諺語》,苗栗:中原週刊社。

20. 徐福全,（1998）:《福全台諺語典》,台北:徐福全出版。

21. 夏敏,（2009）:《閩台民間文學》,福州市:福建人民出版社。

22. 國立歷史博物館編輯委員會（2002.12）:《歲時節慶——親子共學知節氣》,台北:國立歷史博物館。

23. 馮輝岳,（1999）:《客家謠諺賞析》,台北:武陵出版社。

24. 馮賢亮,（2004）:《歲時節令:中國古代節日文化》,揚州市:廣陵書社。

25. 黃少廷,（2004）:《台灣諺語》,卷四,台北:五南圖書出版。

26. 楊青矗,（1997）:《台灣俗語辭典》,高雄:敦理。

27. 楊兆禎,（1999）:《閩南語諺語拾穗》,新竹:新竹縣立文化中心出版。

28. 楊兆禎,（1999）:《客家諺語拾穗》,新竹:新竹縣立文化中心出版。

29. 劉福增,（1991）:〈客家文化的定義〉收於《新个客家人》,台北:台原出版社。

30. 劉守松,（1992）:《客家人諺語》,新竹:劉守松出版。

31. 劉還月主編,（2001）:《台灣客家族群史——民俗篇》,南投:台灣省文獻委員會編印。

32. 劉還月,（2002）:《台灣人的歲時與節俗》,台北:常民文化事業出版。

33. 陳運棟,（1989）:《台灣的客家人》,台北:臺原出版社。

34. 陳運棟,（1991）:《客家人》,台北:東門出版社。

35. 賴元山,（1991）:《開心諺語》,台北:台視文化出版。

36. 陳主顯,（2005）:《台灣俗諺語典》,卷八,台北:前衛出版社。

37. 謝重光,（1999）:《客家源流新探》,武陵出版有限公司。

38. 蕭平,（2002）:《客家人》,成都地圖出版社出版。

39. 鍾榮富,（2004）:《台灣客家語音導論》,台北:五南圖書出版。

40. 魏萼,（2007）:《中華文藝復興與臺灣閩南文明》,台北市:文史哲出版社。

41. 鄧東濱,（1992）:《台灣諺語的管理智慧》,台北:誠正出版社。

42. 鄧榮坤,（1995）:《客家諺謠與俚語》,台北:武陵出版社。

43. 鄧榮坤,（1997）:《客家話的智慧》,台北:國際村文庫書店出版。

44. 羅香林，（1992）：《客家研究導論》，台北：南天出版社。

45. 羅肇錦，（2001）：《台灣客家族群史》，語言篇，台灣省文獻委員會。

46. Blake.C.Fred（1981）：《Ethnic Groups and Social Change in a Chinese Market Town》, P49-50, Honolulu：University Press of Hawaii.

二、碩博士論文

1. 林寬明，（1994.06）：《台灣諺語的語言研究》（A linguistic study of Taiwanese proverbs），私立輔仁大學語言學研究所碩士論文。

2. 吳秀媛，（2009）：《臺灣客家與閩南童謠的比較與分析：以隱喻及認知結構爲中心的探討》，國立高雄師範大學客家文化研究所碩士論文。

3. 紀東陽，（1992.06）：《台灣諺語傳播思想初探》，私立輔仁大學大眾傳播研究所碩士論文。

4. 徐子晴，（2000）：《客家諺語的取材和修辭研究》，新竹師範學院：台灣語言與語文教育研究所碩士論文。

5. 許筱萍，（2003）：《台灣閩南諺語修辭研究》，私立玄奘人文社會學院中國語文研究所碩士論文。

6. 張復舜，（1999.02）：《台灣閩南語歇後語研究》，頁 17～18，新竹師範學院台灣語言與語文教育研究所碩士論文。

7. 張燕玲，（2008）：《台灣閩南俗諺語的認知語義學研究——以含有「鬼」的俗諺語爲範圍》，國立高雄師範大學台灣語言及教學研究所碩士論文。

8. 黃庭芬，（2005）：《台灣閩客諺語的比較研究——從飲食諺語談閩客族群的文化與思維及其在國小鄉土語言教學的應用》，國立高雄師範大學台灣語言及教學研究所碩士論文。

9. 楊冬英，（2000）：《台灣客家諺語研究》，新竹師範學院：台灣語言與語文教育研究所碩士論文。

10. 熊姿婷，（2006）：《台灣客家節氣諺語及其文化意涵研究》，國立雲林科技大學漢學資料整理研究所碩士班。

11. 潘昌文，（1997.06）：《明清俗語研究》，中國文化大學中國文學研究所碩士論文。

12. 陳昌閔，（2001）：《台灣諺語之社會教化功能研究》，私立南華大學文學研究所碩士論文。

13. 陳瑞明，（2002）：《台灣閩南語諺謠研究》，國立高雄師範大學國文研究所碩士論文。

14. 盧彥杰，（1999.06）：《新竹海陸客家話詞彙研究》，新竹師範學院：台灣語言與語文教育研究所碩士論文。

15. 簡正崇，（1995.06）：《台灣閩南諺語研究》，私立逢甲大學中國文學研究所碩士論文。

三、單篇期刊論文

1. 王朝聞，（1993.08）：〈諺語、歇後語的藝術效果〉，《國文天地》，第 9 卷第 3 期，11～14 頁。

2. 王勇衛，（2002）：〈諺語──一種民俗文化的審美形態〉，《福建省語言學會 2002 學術年會》，24 頁。

3. 李獻璋，（1983.04）：〈中國諺語概念的形成〉（上），《大陸雜誌》，第 66 卷第 4 期，1～16 頁。

4. 李獻璋，（1983.05）：〈中國諺語概念的形成〉（中），《大陸雜誌》，第 66 卷第 5 期，29～47 頁。

5. 李獻璋，（1983.06）：〈中國諺語概念的形成〉（下），《大陸雜誌》，第 66 卷第 6 期，39～46 頁。

6. 李倩華，（1990.09）：〈從俗語、諺語來看中國人的心理衛生〉，《輔導月刊》，第 26 卷第 7/8 期，15～17 頁。

7. 李慶善，（1996.06）：〈知解人心：從諺語看中國人社會認知的特點〉，《本土心理學研究》，第 5 期，314～334 頁。

8. 何石松，（2000）：〈客家諺語的淵源與分類〉，《僑大學報》，第 8 期，169～208 頁。

9. 何素花，（2001.09）：〈台灣諺語對婦女行為的規範〉，《台灣風物》，51 卷 3 期，141～161 頁。

10. 周榮杰，（1987.06）：〈細說台灣諺語〉，《國立編譯館館刊》，第 16 卷第 1 期，73～96 頁。

11. 周榮杰，（1988.12）：〈台灣諺語的雙關〉，《台南文化》，第 26 期，39～57 頁。

12. 周榮杰，（1990.06）：〈台灣諺語之社會觀的探討〉，《台南文化》，第 29 期，17～48 頁。

13. 林寶卿，（1994）：〈從諺語看閩台的年節習俗〉，《民間文學論壇》，第 4 期，47 頁。

14. 姚漢秋，（1980.03）：〈台灣俗諺採擷錄〉（上），《台灣文獻》，第 31 卷第 1 期，219～234 頁。

15. 姚漢秋，（1980.06）：〈台灣俗諺採擷錄〉（中），《台灣文獻》，第 31 卷第 2 期，219～234 頁。

16. 姚漢秋，（1980.09）：〈台灣俗諺採擷錄〉（下），《台灣文獻》，第 31 卷第 3

期，219～234 頁。

17. 洪惟仁，（1992.06）：〈從諺語看台灣人的宗教觀〉，《台語文摘》，第 5 卷第 3 期，36～42 頁。

18. 徐福全，（1992.12）：〈以數字開頭的台灣諺語〉，《台北文獻》，第 102 期，218～107 頁。

19. 徐福全，（1996）：〈與飲食有關的台灣諺語──兼論台灣的傳統飲食文化〉（上），《台北文獻》，第 115 期，190～168 頁。

20. 許達然，（1988.04）：〈從俗語看台灣史〉，《文學台灣》，第 26 期，15～31 頁。

21. 陳益源，（2002）：〈明清時期的臺灣民間文學〉，《明清時期的台灣傳統文學論文集》，台北市：文津出版社有限公司，86～110 頁。

22. 陳運棟，（2003.12）：〈先民的智慧──客家季節農諺〉，《亞太客家文化節──第三屆台灣客家文學研討會論文集》，苗栗：苗栗縣文化局，18 頁。

23. 鍾榮富，（1999.06）：〈談客家諺語的語言〉，《客家文化研究通訊》，中壢：國立中央大學客家文化研究中心籌備處，第 2 期，28～40 頁。

四、其　他

1. 大紀元 http://www.epochtimes.com/b5/9/11/29/n2738122.htm。下載時間 2010 年 3 月 10 日。

2. 陳板：http://info.gio.gov.tw「臺灣客家文化」。下載時間 2010 年 9 月 15 日。

3. http://tw.myblog.yahoo.com/enter640403 下載時間 2011 年 3 月 5 日。

4. 魏吉助（2002）：〈「自然之師」──臺灣節氣諺語透天機〉演講稿。http://tw.myblog.yahoo.com/jw!TzwuqveRGBg7nvywccgGRZ4p.wf1/article?mid=7459 下載時間 2011 年 4 月 26 日。

5. http://www.gyps.tyc.edu.tw/learn/green_seed/htm/b14.htm。下載時間 2011 年 4 月 28 日。

6. http://hcnoodles.pixnet.net/blog/post/25077888。下載時間 2011 年 5 月 6 日。

臺灣閩南語傳統農具詞彙研究
——以新北市樹林區爲例

陳素雲　著

作者簡介

陳素雲，我出生樹林區山佳（舊名山仔腳）的一個務農家庭，從小在田園裡打滾嬉戲，徜徉在大自然，蟲鳴鳥叫，點點螢火，記憶猶新。

中小學階段，一放學回到家，就要到田裡幫忙，不管插秧、除草、割稻、晒穀……樣樣行。農忙收割時，還可以看到養鴨人家，趕著鴨子來田中覓食，回想起來雖然辛苦，但甜蜜在心頭。

求學歷程多元，在代課多年後，取得教育學位，考上教師，目前任職新北市中和區積穗國民小學。也完成國立臺灣師範大學台灣文學系碩士學位。

提　要

為了讓指導的學生閩南語演講比賽時能夠有更正確的發音，遂報名台北城隍廟的「河洛話正音班」研習正統語音，但學習一陣子，似乎有些地方仍無法突破，決心好好的去進修，毅然報考師大的台文所（現改為師大台文系），在一次帶小朋友參觀中和農會的文物館，見到有些原本小時候使用過的農具，標示的卻是普通話，無法用很適切的台語作介紹，有感於傳統以農為主的家園落寞，興起保留農具的語音，以免日後沒人知道這些勞苦功高的器具原先是怎麼稱呼的。

在一開始先行作業去拜訪地方上耆老時，一大片綠油油的稻田，是在地中老年人共同的回憶。家鄉長者都和我一樣，對傳統農具有深厚的感情，但隨著時代的進步，傳統農具被機械農具所取代。於是這些農具被收藏在倉庫儲藏室裡，或丟棄在屋簷下任由風吹雨打，漸漸腐朽損壞。這些農具的名稱，在書中仍有記錄，但閩南語的農具詞彙，卻隨著長輩而凋零。

在田調過程中，從發音人口中常出現「啊！較早（khah-tsá）我在使用時，攏知影這些農具和部件的閩南語講法，毋過久沒使用，已經記袂清楚或是袂記按怎講了……」長者們曾經歷過，都會忘了。而年青一代不知道傳統農具名稱、用途，更不用說是「閩南語農具詞彙」的語音了。

本論文以台灣閩南語詞彙中有關農具詞彙為主要研究對象。實地走訪樹林區曾經務農的閩南語族群，做語料的採集與記錄，並進行詳實而完整的解說。並將傳統農具的實物拍攝後製成圖檔，採集與記錄時可當作提示範本，再以臺灣羅馬拼音記錄其閩南語音讀。保留本區農具詞彙，以傳承鄉土文化。

並將農具語料分成「整地耕作農具」、「播種插秧農具」、「除草捕蟲農具」、「灌溉施肥農具」、「收成入倉農具」、「搬運役畜器具」六類。再就詞音、詞義、用途等角度進行分析探討，所有的研究結果可讓老師於教學中善加運用，以達到教學傳承的教育功能，並提供本研究結果，作為教師編輯教材及教學時的參考。

謝　辭

　　能夠完成論文自是滿心歡喜，但是如果沒有姚榮松教授的提點，是不可能完成本論文的，所以首先要感謝指導教授姚榮松因我的不時請益而干擾其學術研究卻不厭其煩點化我，是本論文得以完成的元素之一。

　　其次要來感謝口考委員張屏生教授及楊秀芳教授、張教授屏生真是對各地口音蒐集調查相當完整的學者，以其走遍全國（含外島）及外地（大陸部分地區）田野調查，真真實實一步一腳印，累積的大量田調資料及研究，恐怕無人能及，所以對本論文的語音糾正，有相當大的助益，本論文的撰寫期間曾向張教授請教，蒙張教授指正，讓本論文的詞彙語音得無缺失，在口考時更建議筆者正確的田調方式讓我以後知道如何做好田調；而楊教授對於「字」的考證用法，可謂字字斟酌，對每一詞彙均要求嚴謹，亦使本論文更具實用性，這些都要感謝口試委員對本論文用心逐字、逐句的審查與指導。

　　師大台文系還有很多優秀的教授們，舉辦多場的國際學術研討會，有幸參與讓我開了眼界；教授們的引導，使我認識深入了解臺灣文化、文學與語言，寬廣視野。

　　本論文是筆者親自為故鄉田調，對每一個發音人的協助都要致謝，有王招財、王裕興、林鄭罔市、林蕭雛、林宏謀、陳成、陳明泉、陳素卿、陳賢國、詹茂雄……等人，其中高齡 92 歲的林鄭罔市女士、86 歲的王招財先生、82 歲王裕興先生、76 歲詹茂雄先生筆者再三走訪錄音，仍親切、耐心、精神奕奕、字正腔圓的說出農具的讀音和用途。另外感謝胞姊弟陳素卿、陳賢國協助聯絡發音人和翁婿張裕昇陪伴造訪發音人，還有林金城學長提供的

指導對音系幫助很多，沒有他們熱忱的幫忙，本論文是無法完成的。尤其是淡水石頭厝陳清崎、陳彬杉叔姪、林月珠、中和農會文物館推廣馮偉民股長和發音人等提供收藏之農具予筆者拍攝，豐富了本論文的實物內涵，衷心感謝他們。

另外筆者參加由臺灣省城隍廟所舉辦的「台語正音班」課程，寫作中也請教了黃明輝老師、李玲玲老師，承蒙他們的指正，使本論文生色許多，一併感謝。

我的同學王忠義、林碧珠、紀春綢、賴毓珊在此期間給我的鼓勵、溫馨的關懷，都是支持我完成論文的動力之一，尤其紀春綢在口考當天還來幫我處理一些雜務，使我專心準備口考，足感心！

回首當初是因為有指導學生（本人任職國民小學）參加閩南語演講比賽，想要更對本土文化深入瞭解充實自己，讓指導的學生有正確發音、確實運用閩南語詞彙、語法、傳承正統閩南語文化等等因素才繼續研讀師大台文系，很幸運的遇到我的指導教授姚教授榮松，他是教育部閩南語辭典的總編輯，平易近人沒有望之儼然的權威感，就像一個慈祥的長者願意把他終身學術精華傾囊相授，自己卻只能學習到姚教授的一小部分，汗顏啊！有待以後的學習及努力。

目

次

第一章　緒　論

第一節　研究動機與目的

一、研究動機

　　從六十年代以後，臺灣農村的風貌有著急遽的改變。先是「犁田機」的出現，代替了水牛與黃牛的犁田翻土工作，原是農家必備的犁、手耙、磟碡、捯筒……，從此閒置簷下、柴架間，或丟棄於牆角，令由風吹雨打日晒，而這些舊式傳統的農具，只能存於中老年農人或曾經生長於農村中老年人的記憶中，甚至於民國五十年代後半期出生的人，對於它們全部陌生。〔註1〕

　　筆者出生於六〇年代，祖先自乾隆年間渡臺以來，定居於新北市樹林區，世代務農。五、六十年代的樹林地區是個農業的鄉鎮，從小在農田中打滾長大，對傳統農具有一份濃厚的情感，早期稻子成熟收割的季節，用腳踩著「機器桶」把稻穀脫落，幾年過去又出現加上馬達的機器桶，將「粟仔」（tshik-á）一袋一袋扛回稻埕，或用「米籮」（bí-luâ）一擔一擔挑回埕，在埕中曝曬，艷陽下「爪仔」（liáu-á）、「耙梯」（pê-kut）〔註2〕、「大拖」（tuā-thuā）〔註3〕、「掃祛」（sàu-kiā）〔註4〕、「風鼓」（hong-kóo）〔註5〕……。這些農村

〔註1〕　簡榮聰，《台灣傳統農村與文物》，南投：臺灣省文獻委員會，1992年，序。
〔註2〕　「耙梯」（pê-kut）：樹林農家的語音。就是晒稻穀時，用來扒穀的工具。
〔註3〕　「大拖」（tuā-thuā）：用來當作曬穀時把如山的穀堆推開成一股一股或集中穀子的農具。
〔註4〕　掃祛（sàu-kiā）：是樹林區農家對竹掃把的稱呼。就是「掃梳」（sàu-sue）。
〔註5〕　風鼓（hong-kóo）：早期利用風力來分離不實稻穀與粗糠的器具。

景象，歷歷在目、不時出現在腦海裡……。

　　翻開家中的老照片，有一張筆者在小學五、六年級時，父親向農會推薦的廠商購買的第一台耕耘機的相片，相片中開著機械式的犁田機，插著旗幟，到家門口時燃放著鞭炮，那種拉風的樣子，似乎告訴莊裡所有的人，我們已經邁向現代化了（圖 1-1）。但也象徵著傳統農具將要被淘汰或取代。現在家中的傳統農具，閒置在倉庫的角落或屋簷下、天篷（thian-pông）上，隨著時間而老舊破損，想到就會讓人不捨。

圖 1-1　筆者的父親駕駛首購的「犁田機」

　　在帶領學童參觀「中和農會文物館」時，熱心的志工詳細的導覽時，發現了一個問題？哪就是只有華語的詞彙居多，大多數的舊時傳統農具，不知道閩南語的說法。讓我驚覺到閩南語農具詞彙會隨著農村的消失而不見了。藉此研究，除能了解臺灣閩南語農具詞彙及臺灣田園俗諺，更期勉能充實專業知識，為鄉土語言的教學工作注入豐富、多元的元素。正在消失的樹林農村，舊有農具能由這研究報告將它們一一保留、記載，才可以讓當代及後世人瞭解。

二、研究目的

　　研究的主要目的是為調查新北市樹林區傳統使用的農具，了解傳統農具的閩南語語音，包含這些農具詞彙的用字、說明和用途。對於本區農具詞彙，本文期望能完整的蒐集記錄，透過農具的探討描述，提供給當代或後世的人

們瞭解，原來臺灣的開發，是先民們胼手胝足的過程。並了解農具詞彙的用字書寫，呈現詞彙的原貌。最終能藉本研究，讓樹林區農友、教育團體認識了解傳統農具的價值、歷史意義，做有系統的典藏和保留。

第二節　研究方法與步驟

一、研究方法

（一）文獻蒐集

本研究的語料以文獻調查為主，筆者廣泛蒐集有關臺灣閩南語農具的文獻語料，並將這些語料加以整理、歸納分類描述，根據結果依水田耕作原理、農事步驟分析探討。蒐集的農具文獻語料包括：傳統農具相關文獻、書籍、期刊、農村文物館刊物。

本文中以實際蒐羅採集之語料中有農諺部分，參酌陳主顯《台灣俗諺語典》系列、莊永明《臺灣諺語淺釋》、陳憲國、邱文錫編註《實用臺灣諺語典》、鄉鎮志書、期刊、農村文物、鄉土語言教學手冊……作為文本。

（二）田野調查法

本文採用田野調查法，訪問曾經實際從事農業的人，採取一對一直接面對訪談。為使調查順利，先至農具收藏家、農會文物館、農家拍攝農具實物或相關輔助圖片，以參閱圖片交談方式來引導，讓發音人自然說出農具詞彙名稱、功用和使用的時機。在訪談時先徵求受訪者之同意，進行錄音、拍照，中間如有聽不清楚處，會再度確認。

錄音後記錄訪談內容，將資料立即整理並儲存，再蒐集相關文獻加以分類。

二、研究步驟

（一）確立研究範圍

本文以新北市樹林地區閩南語傳統農具詞彙為主要研究對象，採集語料包括實地走訪在樹林地區的曾經實際務農，或目前還在務農人士的閩南語族群為訪談紀錄，並以文獻蒐集語料進行補充。詳實而完整收錄語料作為研究範圍。

（二）發言人的介紹

發言人的基本條件在樹林出生或長大，且以閩南語做為生活語音者，七〇年代前務農者。

發音人	地點	年次	性別	發 音 人 介 紹	備註
林鄭岡市	中山里	1924	女	祖籍泉州，1942 自南崁蛇坑嫁到太高坑（樹林區中山里），母語閩南語。	
王招財	北園里	1928	男	祖籍泉州府安溪縣，出生樹林區北園里，家中務農，後來兼營碾米場，母語閩南語。	
王裕興	東園里	1932	男	祖籍泉州府安溪縣。出生樹林區東園里，終生務農，母語閩南語。	
王周森	東園里	1933	女	祖籍泉州府安溪縣，樹林區柑園里嫁至東園里，務農，母語閩南語。	
蔡　眼	中山里	1933	女	祖籍泉州，1972 年，自彰化遷居樹林區山佳里，後定居中山里，母語閩南語。	
陳　成	山佳里	1934	男	祖籍泉州府晉江縣。出生樹林區山佳里，工廠上班兼務農，母語閩南語。	
詹茂雄	北園里	1938	男	祖籍泉州府安溪縣。出生樹林區山佳里，後搬遷至北園里，年青時到外地工作幾年，後回鄉務農，母語閩南語。	
陳明泉	西園里	1950	男	祖籍泉州府安溪縣，務農，母語閩南語。	
林宏謀	西園里	1950	男	祖籍泉州府安溪縣，農會上班，曾務農，母語閩南語。	
林蕭雕	中山里	1952	女	祖籍泉州府晉江縣。出生後居住樹林區中山里，工廠上班兼務農，母語閩南語。	
陳素卿	中山里	1954	女	祖籍泉州府晉江縣。出生樹林區中山里，1978 年嫁至外地，1986 年又回中山里定居，做工兼務農，母語閩南語。	
陳賢國	中山里	1967	男	祖籍泉州府晉江縣，出生樹林區中山里，務農，母語閩南語。	

（三）記錄語料字音

將所收錄的語料，以教育部在民國 95 年 10 月 14 日公告之《臺灣閩南語羅馬字拼音方案》，簡稱為「臺羅」的拼音。且漢字的使用部分，亦參照教育部公布《台灣閩南語辭典》的用字為主。若遇電腦無法輸入的字體，則以臺羅音標來標示，或斟酌較適宜的字來替代。

（四）建立台灣閩南語農具詞彙詞目

將實際拍攝的農具相片和詞彙，製作表格進行編目、加注樹林區的語音及農具用途。

（五）探討語料內容

本語料以水田農具為主，分「整地耕作農具」、「播種插秧農具」、「除草施肥農具」、「除蟲灌溉農具」、「收成入倉農具」、「搬運役畜器具」六類。再就詞形、詞音、詞義等角度來做分析探討。

（六）歸納語料特質

從語料的分析中，就台灣閩南語傳統的農具詞彙之詞音、詞義、及功用。希望藉此研究，除能了解樹林地區傳農具詞彙的豐富性與獨特性外，更能充實專業的知識，讓新生代知道臺灣閩南語舊農具詞彙的說法，方能保留本地方言特色。

第三節　文獻回顧

樹林區氣候溫暖、灌溉便利，早期人們大多務農，種植水稻，米產一年可收割二回，佔農業產物之首。〔註6〕農具在耕作上扮演重要的的角色，所以文獻回顧是有關傳統農具調查報告、農村文物的蒐集及解說和研究中，有關「傳統農具詞彙」的論述做探討。

一、有關書籍著作

1、王禎撰，（元）（1313）《王禎農書》。本書是我國農學史上一部繼往開來的重要著作。全書三十六卷，十三萬六千餘字，插圖二百七十三幅的集農學大成巨著。共分《農桑通訣》、《百穀譜》和《農具圖譜》三部份，第三部份是全書的重點和精華所在，每門有圖有譜，後附短詩一首。書前有作者的序。《農桑通訣》是農業總論，貫穿作者的農本觀念和天時地利、人力共同決定農業生產的思想，具體說明農桑起源，包涵論農、林、牧、副、漁各項技術與經驗。如水田農法和旱地農法的不同。《百穀譜》是農作物栽培各論，敘述各種糧食作物的栽培、保護、收穫、貯藏、利用等技術與方式。《農具圖譜》

〔註 6〕樹林市志編審及諮詢委員會，《樹林市志》（台北：樹林市公所，2010 年），頁303。

記述了耕地、整地、播種、中耕、收穫、農產品加工、灌溉等方面的農具七十四種。三百零六幅圖。每圖都有說明，論述其構造、來源、用法等。其中既有作者自創的農具，也有古人發明的農具復原圖。是我國最早論述農具的專書。最後記載的「造活字印書法」及「活字板韻輪」則是我國印刷史上最珍貴的資料。

　　2、徐光啟撰，（明）（1628）《農政全書》。是一部規模宏大的農業科學百科全書，綜合介紹中國傳統科學的空前鉅著。全書約七十多萬字，分六十卷，引用文獻二百二十九種，自己撰寫有六萬多字。全書分為〈農本〉，是全書的總論；〈田制〉，論述了歷代的田畝制度；〈農事〉，以屯墾為重心，根據當時政治、經濟、軍事形勢的需要，提出開發西北，屯兵近畿；〈水利〉，充分體現了徐光啟的農田水利建設的指導思想，部分內容至今仍有重要參考價值；〈農器〉，專論農業生產工具的製造和使用方法，並附有圖譜；〈樹藝〉，是講穀物、瓜果、蔬菜的栽培方法；〈蠶桑〉、〈蠶桑廣類〉，是講木棉與麻類的種植及利用；〈種植〉，講述樹木、植物的栽培方法；〈牧養〉，是講馬、牛、豬、羊的牧養；〈製造〉介紹鹽、醬、醋、茶的製造方法。全書以屯田、水利、荒政為重點，充分體現了徐光啟屯田立軍、水利興農、備荒防災、發展農業的思想。也是與其他大小農書不同之處。此外，徐光啟主張治水與治田相結合，並總結：一、宋朝以來江南地區蠶桑生產的經驗和棉田管理技術，提倡在北方種植水稻，以解決歷年來南糧北運問題。二、17 世紀以前中國農業生產知識，還融合部份外來的農業知識。用墾荒和開發水利的方法來力圖發展北方的農業生產。三、南方的旱作技術，特別是對長江三角洲地區棉田耕作管理技術，提出了「精揀核（選種）、早下種、深根短幹、稀稞肥壅」的十四字訣；還積極致力於甘薯種植經驗與推廣。農具圖譜多直接引用《王禎農書》。

　　3、顧復（1933）《農書》。本書從神農氏作耒耜為農具之始，將農具分門別類，介紹其種類、形式、功能、作用、材質，兼具參考歐美、日本改良之農具，成為適合我國所利用，既可節省人力、又能精進產能。除此之外，書中的農具的圖案畫得非常精細且部分農具還呈現出解剖圖，同一種農具的各種不同形式也都描繪出來，加上標示名稱，雖然是黑白插圖，亦可謂圖文並茂。因此本書的寫作，除提供讀者學習漢語的農具詞彙，了解農具的種類、形式、功能、作用、材質，更提供給研究者重要農具研究的參考。而本研究

除藉此參考，更就臺灣閩南語農具詞彙的語音做研究和記錄。

4、簡榮聰編著（1992）《臺灣傳統農村生活與文物》。對於臺灣農村生活、發展與器具範疇、演變，非常詳實的描寫，作者對於史料的蒐集完備，圖文並茂。每種農村器物的名稱均有標著，書中農村器具的實物拍攝或結構圖一一呈現，且其用途說明也十分詳細記載。本書各章從緒言，描述從臺灣農村發展與生活器具的演變兼論及臺灣開發史過程。再就割草伐木開墾，掘土整地、耘種儲存，搬運、生產食品、農民工作時常用器具等各種器具形狀、構造及其操作方法以文字兼輔以相關圖片一一加以介紹。本論文參閱《臺灣傳統農村生活與文物》，來比較樹林區農民使用的農具、農村生活器物有何不同、語彙上有無差異，來瞭解是否因地區、年代及時間而導致詞彙、語音有所變化。

5、邱淵惠（1997 初版）《台灣牛：影像‧歷史‧生活》。牛和農民的生活密不可分，甚至「台灣牛」已成為台灣人的圖騰。這本書除了文獻資料外，更蒐羅了數百幀和台灣牛的老照片及民間一手的史料。透過這些文件和影像讓目睹昔日台灣人民與牛共工的勞動現場，且更具體的將昔日常民生活面貌映照出來。從台灣牛話從頭、世間最苦是耕牛、無轎坐牛車、做牛著拖也著磨、牛墟鬧茫茫、放牛吃草共六個篇章。從牛在荷蘭治台時期引進台灣，在台灣墾拓中佔有重要的地位，到牛隻在買賣市集和官方保護牛，文字敘述搭配圖片，有如一部台灣開發史，對上一代創造台灣歷史的農人、耕牛留下一份見證、一種歷史交代。

6、陳正之著（1999）《古農具舊時情》。本書依著本土事象一年兩種「春田」與「秋田」的耕耘、秋收來回顧從前走過的路。章節：播種、分秧、播田、搜草、灌溉、副作、穫稻、稻草，共八篇章，從木棒、犁、畚箕……到稻草在食衣住行的功用，每一種舊時古農具一一描述其用途、功用、演進，在名稱上有華語農具詞彙、亦有閩南語詞彙。是我國農學史上一部繼往開來的重要著作。

7、胡澤學著（2006）《中國犁文化》。本書共七章分別為犁的歷史、犁耕技術的進步、古代繪畫雕塑中的犁、犁的形制日民俗中的犁文化。做深入的探討，本書吸收相關的論著研究成果為基礎，對犁的發展史和犁耕技術的進步做有系統全面的剖析論述。且羅列不同時期磚石、壁畫、繪畫中的犁形象，對於犁的形式變化和犁耕技術的傳播途徑深入分析。整理古農書、歷代

詠農詩、農諺中有關犁的文字資料，也蒐集犁的傳說故事或節日中的犁文化，以多角度、全方位的手法展現犁文化的全貌。

本書針對「犁」開闢一個嶄新的視野，這是第一部從眾多傳統農具中，以專書介紹「犁」的著作，全面研究與「犁」相關的內容，諸如從東南西北三十多個省份蒐集不同形式「犁」的文字和形象及不同生產環境中實際使用時所拍攝的影像資料，故而是兼具文化層面來紀錄，如民間傳說、節日習俗等「犁耕」故事。且有系統從「犁」的發展歷史，與人類學相結合依演變的成因、改進的內在、外在原因作全面性的分析研究，使古今相關資料整合再透過田野實地調查，將「犁」的物質面與非物質面各個不同角度，徹底考證、剖析。故本書可說是帶給我們對目前「犁」這個傳統農具全面瞭解的最好資料。

二、碩博士學術論文

1、林郁靜（2002）《麥寮方言的調查與研究——語音及詞彙初探》。是以麥寮的語音及詞彙做爲研究的對象，實際調查當地的語音和詞彙。內容分上下兩篇，上篇是語音，下篇是詞彙。語音除了本地的聲、韻、調系統外，也探討連音變化及音節結構的分析，更進一步做三代四個年齡層的語音觀察，發現可將四個年齡層，分爲兩組，一組是老中年齡層，另一則是青少年齡層，分析語音變動。發現語音逐漸向通行腔靠攏，而語音變化從中青之間開始大幅度改變，是因爲受華語教育的影響，及青少年齡層的發音人咸少說母語的原因造成。詞彙上，除了忠實記錄詞彙及意義外，也對三代間同詞義的詞彙做調查，觀察三代間的差異，發現造成不同的最大原因，是青少年代發音人的詞彙數大量減少，且將華語詞句照字面意義直接翻爲閩南語。本文在農具詞彙的調查上，除了記載語義外，也將農具以照片的方式呈現，並加說明。內容除了農業詞彙外，也對漁業詞及生活當中經常會使用的詞彙有所記錄，同時也收集歌謠、諺語等。此篇論文語料採集麥寮地區，涵蓋農、漁業詞和其他詞彙。相較於樹林區，筆者發現兩地使用農具重複性高且兩地閩南語均屬偏泉腔，因開發史不同，語音也有差異。

2、陳光輝（2002）《台灣傳統犁耕機具發展之研究》。本研究以中國農耕之發展，各時代有進展，農耕機具亦隨時代文明之演進而進步。而台灣從原始農耕時期，荷治及明鄭時期以農地開發及使用牛耕視爲萌芽時期。滿清治

台時期農業呈現蓬勃發展，農耕進入開發時期。日治殖民地政策，農業生產滿足日本需求為主。台灣光復後，更以農業扶持工業政策，積極推展農業機械化，農耕進入現代化時期，由於農業生產使命之各異，因此農耕機具亦隨農業生產而變化。

研究結果顯示，犁之發展是由於自動穩定性能被發現，使被牽引者產生偏差時，本身得到向心分力，而回到原始路線，再犁耕作業時首先要確定耕深，但實際作業時不易保持一定的耕深，若耕深產生變化，則土壤對犁底產生新的推力，使犁體復原回到原來路線，因此，犁耕作業時欲變化耕深時，則把把手向前或向後推拉，即可改變耕耘深度，手一放鬆，犁的姿勢即回復原來路線，使身體小力量輕的人類，能輕易操縱犁來達成犁耕作業。

本文探討臺灣傳統犁耕機的發展，對單一農具的研究，著重在構造、操縱，以機械工程的角度為主。非詞彙、語音，和筆者研究農具詞彙不同，農具中「犁」佔極重要的地位，本篇論文可以提供筆者「犁」的種類、用途、演化、細部名稱之參考。

3、林慶泓（2005）《台灣史前耕墾整地用石器農具發展之研究》。台灣的史前階段主要分為三個時期：第一階段為舊石器時代，人類主要是以採集與狩獵為謀生的方式，工具以石器為主。第二階段為新石器時代，氏族的發展、人口增加與分佈地域擴大，逐漸有農業生活型態，並使用磨製石器。第三階段為鐵器時代，鐵器逐漸被推展至各個生產領域，鐵農具與畜力的利用，促使農業生產效率的提高。每個階段，發展出許多新型的農具與技術，促使台灣史前農業的發展與進步。本研究以現代力學及角度觀察石器農具，可看出先民的智慧。這些器具運用到斜面原理以產生更大的劈開力或推舉力，利用槓桿原理達到省力的目的，及利用工具的柄長及重量以產生更大的打擊力。而在石器的製作上，也有許多的經驗與技術蘊含其中，包括石材特性的選擇與器物加工的技術實例。本論文藉由現代農具之力學分析，進而復原史前器物的面貌。筆者參考了農具的演化及用途之研究。

第二章　樹林區概況與農業發展

第一節　樹林區地名的由來和演變

　　若是坐火車經過樹林「火車頭」，攏會聽到有旅客咧講「樹林」，為啥物叫做「樹林」？古早一定是樹仔足濟的，樹林的地名是毋是就是按呢來？伊是按怎演變來？

一、樹林的由來

　　樹林區位於大科崁溪（即大漢溪）北岸，樹林因「樹林庄」而得名，說法有二：其一、地勢低窪，於清乾隆 24 年（1759 年）八月，河水氾濫，而成沼澤地，沿岸高地樹林叢生，因有「樹林」之名。〔註1〕另一種說法，在乾隆年間，來此開墾的漢人張方大成立「張必榮」〔註2〕墾號，為了保護水圳的堤岸，大量栽植林木於堤岸上，後來就稱此地為「樹林」〔註3〕。樹林舊名又稱「風櫃店莊」，它的傳說和緣由亦有二：其一，曾見於清同治淡水廳誌卷三記

〔註1〕國史館臺灣文獻館，《臺灣全志》卷二，《土地志‧地名篇》（台北：國史館臺灣文獻館，2010 年），頁 289～290。

〔註2〕王榮文，《新北市文史百科全書》（台北：遠流出版，2010 年 11 月），「張必榮」的墾首張方大，是福建泉州府晉江縣望族的後裔，清乾隆中期隨父親來台，在台南落腳，並考中秀才。後父親返鄉籌資募人來台開墾，自此發跡。張家最初的勢力範圍在雲林、彰化；康熙末年，張方大北上墾殖，樹林、新莊、泰山大半土地均成為張產業。至今張家仍有後裔居住在樹林，今啟智街還建有「張方大紀念堂」。

〔註3〕國史館臺灣文獻館，《臺灣全志》卷二，《土地志‧地名篇》（台北：國史館臺灣文獻館，2010 年），頁 289～290。

載風櫃店莊即今圳岸腳的一部分，一般人稱十三公東岸圳岸，當時有一些住民經商而形成一個市集，後來因為火災而遷移至樹林（今樹林博愛街區），樹林地區土壤肥沃，水源充足，開墾需要大量鐵具、農具，所以打鐵店林立於樹林區（今博愛街）一帶，打鐵時需用風櫃來鼓風煉爐，而風櫃是打鐵店鼓風的工具，故有風櫃店莊之稱。〔註4〕其二，淡水河運時代「戎克船」（中國獨創的帆船）可達大料崁（大溪），途經樹林一帶，因地勢平坦，風勢大，帆船通過時，會發出如風櫃般的聲音，故稱此地為風櫃店莊。《臺灣全志》地名篇載：

> 樹林這一帶以前是大漢溪氾濫的沼澤地，由於樹林叢生，所以命名為「樹林」。另一種說法是，在乾隆年間，來此開墾的漢人為了保護水圳的堤岸，種了許多林木在堤岸上，後來便稱此為「樹林」。日治時代屬於鶯歌庄，民國35年由鶯歌鎮分出取名樹林鎮，民國88年改制為市。樹林市大多數的地名與自然地形相關，如潭底、石頭溪、崙仔、山仔腳等，也有與植物或移民生活相關，如樟樹窟、桃仔腳、柑園、羌寮里、坡內、溪墘厝等。〔註5〕

二、村莊名稱的由來

本區村莊，是先民每開闢一處便為其命名，根據自然特徵或人文意義所給予的命名。所以在地人士對各村莊的稱呼，如下：〔註6〕

「山仔腳庄」（suann-á-kha-tsng）此名是開拓之時住民都居住在山之麓，逐漸形成部落，所以有「小山之麓」的意思。合併山仔腳庄、橫坑仔庄、太高坑庄、中坑庄及蓋淡坑庄成一庄。現今里名東山、中山、山佳。

「石灰坑庄」（tsio'h-her-khinn-tsng）將原石灰坑庄和斗片頭庄合成一莊。是石灰石的產地，嘉慶年間，魏少在此地開採石灰石而得名。日治時期開採煤礦，以山佳火車站為轉運站。現今里名樂山、東山。

「崙仔庄」（lun-á-tsng）崙仔為大漢溪沖積地帶，溪中稍高浮洲之地，依照土地實況而命名。現今地名北園。

〔註4〕樹林市公所，《樹林市志》（台北：樹林市公所，2001年），頁40。清同治淡水廳志卷三。

〔註5〕《臺灣全志》一卷二土地志，地名篇，頁290。

〔註6〕古舜仁、陳存良譯，《台北州街庄志彙編》（下）（台北縣立文化中心，1998年6月），頁373～374。

　　「三塊厝庄」（sann-tè／tèr-tshù-tsng）早期一間住家叫一塊厝，本地開拓之時有三戶住家，因而得名。現今里名三塊厝庄西園、北園。

　　「石頭溪庄」（tsio'h-thâu-khue／khere-tsng）或（tsio'h-thâu-khere-tsng）將柑園、上石頭溪庄及田尾合併成一庄。位於大漢溪和支流三峽河之間，沿河卵石堆積，而有此名。現今里名柑園、東園、北園。

　　「坡內庄」（pi-lāi-tsng）當初在山麓築陂（水澤大池）儲山泉雨水灌溉田地，後來陂荒廢成田地，故稱「陂內坑庄」。現今里名坡內。

　　「潭底庄」（thâm-tué／teré-tsng）因地勢低窪，排水差，遇大雨常淹水數尺，平時露出大部分可耕之地，早期是樹林最繁榮之地。現今里名潭底、樹人、文林、保安。

　　「三角埔庄」（sann-kak-poo-tsng）埔是荒蕪未開墾之地。地勢略成三角形叫「三角埔」。故稱此地「三角埔庄」。現今里名三多、三興、三福、三龍。

　　「猄仔寮庄」（khiunn-á-liâu-tsng）開拓當時，住民獵山猄於山谷間蓋山寮暫住，故命名為「猄仔寮庄」。現今里名羌寮、金寮、光興。

　　「圳岸腳庄」（tsùn-huānn-kha-tsng）乾隆 31 年（1766 年）張沛世、張必榮開築永安陂圳，（今新莊陂圳），住民沿著圳的兩側聚居，因而命名。現今里名圳安、圳福

　　「彭福庄」（phînn-hok-tsng）以乾隆時期廣東籍彭姓客家人最先進入開墾，是以彭姓同親族為主形成的村庄，因而命名「彭厝庄」（phînn-tshù-tsng），是樹林較早開發的地區。現今里名樹福、樹北、樹興、樹西、樹南、樹德、彭厝、彭興、彭福、樹東。

第二節　樹林區的地理概況

　　樹林區的地形長期受到山脈和水流影響，呈現不規則之長塊形，南北較長而東西較狹，地形西北高且西南低。地處臺北盆地之西南部邊緣，東北方距臺北市中心約十公里，位於新北市之西側。其西北依憑山子腳山塊（龜崙嶺丘陵），南有大漢溪流經境內，自然形成西北山仔腳山塊丘陵及東南方為河岸平原〔註7〕。

〔註7〕樹林公所，《樹林市志》（台北：樹林市公所，2001 年），頁 109。

圖 2-1　樹林區境內各里地形分布圖

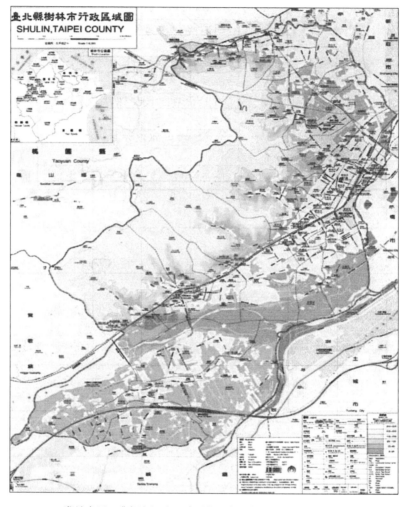

資料來源：《樹林行政區域圖》，樹林市公所，2010 年。

　　樹林區在行政區的界線上，西北邊沿著山子腳山塊（龜崙嶺丘陵）之稜線及塔寮坑溪，與桃園縣龜山鄉接壤；東方隔著大漢溪和板橋區相望，東南以大漢溪、三峽河與後村圳為與土城區相緣；北方有新莊區，以塔寮坑溪、後村圳及潭底溝之部分水道相隔；西南方以石灰坑山南側之東南向山脊及大漢溪接鄰鶯歌區；南方與三峽區以舊時之桃仔腳圳和三峽河相望。〔註8〕清代時期樹林為容易淹水的沼澤地區。日治時期開闢本地為耕地。

〔註 8〕樹林市公所，《樹林市志》（台北：樹林市公所，2001 年），頁 109。

圖 2-2　樹林區地形分布圖

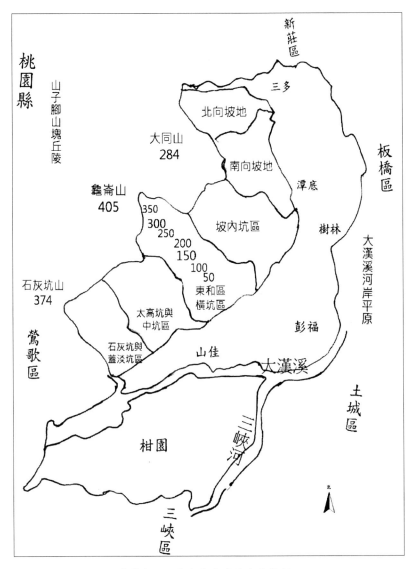

資料來源：筆者參考樹林市志繪製。

第三節　樹林區歷史沿革

　　樹林區原為龜崙社先住民所居住之區域（龜崙社屬桃園臺地平埔族的一支），較居住在平原地區的平埔族漢化程度低，明鄭成功來台後，始漸開發。考查史前遺址推測龜崙社，以龜崙山脈兩側為據點，西南延伸至桃園、龜

山，東南方進出大湖、鶯歌、山子腳、樹林平地，所形成的部落。由樹林地區 6 處遺址出土的文物，證明早期在此地生活的原住民，農耕開墾發達，他們砍柴焚燒，灰燼當作肥料，等待土地肥沃再種植農作物，二至三年後再換地，砍柴焚燒，創造出各種農具與製造技巧，並發展出部落向四方遷徙的特性。〔註9〕到漢人移住臺灣才有改變。以下就明鄭時期至民國時期的管理和地方制度做說明：

一、明鄭時期

延平郡王鄭成功趕走荷蘭人，明永曆 15 年（清順治 18 年，1661 年），建立臺灣的第一個漢人政權，設置一府二縣，一府是安平承天府，二縣是天興縣、萬年縣。臺灣北部一帶稱爲天興縣，樹林即隸屬天興縣。明永曆 16 年（清康熙元年，1662 年）鄭成功病故，其子鄭經接手經營臺灣，在永曆 18 年（康熙 3 年，1664 年），將天興縣改制升級爲天興州，樹林改隸爲天興州。永曆 35 年（清康熙 20 年，1664 年）施琅上疏以「臺灣爲海上長城，屛障大陸東南半壁，不可輕棄」，說服康熙。

永曆 37 年（清康熙 22 年，1683 年）6 月康熙命施琅爲水師提督率軍南下澎湖，7 月鄭克塽率眾投降，明鄭時期結束。〔註10〕

二、清治時期

（一）康熙諸羅縣時期

康熙 23 年（1684 年）於臺南設臺灣府，其下分置臺灣、諸羅、鳳山三縣，樹林歸諸羅管轄，本地蠻荒未開，不見漢人村莊。康熙 56 年（1717 年）諸羅縣志記載龜崙社，以海山莊嶺爲根據地，是勢力相當的大番社。〔註11〕第一個進入樹林地區進行開墾的人是胡詔。康熙 52 年（1713 年）鄭珍、王謨、賴科、朱焜侯四人共同申請開墾淡水堡海山庄、北投庄及坑仔口庄，以陳和議爲戶名從事開墾。〔註12〕

〔註 9〕潘英海、林清財（平埔文化資訊網）（行政院國家科學委員會，中央研究院，2008 年）。
〔註 10〕樹林市公所，《樹林市志》（台北：樹林市公所，2001 年），頁 47～48。
〔註 11〕樹林市公所，《樹林市志》（台北：樹林市公所，2001 年），頁 48。
〔註 12〕古舜仁、陳存良譯，《台北州街庄志彙編》（下）（台北縣立文化中心，1998 年 6 月），頁 364。

（二）雍正淡水廳時期

雍正元年（1723 年）設淡水廳、澎湖廳、及彰化縣，並在淡北地方設置淡水堡，樹林爲淡水廳淡水堡管轄區。雍正 11 年（1733 年）八里坌（今八里區）設置巡檢。後來開通南方龜崙嶺山路，形成海山口（新莊）市街，接著巡檢移至此處，成爲台北首善之區。〔註13〕乾隆 25 年（1760 年）《續修臺灣府志》記載本區有海山、石頭溪、三角埔、彭厝四莊。乾隆 48 年（1783 年）海山庄山嶺管理業戶張必榮，以價銀 150 大員提供給龜崙社頭目有明、甲頭著加魯、白蕃大也兵等和議以嶺頂爲界，水勢流向西北方向之山地歸屬龜崙社支配，反之水勢往東南方向流之山地歸海山業戶張必榮支配，自此根絕了禍端。〔註14〕

（三）同治淡水廳時期

咸豐、同治年間對臺開放移民政策，吸引大量漢人移民，人口大增，村莊相望。據同治 10 年（1871 年）《淡水廳志》記載樹林地區隸屬淡水廳海山堡，已擴展爲七莊，如下：

表 2-3

風櫃店莊	今樹林街區
潭底莊	今潭底里、保安里、文林里
山仔腳莊	今東山里、中山里、山佳里、樂山里地區
柑園莊	今柑園里地區
石頭溪莊	今北園、東園、柑園之部分地區
樟樹窟莊	今西園里地區
彭厝莊	今彭厝里地區

資料來源：樹林市公所，《樹林市志》（台北：樹林市公所，2001 年），頁 51。

（四）光緒淡水縣時期

光緒元年（1875 年）臺灣全島分爲臺灣府、臺北府，新設卑南廳、恆春

〔註13〕古舜仁、陳存良譯，《台北州街庄志彙編》（下）（台北縣立文化中心，1998 年 6 月），頁 363～364。

〔註14〕古舜仁、陳存良譯，《台北州街庄志彙編》（下）（台北縣立文化中心，1998 年 6 月），頁 366。

縣、淡水縣,將原本的淡水廳改爲新竹縣、把噶瑪蘭廳改爲宜蘭縣,於春冬
二期分駐福建巡撫。當時本地隸屬淡水縣海山堡受臺北府管轄。〔註 15〕光緒
11 年(1885 年)臺灣建省。劉銘傳任臺灣巡撫,翌年設清賦局,實行田園測
量清丈地畝,登錄總海山堡爲 52 莊,樹林地區有其北部之 11 莊,如下:

表 2-4　樹林區 11 莊

橫仔溪莊	今東山里部份地區
潭底莊	今潭底里、保安里、文林里
山仔腳莊	今東山、中山、山佳、樂山四里之部分地區
崙仔柑園莊	柑園,今柑園里地區;崙仔,今北園里部份地區
石頭溪莊	今北園、東園、柑園三里之部份地區
坡內坑莊	今坡內、樹人、樹興三里之部份地區
圳岸腳里	今圳安里
彭福莊	今樹東、樹北、樹西、樹南、樹德五里,及彭厝里之部份地區
三角埔莊	今三多里地區
猴仔寮里	今猴寮里地區
三塊厝里	今北園、東園二里之部份地區

資料來源:古舜仁、陳存良譯,《台北州街庄志彙編》(下)。

(五)光緒二十年南雅廳時期

　　臺灣建省之後,「開山撫番」政策之後,變亂迭起;而臺北府的「番亂」,
以大料崁(今桃園縣大溪鎮)、三角湧(今三峽區)爲最。光緒 12 年(1886
年),置大料崁撫墾局,以資治理,而終鮮成效。光緒 20 年(1894 年),邵友
濂既撫臺灣,奏設南雅廳於大料崁,以便就近治理,廷議准之。乃以淡水縣
之海山堡,設南雅通判;今本地區屬之,仍有其海山堡北部之十一莊。但政
令剛頒布,而中日甲午割臺事起,光緒 21 年(1895 年),甲午戰爭結束,清
治時期終告結束,遂爲日人所據矣。〔註16〕

〔註15〕古舜仁、陳存良譯,《台北州街庄志彙編》(下)(台北縣立文化中心,1998
　　　年 6 月),頁 382。
〔註16〕樹林市公所,《樹林市志》(台北:樹林市公所,2001 年),頁 52。

三、日治時期

（一）光緒 21 年日治臺北縣時期

　　光緒 21 年（明治 28 年，1895 年）中日甲午戰爭，臺灣及澎湖群島為日人所有，同年 5 月 6 日（明治 28 年 5 月 29 日），日軍從鹽寮（今本新北市貢寮區）登入臺灣。新的民政官制將臺灣分為臺北、臺中、臺南三縣，而當時抗日義軍四起，無法施行新政，當時本區，隸屬臺北縣新竹支廳之海山堡。到 5 月 16 日（日明治 28 年 6 月 8 日），日本臺灣總督府打銷臺中、臺南二縣，仍舊保留臺北縣，海山堡改隸為臺北縣直轄，本區亦改隸為臺北縣海山堡。於是擬定縮小行政區，以便管治。明治 30 年 5 月 27 日（1897 年）日皇敕令第 152 號，改正地方制度，將臺灣、澎湖規劃成六縣三廳，並在縣設置辦務署。這時樹林地區隸於臺北縣三角湧辦務署，仍屬海山堡。又在日本明治 30 年 6 月 24 日以臺灣總督府第 30 號令，沿襲清舊街、莊制度，並於辦務署下各設置街、莊長，以便管治。〔註 17〕當時分區分為 14 莊。9 月 24 日又於街莊上設置區，各區亦有區長，本地區隸屬三角湧辦務署之第 6、7、8、10 區。任命陳寬流、陳旺、陳和盛、黃純青為各區長。區為辦務署之輔助機關。〔註 18〕

表 2-5　日治三角湧辦務署時期樹林街庄表

區　　名	區　　　　　　　　　　域	區庄長名
第 6 區	石灰坑庄、阿南坑庄、樟樹窟庄	陳寬流
第 7 區	石頭溪庄、三塊厝庄、崙仔庄、桃仔腳庄、溪墘厝庄	陳　旺
第 8 區	三角埔庄、圳岸腳庄、猴仔寮庄、潭底庄	陳和盛
第 10 區	彭福庄、陂內坑庄、山仔腳庄	黃純青

（二）日治大料崁辦務署時期

　　日本明治 31 年（1898 年）2 月 26 日任臺灣總督是日將兒玉源太郎，減縣並將警政署合併於辦務署，以加強辦務署地方事務之職權，因此造成日後

〔註 17〕樹林市公所，《樹林市志》（台北：樹林市公所，2001 年），頁 53。
〔註 18〕古舜仁、陳存良譯，《台北州街庄志彙編》（下）（台北縣立文化中心，1998年 6 月），頁 399。

警察統治之禍端。6月20日將臺、澎六縣三廳改爲三縣三廳。本地區仍隸三角湧辦務署。明治33年（1900年）廢止三角湧辦務署，設置了大料崁辦務署。本區分隸於第7、9區，區莊長爲王明思、陳和盛。〔註19〕

表2-6　日治大料崁辦務署時期街庄表

區　　名	區　　　　　　域	區庄長名
第7區	石灰坑庄、阿南坑庄、樟樹窟庄、石頭溪庄、三塊厝庄、崙仔庄、桃仔腳庄、溪墘厝庄	王明思
第9區	彭福庄、陂內坑庄、山仔腳庄、三角埔庄、圳岸腳庄、桃仔寮庄、潭底庄	陳和盛

（三）日治桃仔園廳時期

　　明治34年11月（1901年）日皇敕令第202號地方官制改正，廢縣置廳，改區名，但管轄區域並無改變。規劃臺澎爲20廳，廳下設支廳，以警察爲支廳長。本區改屬桃仔園廳三角湧支廳，屬海山堡。更改爲31、33區，區莊長爲陳寬流、黃純青。〔註20〕

表2-7　日治桃仔園廳時期街庄表

區　　名	區　　　　　　域	區庄長名
第31區	石灰坑庄、阿南坑庄、樟樹窟庄、石頭溪庄、三塊厝庄、崙仔庄、桃仔腳庄、溪墘厝庄	陳寬流
第33區	彭福庄、陂內坑庄、山仔腳庄、三角埔庄、圳岸腳庄、桃仔寮庄、潭底庄	黃純青

資料來源：古舜仁、陳存良譯，《台北州街庄志彙編》（下）（台北縣立文化中心）。

（四）日治樹林區時期

　　明治36年1月1日（1903年）調整區制合併爲1區，本區爲第17轄區，共轄彭福庄、陂內坑庄、山仔腳庄、三角埔庄、圳岸腳庄、桃仔寮庄、潭底庄、石灰坑庄、石頭溪庄、三塊厝庄、崙仔庄、溪墘厝庄、沛舍陂庄（在今

〔註19〕古舜仁、陳存良譯，《台北州街庄志彙編》（下）（台北縣立文化中心，1998年6月），頁399。
〔註20〕古舜仁、陳存良譯，《台北州街庄志彙編》（下）（台北縣立文化中心，1998年6月），頁399。

土城區）等 13 莊，區莊長是黃純青。舊制的阿南坑庄、樟樹窟庄被編入鶯歌石區。山仔腳庄被編入三角湧區。〔註 21〕

表 2-8　明治 36 年（1903 年）樹林區行政街庄表

區　名	區　　　　　　域	區庄長名
第 17 區	彭福庄、陂內坑庄、山仔腳庄、三角埔庄、圳岸腳庄、猜仔寮庄、潭底庄、石灰坑庄、石頭溪庄、三塊厝庄、崙仔庄、溪墘厝庄、沛舍陂庄	黃純青

資料來源：古舜仁、陳存良譯，《台北州街庄志彙編》（下）。

明治 38 年（1905 年）7 月 1 日調整區制，自此各區名稱冠上地名，樹林區分為 14 庄，分屬鶯歌石、樹林、三角湧 3 區，其區各轄：〔註 22〕

表 2-9　明治 38 年（1905 年）樹林區行政街庄表

區　名	區　　　　　　域	區庄長名
鶯歌區	樟樹窟庄	
樹林區	彭福庄、陂內坑庄、山仔腳庄、三角埔庄、圳岸腳庄、猜仔寮庄、潭底庄、石灰坑庄、阿南坑庄、石頭溪庄、三塊厝庄、崙仔庄	黃純青
三角湧區	桃仔腳庄、溪墘厝庄	

資料來源：古舜仁、陳存良譯，《台北州街庄志彙編》（下）。

（五）日治樹林區役場時期

日明治 34 年至 42 年（1901～1909 年）歷經 8 年，廳制區未改變。因抗日義軍消沈、鐵、公路修建，不必縮小區治，也能嚴密管理。明治 42 年（1909年）10 月日皇敕令第 282 號，改革地方制度，廢 20 廳為 12 廳，廳下仍設支廳。並提高職權，每區設區役場（即鄉鎮區公所），亦設區長。〔註 23〕本區隸屬如表 2-10：

〔註 21〕古舜仁、陳存良譯，《台北州街庄志彙編》（下）（台北縣立文化中心，1998年 6 月），頁 400。
〔註 22〕古舜仁、陳存良譯，《台北州街庄志彙編》（下）（台北縣立文化中心，1998年 6 月），頁 400。
〔註 23〕古舜仁、陳存良譯，《台北州街庄志彙編》（下）（台北縣立文化中心，1998年 6 月），頁 401。

表 2-10　明治 42 年（1909 年）役場位置及沿革

區　名	區　　　　　域	區庄長名
鶯歌區長役場	樟樹窟庄	
樹林區長役場	彭福庄、陂內坑庄、山仔腳庄、三角埔庄、圳岸腳庄、猴仔寮庄、潭底庄、石灰坑庄、阿南坑庄、石頭溪庄、三塊厝庄、崙仔庄	黃純青
三角湧區長役場	桃仔腳庄、溪墘厝庄	

資料來源：古舜仁、陳存良譯，《台北州街庄志彙編》（下）。

（六）日治臺北州時期

日本明治 42 年（1909）改制之後，到大正 9 年（1920 年），歷經 12 年，地方區域，不曾變更。當時任臺灣總督的田健治郎，推行同化政策，改制度，廢支廳，並將警察和文官分治。大正 9 年（1920 年）7 月，以日皇第 218 號令，改革地方自治，將原有的 12 廳廢除，改爲五州三廳，州下設郡，郡下爲街莊，並設街莊長管理。將原有的堡、區廢除，原樹林區廢止，與鶯歌石區和三角湧合併成爲鶯歌莊，隸屬海山郡，於是本區改隸臺北州海山郡鶯歌莊。〔註24〕

表 2-11　大正 9 年，海山郡鶯歌莊大小行政區劃

大地名名稱	小地名（日治區域）	現今地名
石灰坑	石灰抗、風爐坑、上斗門頭、下斗門頭等四小地名	樂山里部分區域
山仔腳	山仔腳、中坑、蓋淡坑、太高坑、橫坑等五小地名	東山里、山佳里、中山里，及樂山里之小部分區域
坡內坑		坡內里、樹人里、樹興里
猴仔寮		猴寮里、光興里、金寮里
三角埔		三多里
圳岸腳		圳安里
潭　底		潭底里、保安里、文林里 3 里部分區域

〔註24〕樹林市公所，《樹林市志》（台北：樹林市公所，2001 年），頁 56～57。

彭　福	彭厝、後村、太平橋、樹林等四小地名	樹東、樹北、樹西、樹南、樹德、樹人、彭厝等 7 里
崙　仔		北園里部分區域
樟樹窟庄		西園里部分區域
三塊厝		東園里、北園里 2 里部分區域
石頭溪	上石頭溪、下石頭溪、田尾、柑園	東園、北園及柑園等 3 里之部分區域
桃仔腳		南園里
溪墘厝	溪墘厝、柑園等二小地名	西園、柑園等 2 里部分區域

資料來源：樹林鎮志編纂委員，《樹林鎮志》（樹林鎮公所，1973 年）。

四、光復以後

民國 34 年（1945 年）8 月 1 日，第二次世界大戰結束，日本無條件投降，還我臺灣及澎湖群島。民國 34 年（1945 年）11 月 5 日，成立「臺北州接管委員會」，以連震東爲主任委員。11 月 8 日，開始辦理接收事宜。11 月 22 日，派臺北州接管委員會委員薛人仰、專員李應臣接管海山郡各街庄。

民國 35 年（1946 年）1 月起，行政就緒，改日人舊制，廢臺澎全部之 5 州 3 廳分設成 8 縣，以管轄範圍及人口數分爲區、鎮、鄉等 3 等。當時本區隸屬臺北縣海山區鶯歌鎮。又分區、及鄉、鎮各爲 3 等。當時海山區列爲第 2 等，而鶯歌鎮則爲鎮級 1 等。〔註 25〕

民國 35 年 10 月 1 日以里爲單位。本區共有 17 里。民國 36 年 8 月 1 日，因本區人口增加，漸趨繁榮，共有鶯歌鎮北部之十七里，升格爲臺北縣海山區樹林鎮，鎮級 1 等。36 年 10 月 2 日，調整部分行政區，而行政單位仍爲十七里。〔註 26〕

民國 59 年（1970 年）10 月 10 日，以北部因人口增加，將潭底里之東北部爲保安里，樹西里之北部爲樹德里，樹西里南部爲樹人、樹南二里，而總里數爲 21 里，面積共 33.1288 平方公里。〔註 27〕

隨著外移人口不斷增加，里亦調整。民國 71 年（1982 年），因人口增加，總里數 29 里。民國 83 年（1994 年）總里數 37 里。民國 87 年（1998 年），

〔註 25〕樹林市公所，《樹林市志》（台北：樹林市公所，2001 年），頁 58～61。
〔註 26〕樹林市公所，《樹林市志》（台北：樹林市公所，2001 年），頁 58～61。
〔註 27〕樹林市公所，《樹林市志》（台北：樹林市公所，2001 年），頁 58～61。

總里數增為 42 里。總人口數 150,201 人。人口超過 15 萬,已達縣轄市標準,民國 88 年(1999 年)10 月 4 日升格為樹林市。〔註28〕

第四節　樹林區的農業環境和產業特色

一、農業環境

　　樹林區在清代康熙海山堡時期,是開闢墾殖最早的區域,最早有農業生產記錄。直至光緒 14 年(1888 年),台灣巡撫劉銘傳丈量全國之田園,改革賦政;全海山堡開始有耕地面積記錄,共有田 3259 甲,園 182 甲,沙田 140 甲,沙園 35 甲。當時海山全堡共有 52 庄,而在樹林區佔有 11 庄,耕地面積約 765 甲,且樹林區為海山堡較早開闢之地,因此耕地面積應較此數為多。〔註29〕

　　日治大正九年(1920)成立鶯歌庄;樹林地區當時隸屬鶯歌庄,據《鶯歌鄉土志》當時鶯歌庄為 28 保,其中 16 保在今樹林地區;土地面積為 4841 甲,其中田 1983 甲、旱田 1178 甲、山林 1.043 甲、其他 637 甲。〔註30〕根據《樹林鄉土誌》記載,昭和 12 年(民國 26 年,1937 年)本區總人口 7816 人,農業人口佔 36% 有 2800 人,農戶數 460 戶,加上被雇農業勞動人口,農業從事人口便超過總人口之半數,自耕農佔 18%,自耕農兼佃農佔 29%,佃農佔 53%,這說明了貧農居多,且土地兼併貧富懸殊。〔註31〕

　　臺灣光復之後,民國 35 年 8 月 1 日(1946 年),本區改隸為樹林鎮,大力發展農業,改良種植,提高品質,地方水利開發。政府實施「三七五減租」之後,接著實行「耕者有其田」,農民工作興趣濃厚,增加生產力,民國 40～60 年(1951～1961 年)耕地面積維持在 2000 公頃上下(如表 2-12),農業生產技術與產量大為提昇。

　　政府因應稻米生產過剩,與加入 WTO 農產品市場開放的壓力,民國 83 年(1994 年)開始實施休耕補貼措施。柑園地區稻作生產豐饒,有「樹林穀倉」之譽,且被政府歸劃為特定農業區,由於穀價低廉,高生產成本,不符

〔註28〕樹林市公所,《樹林市志》(台北:樹林市公所,2001 年),頁 58～61。
〔註29〕樹林市公所,《樹林市志》(台北:樹林市公所,2001 年),頁 211。
〔註30〕鶯歌庄長今澤正秋撰,《鶯歌鄉土誌》(1934 年),頁 74、77。
〔註31〕古舜仁、陳存良譯,《台北州街庄志彙編》(下)(台北縣立文化中心,1998 年 6 月),頁 474～475。

經濟效益，加上農民的年紀偏高，耕作意願降低，紛紛選擇休耕；且因休耕政策實施多年衍生諸多問題，如雜草叢生、病蟲害肆虐殃及鄰近農地、農業人口減少、休耕之農地被傾倒廢土石、農地政府補助不足。所以農民將農地蓋起鐵皮屋租給地下工廠使用，不再種植農作物，而是「種鐵厝」，原本一片綠油油的良田美景，被鐵皮搭建的工廠取代。

至民國 96 年本區境內的耕地只剩下 722.44 公頃（如表 2-12），且耕地分散，傳統以生產為主的農業，轉型成兼具生產、生活、生態的多元化產業，如市民農園、假日花市……。

表 2-12　本市歷年耕地面積表（民國 40～民國 101 年）（單位：公頃）

民　國	總　　計	水　田	旱　田
40	2,102.84	1,373.57	729.27
45	1,914.03	1,340.83	573.20
50	1,902.23	1,291.42	610.81
55	1,779.27	1,219.71	559.65
60	1,713.29	1,133.04	580.25
65	1,524.89	988.50	536.39
70	1,320.13	958.93	361.20
75	1,309.23	940.93	358.30
80	1,279.23	910.93	368.30
81	1,268.01	899.83	368.18
82	1,268.01	899.83	368.18
83	1,268.01	891.83	348.18
84	1,268.01	819.83	348.18
85	1,168.00	819.83	348.18
86	1,168.00	819.83	348.18
87	1,133.00	789.83	348.18
88	1,138.01	789.83	348.18
89	1,136.65	789.83	346.82
90	1,136.65	789.83	346.82
91	1,136.65	789.83	346.82

92	1,136.65	789.83	346.82
93	1,135.65	789.83	345.82
94	950.00	604.18	345.82
95	869.62	523.80	345.82
96	722.44	421.44	301.00
99	534.22	300.36	233.86
100	271.13	209.08	62.05
101	261.10	199.05	62.05

資料來源：台北縣政府編印，台北縣統計要覽，民國 40 年至 87 年。樹林區公所經建設課林瑞振先生。

本區農業人口和戶數，民國 41 年為 1,670 戶，自耕農和半自耕農合計 764 戶，佃農和雇農合計 906 戶。隨著政府實施三七五減租、公地放領政策，提高人們從事農業的意願，大部分農民由佃農轉成自耕農，農業人口與產業大增，民國 57 年為高峰期農業戶 1995 戶，農業人口 11,906 人。民國 41 年至民國 65 年農業戶數維持在 1,500 戶上下，農業人口也維持在 10,000 人到 14,000 人左右。

隨著整體經濟的轉型，至民國 96 年農耕戶降為 1025 戶，農業人口為 5072 人。以種植稻作、果樹、花卉、蔬菜、雜糧、園藝或農藝、特用作物等，但主要經營種類仍為稻作、蔬菜、水果，稻作栽培 224 戶‧蔬菜栽培 674 戶、果樹培栽 102 戶。

表 2-13　本市農業戶數表（41 年～98 年）

種類\年度	農　業　戶　數					
	總計（戶）	非耕種農	自耕農	半自耕農	佃　農	雇　農
41	1,670		367	397	904	2
45	1,510		405	519	586	
50	1,582		1,107	466	279	
55	1,588		1,022	418	148	
57	1,995	396	1,031	422	146	
60	1,708	151	1,295	142	120	
65	1,269	118	1,048	113	108	

70	1,584	74	1,212	98	200	
75	1,213	53	955	79	126	
80	1,390	14	1,136	97	143	
81	1,411	15	1,311	50	35	
82	1,419		1,301	48	70	
83	707		477	230		
84	1,342		1,185	157		
87	974	26	948			
88	1,357	42	1,259	56	0	
89	1,127	0	1,066	32	29	
90	1,357	42	1,259	56		
91	1,129		1,105	24		
92	1,007		937	70		
93	1,169		1,115		54	
94	1,131		1,063	25	40	
95	1,025	3	975	15	32	
96	1,003	4	911	46	42	
97	992	3	939	21	29	
98	997	5	940	33	19	

資料來源：民國 41 年至 84 年、91 年至 93 年，臺北縣政府民政司 2009.03。民國 87 年至 89 年、94 年至 98 年，新北市政府主計處 2012-10-08 更新。

　　自民國 45 年總戶數爲 1510 戶，到了民國 50 年增加至 1852 戶，而後到 70 年，一直維持在 1269 至 1708 左右，但從民國 75 年爲 1213 戶一直減少，至民國 87 年 974 戶，本市農業戶數就所剩無幾了。但民國 90 年至 99 年又增加到 1,000 以上。農業人口從 10,000 多人，減少爲 7,000 多人，民國 88 年至 99 年維持在 4,000～5,000 人（如表 2-14）。

　　由表 2-13，得知民國 41 年到 47 年，本市佃農戶數比自耕農及半自耕農戶數多，自實施「三七五減租」後自耕農戶數比佃農戶數多，由此可證政府實施三七五減租政策成功。〔註32〕

〔註32〕樹林市公所編纂委員，《樹林市志》（樹林市公所，2001 年），頁 217。

表 2-14　農業人口數表（41 年～98 年）

種類 年度	農業人口數表					
	總計（人）	非耕種農	自耕農	半自耕農	佃　農	雇　農
41	14,110		3,318	2,828	7,948	16
45	10,594		3,159	3,281	4,154	
50	14,124		6,774	4,925	2,425	
55	9,554		6,276	2,303	975	
57	11,906	2,178	6,382	2,347	999	
60	12,810	1,132	9,713	1,065	900	
65	7,196	770	5,642	780	774	
70	9,944	439	7,587	674	1,344	
75	7,422	157	6,222	348	695	
80	7,251	62	5,842	471	876	
81	7,425	80	6,878	296	171	
82	7,407		6,822	193	492	
83	6,394		5,567	827		
84	6,394		5,567	827		
87	3,710	140	3,570			
88	5,987	184	5,516	287	0	
89	5,897	0	5,565	184	148	
91	5,355		5,131	224		
92	4,987		4,709		278	
93	5,361	274	5,087			
94	5,707	20	5,290	168	229	
95	5,072	8	4,869	48	147	
96	4,835	18	4,525	164	128	
97	4,722	14	4,494	95	119	
98	4,790	16	4,554	149	71	

資料來源：民國 41 年至 84 年、91 年至 93 年，臺北縣政府民政司 2009.03。民國 87 年至 89 年、94 年至 98 年，新北市政府主計處 2012-10-08 更新。

二、產業特色

本區傳統的農產品，有米、甘藷、茶、柑橘及蘭蔴，品質佳，產量大，除了自給外尚可輸出外地。近年改成集約式網室栽培之園藝、蔬果有機作物。

本區的產物以稻米為大宗，依據《樹林鄉土誌》昭和年間之記錄可知，本地氣候溫暖、灌溉便利，最適合農業之經營，本區稻米生產一年可收割二回，稻米產量與金額年年有增加，當時本區隸屬鶯歌庄管轄，稻米產量豐富，為全庄產物之首位。

表 2-15　昭和時期　本區稻米產量、產值

年　　度	昭和 8 年	昭和 9 年	昭和 10 年	昭和 11 年	昭和 12 年
產量（斤）	2,100,000	2,050,000	2,130,000	2,260,000	2,261,400
金額（日元）	136,500	141,450	153,400	158,200	169,605

資料來源：古舜仁、陳存良譯，《台北州街庄志彙編》（下），〈樹林鄉土誌〉（台北縣立文化中心，1998 年 6 月），頁 434。

稻米方面，以蓬萊米和在來米為主。但民國 75 年（1986 年）只有種植蓬萊米，在來米停種。民國 60 年以後，農耕方式逐漸改為機械化，農業改革，每公頃平均產量 4,127 公斤，為產量大增。民國 70 年以後，因稻米生產成本過高，產量過剩，農民轉種其他作物。種植面積逐漸萎縮，至民國 96 年只剩 1.10 公頃。

「甘藷」是本區旱地的主要農作物，臺灣人稱「地瓜」，俗稱「番薯」，通常在農曆 2 月、7 月種植，大約 120 天可收成，為早期住民的重要糧食來源，根、莖、葉都可食用。根可當作主食，葉可做蔬菜，而根莖葉都可用來餵養家畜，當成副業。日治時期，昭和 5 年到昭和 12 年，本地生產的甘藷為鶯歌庄的 23.6%。依昭和 7 年（1932）之記錄，當時鶯歌全庄之種植面積為 373 甲，收穫量為 525,400 斤，價格為 53,254 日元。〔註33〕光復後，本區甘藷自 40 年至 80 年，仍有生產記錄，民國 40 年種植面積自 292 公頃，產量自 1,752,000 公斤。後來種植面積與產量逐年減少，至民國 80 年種植面積只有

〔註33〕古舜仁、陳存良譯，《台北州街庄志彙編》（上），〈鶯歌鄉土誌〉（台北縣立文化中心，1998 年 6 月），頁 313。

52 公頃，產量爲 641,390 公斤。民國 81 年以後起無生產記錄。〔註34〕

「茶」本區山子腳山塊丘陵，土壤富有機質，赤黃的土色含鐵氣，排水性好，且氣候溫暖又有東北季風帶來的水氣，適合種茶好地方，本區的茶曾聞名全臺，日治時期大量開拓本地茶園，茶葉品質和產量俱佳，是當時「良茶」的主要生產地之一。〔註35〕據《樹林鄉土誌》記載，昭和 8 年（1933 年）至昭和 12 年（1937 年）5 年間，茶葉產值快速成長，由 3,250 日元增長至 9,056日元。〔註36〕民國 42 年（1953 年）本區種植面積 225.2 公頃，產量 37,080 公斤。至民國 47 年產量的高峰達 109,980 公斤，後來栽種面積和產量逐年下降，迨民國 65 年（1976 年）後即無種植記錄。

「落花生」本省人稱之爲土豆，日治時期，依據昭和 7 年（1932 年）之生產記錄，當鶯歌全庄之種植面積爲 55 甲，收穫量爲 807,500 斤，價格爲 4,858日元。光復後，落花生自 40 年至 84 年持續種植，種植面積由 57 公頃降至 4.12公頃，產量由 141,600 公斤減至 5,000 公斤。民國 51 年生產達到高峰，之後耕地和產量銳減，民國 92 年以後已無栽種。〔註37〕

「紫雲英」的試作，民國 44 年（1955 年）樹林農會自日本拿回 1 公斤的種子，在柑園地區試作一分地，結果非常成功，後來極力的推廣，經過 5 年的努力推廣至樹林全區，且每年與當時的省農會，契約生產種子，供應臺灣適合種植的地區作爲綠肥用，農友收成後交由農會收購。〔註 38〕紫雲英是一年生豆科草本植物，可以改良土壤，增加有機質。在紫雲英盛開的時節，又可提供養蜂人家寄放蜂箱，生產蜂蜜。

本區農會和試驗所合作，加上本區的農友非常熱心有願意配合，所以農業示範區大多以樹林地區爲主。水稻方面的改良、機械化都以本區爲示範中心。首創全臺灣第一處水稻育苗中心，本區農會於民國 61 年（1972 年）7

〔註34〕樹林市公所編纂委員，《樹林市志》（樹林市公所，2001 年），頁 305。

〔註35〕桂金太郎、安東不二雄編著，《臺灣實業地志》，1896 年，頁 190。記載：良茶生產地：擺接、十五分、北埔、新店、內湖、深坑、橫溪、三角湧（三峽）、龜崙嶺（樹林市大凍山）、大嵙崁（大溪）、銅鑼圈、三夾水、鹹菜棚（關西）、新埔、大湖口、尖山、石門。

〔註36〕古舜仁、陳存良譯，《台北州街庄志彙編》（下），〈樹林鄉土誌〉（台北縣立文化中心，1998 年 6 月），頁 434。

〔註37〕樹林市公所，《樹林市志》（台北：樹林市公所，2001 年），頁 308～310。

〔註38〕台北縣樹林鎮農會，《臺北縣樹林鎮農會七十年誌》（臺北：樹林鎮農會，1987年 6 月），頁 185。發音人，林宏謀，民國 39 年生，現職樹林農會秘書。

月設立，當時農林廳在本區召開全省觀摩會，亦啓發臺灣各地育苗中心之普遍設立。〔註39〕育苗中心是因應農耕機械化而產生，起初育苗中心由農會成立，示範成功後交由農友詹茂雄負責育苗工作。〔註40〕

　　民國 61 年起，在農會協助下，農友和中壢掬水軒公司簽約契作「種洋菇」，在柑園地區有很多農戶投入，大量種植生產。〔註41〕

三、小結

　　回溯樹林地區在荷治與明鄭時期，貿易以米、甘藷、甘蔗等農產品，及鹿皮、鹿角、鹿脯等土產爲主。乾隆時期漢人進入開墾，開陂鑿圳、水利灌溉便利，帶動農業發達，自由貿易蓬勃。日治 50 年期間，推動品種改良、土地開發、水利措施等，使得傳統作物稻米、甘藷、茶、柑橘及藺蓆品質佳、產量大，亦改進農產品及加工品的技巧和奠定工業基礎，如樹林酒廠，設備完善、產量高，品質優良，堪稱全台之冠。

　　光復後，民國 40～50 年，隨著政府土地政策的改革，使得本區投入農業人口和耕作面積大增，不管是稻米，還是雜糧作物（甘藷、小麥、高梁、大豆、玉蜀黍）和特用作物（茶、三角藺、落花生、山藥、黃麻）、蔬果的收穫面積、生產量都有詳實的記錄。在農業改良上，樹林是首要的示範區，試作成功進而推廣到全臺各地。

　　民國 50 年後，因本區農業發達，帶動了工業的發展，經濟快速成長，經濟型態由農業轉成工業，大小工廠如雨後春筍般，到處林立，到處擴張，使得耕作面積大減，原本的農業大區變成工業大鎮。傳統人力密集的農業耕作和農作物，幾乎消失，由於耕地面積的零散，轉爲經營低密度、高價值的園藝作物或有機蔬果，把農地發展成觀光蔬果園和市民農園、休閒農業。

〔註39〕發音人林宏謀（現職樹林農會秘書）：樹林區主要農作物是水稻，大多集中在「柑園」，本區農友非常熱心，所以農業改良示範，樹林區最優先。

〔註40〕台北縣樹林鎮農會，《臺北縣樹林鎮農會七十年誌》（臺北：樹林鎮農會，1987年 6 月），頁 186。

〔註41〕發音人林宏謀（現職樹林農會秘書）：本區的農業特色，配合農業改良場，推廣農業，都由本區開始。熱心農友多，樂於配合農會，當作示範區。如成立農業機械化中心、育苗中心……。

第五節　樹林區的語音系統

　　樹林地區早期的移民以來自泉州居多。音韻系統，以祖籍泉州之老年層的發音人爲主。本節分別以音、韻、調加以討論。

一、聲母系統

　　樹林腔的聲母共有十七個（包括零聲母），發音人有偏台北泉腔爲 14 個音位；偏安溪偏泉腔則爲 15 個音位。以下分別就聲母表、聲母舉例及聲母說明三種方式介紹：

（一）聲母表

發音方法 發音部位	塞　音			塞擦音			鼻音	邊音	擦音
	清音		濁音	清音		濁音	濁音	濁音	清音
	不送氣	送氣	不送氣	不送氣	送氣	不送氣			
唇　音	p	ph	b				m		
舌尖音	t	th		ts	tsh	j	n	l	s
齒　音									
舌根音	k	kh	g				ng		
喉　音									h
零聲母	ø								

　　p：播 pòo、耙 pê、柫 put、壁 piah、扁 pínn

　　ph：拍 phah、披 phi、冇 phànn

　　m：毛 mn̂g、扞 mau

　　b：米 bí、尾 bé、挽 bán

　　t：鋤 tû、磚 ta'k、稻 tiū、筒 tâng

　　th：頭 thâu、塗 tôo、竹 tik

　　n：年 nî、娘 niâ、瀾 nuā

　　l：籮 luâ、捋 lua'h、礐 la'k、犁 luê／lerê、爪 liáu

　　j：日 ji't、抓 jiàu、逐 jip、爪 jiáu

　　ts：船 tsûn、水 tsuí、栽 tsai

　　tsh：手 tshiú、草 tsháu、粟 tshik

s：駛 sái、挲 so、掃 sàu

k：割 kuah、概 kài、鉤 kau、鼓 kóo、柳 kínn

kh：環 khuân、薅 khau、跤 kha

g：牛 gû、挾 gia'p、等 giám

ng：秧 ng、雅 ngá、黃 n̂g

h：扞 huānn、轅 hn̂g、風 hong、岸 huānn、荒 hng

ø：阿 a、挨 e、烏 oo

〔p、t、k〕是不送氣的清塞音，發音部位分別在雙唇、舌尖、舌根。

〔ph、th、kh〕是送氣的清塞音，發音部位分別在雙唇、舌尖、舌根。

〔b、g〕是塞濁音，發音部位分別雙唇、舌根音。

〔ts〕是不送氣的清塞擦音，發音部位在舌尖前。

〔tsh〕是送氣的清塞擦音，發音部位在舌尖前。

〔s〕是清擦音，發音部位舌尖前。

〔m、n、g〕是濁鼻音，發音部位分別為雙唇、舌尖前、舌根。

〔l〕是舌尖後濁邊音。

〔j〕是舌尖濁塞擦音。

〔h〕是清擦音，發音部位在喉部。和不同的元音結合會產生不同的音值。

〔ø〕是在發元音時會產生一種緊喉的感覺。拼寫時不標示。

由於 b／m、l／n、g／ng 互補，從傳統十五音來看，樹林泉腔有「l」、「j」故有十五音。

二、韻母系統

（一）陰聲韻

開口	舉　　例	齊齒	舉　　例	合口	舉　　例
a	阿、飽、家	i	基、米、耳	u／ir	除、佇、去
ai	駛、莢、載	ia	崎、捼、荷	ua	娃、拖、歌
au	甌、包、溝	iau	巧、嬌、超	uai	歪、怪、乖
e／er	火、尾、稅	iu	周、糾、手	ue／ere	雞、溪、犁
o	刀、糕、膏	io	腰、搖、橋	ui	梯、規、喙
oo	塗、烏、路				

（二）鼻化韻

開口	舉　　例	齊齒	舉　　例	合口	舉　　例
ann	衫、擔、餡	iann	驚、餅、城	uann	官、汗、岸
ainn	耐、揹、唉	inn	青、生、更、奶	uinn	關、莖（huînn）
onn	乎、嗚、唔	iaunn	喓		
		iunn	癢、羊、薑、章		

（三）韻化鼻音

開口	舉　　例	齊齒	舉　　例	合口	舉　　例
m	媒、梅、姆	ng	秧、糖、糠		

（四）陽聲韻

開口	舉　　例	齊齒	舉　　例	合口	舉　　例
am	奄、貪、談	iam	欠、兼、尖	un	溫、軍、吞
an	安、干、奸	ian	煙、堅、展	uan	冤、捐、彎
ang	翁、江、尪	iang			
ong	公、汪、攻	iong	央、尚、宮		
		im	音、心、深		
		in	因、品、仁		
		ing	興、英、精		

（五）入聲韻

喉塞韻（-h 為喉塞音）

開口	舉　　例	齊齒	舉　　例	合口	舉　　例
ah	鴨、甲、貼	iah	拆、壁、赤	uh	突、發、黜
annh	煞、唅、啈	iannh	挾、嚇、啥	uah	抹、割、喝、煞
auh	軋、落	iauh	藃、寂（tsiauh）	ueh	喂、節（tsueh）、欲
aunnh	槩、搝	ih	舌、滴、鐵、矗	uih	血（huih）、劃（ui'h）
aih	哎、噯、躠 uaih	innh	挃 ti'nnh	uainnh	毌
eh	格、冊、厄	iuh	搖、宭		

ennh	嘿、嚇	ioh	藥、抾、惜、臆		
oh	索、桌、作				
onnh	乎（honnh）				
ooh	㕭、瘼、喔				
erh	欲				

韻化喉塞韻

開口	舉　　例	齊齒	舉　　例	合口	舉　　例
mh	默	ngh	嗙（phngh）		

（六）普通入聲字（p、t、k 入聲韻）

開口	舉　　例	齊齒	舉　　例	合口	舉　　例
ap	答、壓、搭	iap	帖、接、劫、葉	ut	栤、骨、卒、捽
at	踢、結、擉、腹	iat	節、哲、結、設	uat	泱、越、絕、撥
ak	覆、沃、觸	iak	摔、熇、摔		
ok	惡、國、啄	iok	陸、局、育		
		ip	翕、急、逐		
		ik	竹、極、益		
		it	乙、結、直		

三、聲調

本區的聲調，共有七個調值，所以為七聲調系統。

聲調名稱	傳統名稱	本　調	例　字	例　　　詞
第一聲	陰平	44	捙 tshia44	捙箕 tshia44-ki33
第二聲	陰上	53	手 tshiu53	手耙 tshiu53-pe33
第三聲	陰去	31	播 poo31	播田 poo31-tshan13
第四聲	陰入	31	竹 tik31	竹仔 tik31-a53
第五聲	陽平	13	犁 lue13	犁田 lue13-tshan13
第六聲	陽上			
第七聲	陽去	33	大 tua33	大拖 tua33-thua44
第八聲	陽入	53	磟 lak53	磟碡 lak53-tak31

四、小結

聲母系統中，以傳統十五聲母來說，主要發音人王招財、王裕興、詹茂雄是偏泉腔中的安溪腔，有「入」母字，「j」聲母，有十五個聲母。發音人陳成、陳素卿、林肅讎、陳賢國是偏泉腔中的台北腔，缺「入」母字，就是缺「j」聲母，因此只有十四個聲母。從韻母中的兩個央元音「ɨ、ə」，由此可以了解樹林區的音系是偏泉州腔系統。

樹林音系偏泉腔中「台北腔」和「安溪腔」韻母的差異字，本文出現如：底（tué / teré）、笠（lue'h / lerē）、街（kue / kere）、雞（kue / kere）、莢（kueh / gereh）、溪（khue / khere）、火（hé / hér）、尾（bé / bér）、粿（ké / keré）、過（kè / kèr）、未（bē / bēr）、月（ge'h / gēr）、吹（tshe / tsher）、稅（sè / sèr）、除（tû / tîr）、佇（tū / tīr）、去（khù / khìr）、蟹（huē / gerē）、煮（tsú / tsír）。

第三章　樹林地區傳統農具詞彙的調查和用途分析

　　樹林區早期農業以水田為主，兼種蔬果雜糧。「米」為民生主食，米由稻穀脫殼加工成白米，都是農民辛苦工作的成果，種植稻米需要使用很多農具，農具成為農家必備的器具。農業生產的器具，基本上和六百年前元代《王禎農書》[註1]上所記載的農具，種類並沒有太大的變化。在現代化的科技下，傳統的農具，快速的被機械取代，過去的農耕時代即將消失，藉由本章節有系統的整理歸納和說明。

　　水田的耕作原理，從整地、播種、插秧、灌溉、除草、施肥、收割、入倉……，所以本章節依整年的農事步驟和節氣不同，搭配使用的農具和閩南語詞彙加以說明。

第一節　整地耕作的農具詞彙

　　水田整地用農具主要用於翻土、細碎、攪拌、佈勻、清除土中雜物等，為水稻耕作前營造適合的基礎。而水田整地的過程必須經過「犁田」（luê／lerê-tshân）、「踏割耙」（ta'k-kuah-pē）、「扞手耙」（huānn-tshiú-pē）、「拍磟碡」（phah-la'k-ta'k）、「概捋筒」（kài-luah-tâng）等程序。[註2]但使用的次序會依

〔註1〕（元）王禎，《農書》卷12，台北：臺灣商務，1975年。（王雲五主編，《四庫全書珍本・別輯・171～175》）
〔註2〕發音人詹茂雄：整地分做四大步驟，分別犁田、踏割耙、扞手耙、拍磟碡。概捋筒因農家有所不同。

地區而有不同。旱田整地就沒有以上的分法。

一、水田整地農具

1、犁（luê／lerê）

犁田是以「犁」翻土，犁田作業也要兼顧用「鋤頭」（tû-thâu）把田角的泥土掘開或成塊的泥土粉碎。樹林區早期水稻收割後，將稻桿以「刜刀」（phut-to）一節一節丟入水田裡，灌入水待浸爛後，再以犁翻土覆蓋，可藉由曝晒殺死土壤中的細菌和寄生蟲。另一種方式則是待稻桿晒乾後以放火焚燒，如此有殺菌除蟲的效果，灰燼又可當作天然肥料。〔註3〕再者樹林區早期二期稻作收割前二週撒「大菜」（tuā-tahài）〔註4〕或「紫雲英」〔註5〕種子當做綠肥，於翌年第一期作水稻插秧前二週，整地犁入土中。

樹林區早期二期稻作收割前二週，就是小寒或更早一點在田間撒大菜（tuā-tshài）種子，當作綠肥，農曆十二月底開花成熟時，開始以犁翻土，這時順便把大菜擛擛（tak-tak），就是將大菜翻入泥中，同時也把表土的稻子根頭翻入泥中，形成肥料，讓底層沃土轉換上來，這樣田土利用就生生不息。〔註6〕「大菜」類似「菜頭」，據《台灣農家要覽，農作篇（一）》所述：

> 「大菜」大屬於十字花科綠肥，與蘿蔔性狀相似，唯其根部不肥大，
> 抽苔開花極早適於冬季多日照、少雨之氣候，栽培以本省北部、中
> 部及東部為主。播種量每公頃種子量10公斤。於第二期水稻收穫前
> 一週（10中旬至11月下旬）撒種於田間。並於次年第一期作稻作
> 插秧前二週，整地犁入土中。〔註7〕

原在二期稻作收割前撒大菜種子當作綠肥，但樹林農會於民國四十四年（1955年）自日本取回「紫雲英」（tsí-ûn-ing）種子在本區試種一分地，結果

〔註3〕 發音人詹茂雄：犁田分乾田和溼田，若犁乾田（ta-tshân），用犁擛開（thak-khui）田土之後，才漚水（au-tsuí），接著擛水（thak-tsuí）。「擛水（thak-tsuí）：早期灌溉水不足，田土犁過後，為了不讓水從土下方裂縫滲出，所以再犁一次，讓田土更細緻綿密，利用土漿填補細縫，維持水田的水分。」

〔註4〕 發音人詹茂雄：樹林早期二期稻作後種植「大菜」。

〔註5〕 發音人林宏謀：在民國64、65年紫雲英種子銷售量好，種植戶多，農會收購農家紫雲英種子，再轉銷各地農會。

〔註6〕 發音人詹茂雄：大菜像長不大的蘿蔔，二期稻作收成前先撒下種子，當作一期稻作的綠肥。

〔註7〕 洪筆鋒總編，《台灣農家要覽，農作篇（一）》，農業委員會農家要覽增修定再版策劃委員會（台北：豐年社，1995年5月），頁379。

非常成功，經五年的努力，遍及樹林區各地，每年又與省農會契約生產供應全國適合種植的地區。〔註8〕有關紫雲英，《台灣農家要覽，農作篇（一）》所述：

> 「紫雲英」原產中國大陸，為冬季越年生草本豆科植物，莖具葡萄性分枝多，高達 60～100 公分，葉互生為奇數的羽狀複葉；春季葉腋抽出長約 10～30 公分的花軸，綴紅紫色蝶形花，纖形總狀花序。紫雲英性喜溫暖亦適應冷涼天氣，為本省冬季水稻栽培主要綠肥極為適合。每公頃種子量 10 公斤，播種期 10 月中旬至 11 月上旬，於翌年第一期作水稻插秧前二週，整地犁入土中。〔註9〕

「紫雲英」（tsí-hûn-ing）是水田栽培最優良的綠肥作物，可以改良土壤，增加有機質。筆者父親在二期稻作收割後亦撒播紫雲英種子。綠油油的紫雲英，開著一朵朵紫色的花朵，形成一大片花海。花朵凋謝後結成豆莢，待成熟後拔起，一車車載回埕（tiânn）晒乾，全家大小拿著「耞仔」（kínn-á）此起彼落的拍打晒乾的紫雲英，一顆顆的種子隨著耞仔（kínn-á）聲，掉落在地上。再以「篩仔」（thai-á）除去雜草，留下種子，送到農會收購或轉賣給收購的商人，另外賺取微薄的收入。草稈再送回稻田，以火焚之，最後以犁翻起底層的土壤覆蓋，連同稻草根頭翻入泥中，化成肥料，可以添做土壤養分。

「犁」（luê／lerê）是以牛力牽引耕田的農具之一，也是農家最重要的農具。耒耜是兩種古老的農具，後來耒變成柄，耜變成頭，成為古老複合型農具。其材質，商代雖已出現青銅農具，但大抵為木質耒、耜，周代青銅耜有所增加，春秋戰國時代推廣鐵農具，耒耜並未完全合一。〔註10〕《管子・海王》「耕者必有一耒　一耜一銚」，耒耜合一，始在秦漢。〔註11〕

以牛拖引「犁」，人在後面以右手握著犁柄（犁術），左手持「牛索」及「牛捽仔」操縱。犁自古以來就是農家重要的生財器具，先民來台開墾，農耕方式較粗放，五甲土地以一張犁來開墾，所以留下了很多有關「張犁」的

〔註8〕 簡德源，《台灣省台北縣樹林鎮農會七十年誌》（台北縣樹林鎮農會，1986 年6 月），頁 185。

〔註9〕 洪箮鋒總編，《台灣農家要覽，農作篇（一）》，農業委員會農家要覽增修定再版策劃委員會（台北：豐年社，1995 年 5 月），頁 380。

〔註10〕 徐啓光撰，石聲漢校注，《農政全書校注》（中），1979 年，頁 521。

〔註11〕 李根蟠，〈先秦農具名實考〉，《農業考古》，1986 年第 2 期。

地名，如「六張犁」是形容當時這個地方有三十甲田地開墾。犁在臺灣的開發拓史上佔有非常重要的地位。它是用於翻土、作畦、開溝及培土……其形式、種類因用途有所差異。

臺灣使用犁的種類：在來犁、改良犁、底軟犁、雙面犁、蒸氣犁……。〔註12〕在來犁又稱臺灣犁（如圖 3-1），是臺灣農村使用的犁，亦爲中國使用的「長床犁」，其流行的年代自明末至民國六十年代。1650 年有些先住民開墾土地，已能使用耕牛，因此臺灣犁之引進，最早應爲荷蘭治臺時期。而明鄭時期之引進，應爲兵卒來台帶入，此乃臺灣畜力用犁之始祖。〔註13〕其特點爲（1）犁底長，安定性較好，但只能深耕 10 公分左右。（2）翻轉土壤性能低，但能使土壤上昇至較高，宜作壠。（3）脫下犁鐴可用於豆類之植溝。（4）輕巧，重量爲 10 至 16 公斤。（5）構造不結實，因此近來少用於耕墾。

圖 3-1　臺灣在來犁

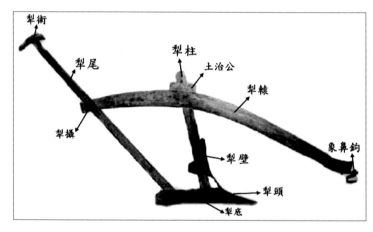

圖片來源：陳光輝，〈臺灣傳統犁耕機具發展之研究〉。部件名稱，參
　　　　　考《臺灣省通志稿·卷四·農業篇》，頁82。

臺灣在來犁的構造（如圖 3-1），可分成犁頭、犁鐴、犁柱、犁轅、犁尾、犁底（犁床）、犁攝、犁術、土治公、象鼻鉤等十部分。犁頭和犁鐴是鐵鑄而成，象鼻鉤以鍛鐵製成，犁轅使用黃杞、欅木、樫木、鳥心石、相思樹

〔註12〕臺灣文獻委員會編，陳正祥纂修，《臺灣省通志稿·卷四·經濟志農業篇》，
　　　　頁 82～86。
〔註13〕陳光輝，〈臺灣傳統犁耕機具發展之研究〉（屏東：國立屏東大學機械工程系，
　　　　2002 年），頁 55。

等木材，其他部分用材爲相思樹、赤皮、龍眼樹、九芎。〔註14〕

　　早期樹林區以水田耕作爲主，沿用至今的是鐵製的改良犂，主要用於犂田、翻土、鬆土和分畦。構造上和早期的在來犂類似，可分成犂頭（luê／lerê-thâu）、犂壁（luê／lerê-piah）、犂底（luê／lerê-tué／teré）、徛正（khiā-tsiànn）、犂轅（luê／lerê-hn̂g）、犂鉤（luê／lerê-kau）、犂柄（luê／lerê-pìnn）。〔註15〕

圖 3-2　改良式鐵犂

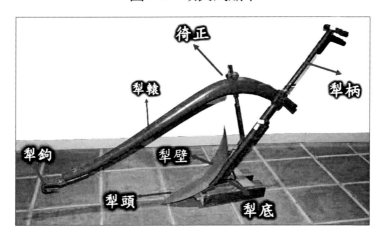

圖片來源：筆者拍攝修片。

2、割耙（kuah-pē）

　　經犂過且曝晒後的田地，佈滿大土塊，由於田土風化一陣子，必須淹水（引水灌溉），浸泡幾天後，先「踏割耙」（ta'h-kuah-pē）一次後，讓田土軟爛，再犂一次，接著又「踏割耙」，讓田水均勻滲透到田土裡。就是把大土塊割碎成細小土塊。〔註16〕使用時，農人雙腳分別踩在前後「割耙橋」（kuah-pē-kiâu）即割耙枋（kuah-pē-pang）上，任牛在前拖引，利用人的重量及銳利的「割耙齒」（kuah-pē-kí）的耙鋒，深入割碎田泥，反反覆覆、來來往往的把大土塊變

〔註14〕臺灣文獻委員會編，陳正祥纂修，《臺灣省通志稿・卷四・經濟志農業篇》，頁 83。

〔註15〕發音人詹茂雄：犂分犂頭（lerê-thâu）、犂壁（lerê-piah）、犂底（lerê-teré）、徛正（khiā-tsiànn）、犂轅（lerê-hn̂g）、犂鉤（lerê-kau）、犂柄（lerê-pìnn）

〔註16〕發音人詹茂雄：一期稻作收割後，立即犂田整地，田土不用曝晒。二期收割後，到一期播種，間隔時間較長，所以有的農人會先犂田，讓田土曝晒風化。

得細碎。本區的農家會重複踏割耙二到三回，讓田土更細緻。

「割耙」古名「渠挐、渠疏」，耕而後耙，凡耙田者，人立其上，入土則深。〔註17〕有大小不同的型制，一般是大型方耙，木框帶兩排鐵刀（割耙齒），前排有七片後排有八片相錯排列。

割耙構造：割耙橋（kuah-pē-kiâu）、割耙頭（kuah-pē-thâu）、割耙齒（kuah-pē-khí）、牽仔（khan-á）之四部。〔註18〕

圖 3-3　割耙

圖片來源：筆者拍攝、修片。

有一則臺灣傳統臆謎猜：

四片枋，	sì phìnn pang，
一支竹，	tsi't ki tik，
兩陣鮀仔魚，	nn̄g tīn tai á hû／hîr，
走相逐。	tsáu sio lip／jip。

謎底「割耙」。「四片枋」是指割耙框架，「一支竹」是指框架前頭的一根竹竿，「兩陣鮀仔魚」用來形容前後排割耙齒，有如兩群鮀仔魚，操作時前後兩排鐵刀有如相互在追逐。「走相逐」台語「走」是奔跑的意思，相逐是指

〔註17〕徐啓光撰，石聲漢校注，《農政全書校注》全三冊，上海：古籍出版社，1983年，頁524。

〔註18〕發音人詹茂雄：割耙的構造分為割耙橋（kuah-pē-kiâu）、割耙頭（kuah-pē-thâu）、割耙齒（kuah-pē-khí）、牽仔（khan-á）。

追逐。〔註19〕

3、手耙（tshiú-pē）

田土經過割耙打碎後，田土仍有高低不平，就是用手耙把高的田土往較低處耙，兼俱碎土和耙平的功用，讓田土平整。

手耙古名「耖」，疏通田泥器也，上有橫柄，下有列，以手按之，前用畜力挽行。有一耖用一人牛，亦有二耖用二人牛。〔註20〕是水田平田耙土器，形狀如而字，又稱「而字耙」。臺灣農人慣稱「手耙」（tshiú-pē），高 0.6 公尺，闊約 1.2 公尺。手耙齒通常為十三支，長約三十公分似菱形而尖鐵棒。使用手耙則稱為「扦手耙」〔註21〕。

手耙構造分為：手耙齒（tshiú-pē-khí）、手耙柄（tshiú-pē-pìnn）、手耙管（tshiú-pē-kóng）、手耙跤（tshiú-pē-kha）。〔註22〕

圖 3-4 手耙

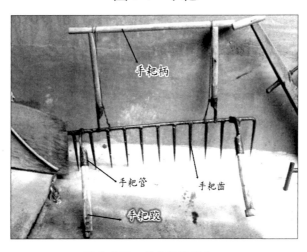

圖片來源：筆者拍攝修片。

〔註19〕發音人陳素卿：細漢的時父母定定拿來臆謎猜，佮囡仔耍。割耙齒就是鐵刀，前排有七齒，後排有八齒，形狀如鮡仔魚。

〔註20〕（元）王禎，《農書》卷12，台北：臺灣商務，1975年，頁11。（王雲五主編，《四庫全書珍本・別輯・171～175》）

〔註21〕發音人詹茂雄：扦手耙，有人說成（huānn-tshiú-pē），也有說成（huînn-tshiú-pē）。手耙齒有13齒，2尺長，寬4尺。

〔註22〕發音人詹茂雄、王招財：手耙在構造上本區只分為手耙柄（tshiú-pē-pìnn）、手耙管（tshiú-pē-kóng）又叫「tshâng-kóng」、手耙齒（tshiú-pē-khí）、手耙跤（tshiú-pē-kha）四部分。

有一則臺灣傳統臆謎猜：

痟狗公，　　siáu　káu　kang，

十三齒，　　tsa'p　sann　khí，

會食塗，　　ē　tsia'h　thôo，

袂食米。　　buē　tsia'h　bí。

謎底「手耙」，「痟狗公，十三齒」是指鐵製的手耙，結構是十三支尖齒。「會食塗，袂食米」用來把田土推勻整平的農具，當然不會吃米。會食塗也有會作穡。〔註23〕

4、磟碡（la'k-ta'k）

「磟碡」又作「礰碡」《耒耜經》：「耙而後，有磟碡焉。有齒，軱稜，而咸以木之，北方多以石，南方用木……。長橢圓形有軱稜，以石為圓桶，中貫以軸，外施木匡。」〔註24〕「拍磟碡」（phah-la'k-ta'k）就是整地的最後一道工作，以「磟碡」的滾軸翻滾碎土、攪拌、壓埋稻株、均平犁耙後高低不平的田土。磟碡的操作方式是農人的雙跤，跨立於前後「磟碡板」即「磟碡橋」上，在前磟碡板綁跤車索，由水牛向前拖引，磟碡上的「磟碡心」即「磟碡念」上的葉片翻滾拍打，來來回回重覆幾趟，至少五趟，把整塊田土均勻細平。磟碡急轉彎時，必須利用一根枴杖形「磟碡鉤」（lak-ta'k-kau）勾住磟碡一側轉變方向行進。〔註25〕

磟碡「日」字形，碎土、攪拌、壓埋稻株、均平工具，磟碡念是滾筒狀木製滾軸，上有七片木葉。閩南語叫（la'k-ta'k），所以有些農友誤以為磟碡心有六片木葉。

結構分為：磟碡橋（la'k-ta'k-kiô）即磟碡枋（la'k-ta'k-pang）、磟碡心（la'k-ta'k-sim）、磟碡頭（la'k-ta'k-thâu）、磟碡榫（la'k-ta'k-sún）、磟碡甌（a'k-ta'k-au）。〔註26〕

〔註23〕苗栗縣文化局，胡萬川總編，《苗栗縣閩南語　諺語・謎語集》，苗栗：苗栗縣文化局，2002年，頁137。

〔註24〕（元）王禎，《農書》卷12，台北：臺灣商務，1975年，頁16。

〔註25〕發音人詹茂雄：磟碡趒轉歹趒，著愛用「磟碡鉤」勾，才可以轉彎。

〔註26〕發音人詹茂雄：磟碡構造上分為磟碡橋（枋）、磟碡心、磟碡頭、磟碡榫、磟碡甌四部分。

圖 3-5　礐磟

圖片來源：筆者拍攝、修片。

5、礐磟鉤（lak-ta'k-kau）

礐磟鉤用來勾住礐磟一側轉變方向行進的工具。

圖 3-6　礐磟鉤

圖片來源：筆者拍攝、修片。

有一則臺灣傳統臆謎猜：〔註27〕

四角上四方，	sì kak siông sù hong，
中央起玲瓏，	tong ng khí ling long，
張飛騎白馬，	tiunn hui khiâ pe'h bé，
斬死草霸王。	tsám sí tsháu pà ông。

謎底即爲「磟磕」。「四角上四方」是指磟磕的框架。「中央起玲瓏」是指中間像楊桃的「磟磕念」即「磟磕心」。「張飛騎白馬」用來形容農人跨立踏在前後磟磕板上。「斬死草霸王」形容磟磕用在水田的碎土、攪拌、埋沒稻株及均平田土之意。

6、「捋筒」（lua'h / luā-tâng）

「概捋筒」（kài-lua'h / luā-tâng）就是拍磟磕後均平田面，使用的「捋筒」。在長條的杉板中央釘了「鐵圓鉤」就是「捋筒空」（lua'h / luā-tâng-khang），手耙（tshiú-pē）插在捋筒空來均平田泥，也省了「拍磟磕」（phah-la'k-ta'k）的次數。捋筒在本區有單柄和雙柄之分，依各農家需求選擇使用。〔註28〕

圖 3-7　捋筒

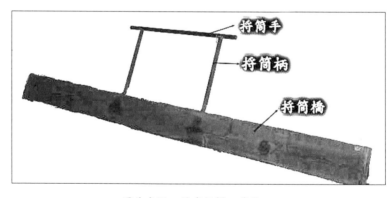

圖片來源：筆者拍攝、修片。

「捋筒」（luah-tâng）古名「田盪」，均泥田器，用叉木做柄，柄長六尺，前方橫木約五尺，使水土相和，盪平田面。〔註29〕寬 10 公分、長 1.8 至

〔註27〕曾阿香口述（宜蘭縣礁溪鄉龍潭村環湖路 60 號），林碧珠收錄。

〔註28〕發音人詹茂雄、王裕興：本區捋筒細部分爲捋筒手、捋筒柄、捋筒枋。

〔註29〕（元）王禎，《農書》卷 14，台北：臺灣商務，1975 年，頁 30。（王雲五主編，《四庫全書珍本・別輯・171～175》）

2.7 公尺的杉板，中央釘以鐵圓鉤，手耙插在捋筒孔，本區又稱「概筒」（kài-tâng）。

捋筒（lua'h／luā-tâng）各部件名稱：捋筒手（lua'h／luā-tâng-tshiú）、捋筒柄（lua'h／luā-tâng-pìnn）、捋筒橋（lua'h／luā-tâng-kiô）即捋筒枋（lua'h／luā-tâng-pang）。

整地的工作是相當繁複，北部地區「早冬」從立春跨越驚蟄，清明前要完成插秧。「早冬」（tsá-tang）就是一期稻作，在農曆五月底稻穀收成後，接著「慢冬」（bān-tang）又稱「晚冬」，就是二期稻作的整地作業，最晚七月初完成插秧。

整地完成，大約三天時間，讓水田逝水（sī-tsuí），才能播田（pòo-tshân）。也就是只見軟爛田泥，看不到田水，這樣秧苗插入田泥中，不會因水而無法附著於田泥。整地過程所使用的農具如前述。

有一則綜合整地農具的臺灣傳統臆謎猜：〔註30〕

頭尖的先起事，	thâu tsiam ê sing khí sū，
十七兄弟共伊打，	tsa'p tshit hiann tī kâ i phah，
十三爲和事佬，	tsa'p sann uî hô sū ló，
七班家長筆煞。	tshit pan ka tuínn teh suah。

謎底「犁、割耙、手耙、磟碡」。「頭尖的先起事」因犁的頭是尖的，在整地工作時首先要以犁翻土。「十七兄弟共伊打」割耙上下排割耙刀和起來爲十七支，而且操作時，把大土塊碎成小土塊。「十三爲和事佬」，就手耙有十三支尖齒，把田泥均平。「七班家長筆煞」是指磟碡念（磟碡心）是一根七葉放射齒狀的滾輪，所以是「七班」。「筆煞」即「晢煞」（teh-suah）整地最後一道以磟碡把田泥化成土膏，讓水土相和，整地工作才能完成。這則傳統臆謎猜，把水田整地的農具描述像一家人，吵吵鬧鬧，最後由家長來擺平。

第二節　播種插秧的農具詞彙

一年之計在於春，春天是一年的開始，萬物剛度過寒冷的冬天，漸漸甦醒；台語俗諺：「立春趕春氣」（li'p-tshun kuánn tshun-khuì），農家這就要進行春耕。農家耕種的時序，均依照節氣，所以「農民曆」對農家來說相當

〔註30〕曾阿香口述（宜蘭縣礁溪鄉龍潭村環湖路 60 號），林碧珠提供。

重要。〔註31〕

一、播種的農具詞彙

　　春耕時，在犁田前，農家早在農曆十二月底，首先要「篩種浸泡」，以「捸箕」（tshia-ki）把種穀倒入「米籮」（bí-luâ）裡，放在溪溝中，這時候不飽滿或不實的「冇粟」（phànn-tahik）就會漂浮起來，再撈來餵食雞鴨……。而飽滿結實的種穀浸泡在水中大約三至七天，吸足水分，撈起來瀝乾水分，先在地上舖一層稻草，上方加上草蓆，再把粟種（tshik-tsíng）放在草蓆上，用布袋蓋住，如果天氣過於寒冷，甚至蓋上棉被或用茶壺裝熱水放在「粟種」堆中，加速發芽。〔註32〕另一種方式：在米籮底層先舖上六月的稻草，再倒入粟種，用布袋圍一圈周邊，再蓋上布袋，但天氣太冷也要蓋棉被。〔註33〕每天用手去翻攪種穀，溫度太熱了，要掀開棉被、布袋，用手翻攪降溫冷卻；如果「粟種」太乾，就要把種穀挑到圳溝攪一攪、洗一洗，再繼續悶。〔註34〕三至五天就會出芽。

　　在浸種的同時，一面要闢置「秧蹟埕」（ng-tsioh-tiânn）〔註35〕，在稻田選一處排水良好又避風的角落，且位置適中的稻田，太高灌溉不易，太低水又會造成粟種浸泡水中爛掉。如果太空曠就得挫菅尾「圍風帷」（uî-hong-uî），插上柱子，再利用田埂的菅尾（kuann-bé）〔註36〕編一道擋風牆。〔註37〕筆者的父親則利用稻草和「竹篾仔」（tik-bi'h-á）編成的「草骿」（tsháu-phiann）。秧床以飽含水分柔軟的爛泥田土做成，表土用耙柿（pê-put／pê-kut）耙平，

〔註31〕發音人王裕興：種作攏要翻「農民曆」，照節氣行。俗語講：「作田無定例，全靠著節氣。」

〔註32〕發音人王裕興、林鄭罔市：天氣太寒冷，光蓋布袋或棉被，熱度不夠。就要在粟種堆中放一個裝熱水的茶壺可以加速催芽。粟種若太燒，根太長，揙秧仔的（ē）揙袂開。

〔註33〕發音人詹茂雄：米籮舖上一層稻草，把「粟種」倒米籮，用布袋圍一圈、蓋一蓋，太冷再蓋棉被。

〔註34〕發音人王招財：粟種要洗的原因：太熱時，根會長太長，會糾結在一起，易造根斷掉，芽太短；洗過的粟種，根會短，芽會長。根太長，揙秧仔時無法散開，在秧床上會出現不平均。

〔註35〕秧蹟埕（ng-tsioh-tiânn）即秧床或秧圃。

〔註36〕菅尾（kuann-bé）就是芒草。

〔註37〕發音人詹茂雄、林鄭罔市：秧床擋風帷，一般圍風口，大部分圍二邊，甚至四邊攏要圍。

再以「秧仔抹刀」（ng-á-buah-to）〔註38〕或碌磗枋、用手挲挲（so-so）抹平，
即可播下種穀。播種的工作要在大寒到立春之間完成。

　　「掀秧仔」（iā-ng-á）時，以「捙箕」（tshia-ki）盛著已經發芽的「粟種」
（tshik-tsíng）〔註39〕，一手持捙箕於腰際，一手抓著粟種撒向秧床，均勻且
不可太密，撒播後，再用「秧仔抹刀」〔註40〕或挘筒橋（枋）、耙柫，甚至以
手輕輕把粟種沒入瀾泥中，並附著在秧床。播種到插秧需要一個月，但如
果是天氣過於寒冷就需要四十至五十天，才能插秧。〔註41〕同時也開始整地
作業。

　　1、米籮（bí-luâ）

　　「米籮」（bí-luâ）或（bí-nâ）古名「籅」，集韻：「盛穀器，以竹制成圓樣，
用貯穀……」。〔註42〕用細竹篾編成，籮邊有二條「米籮索」（bí-luâ-soh）。用
以盛裝稻穀、米糧或其他農作物、悶「粟種」的農具，方便挑運。

圖 3-8　米籮

圖片來源：筆者拍攝。

〔註38〕秧仔抹刀（ng-á-buah-to）：把粟種抹入秧床瀾泥土漿中或用來抹平秧床的工
　　　　具。
〔註39〕粟種（tshik-tsíng）就是種穀。
〔註40〕「秧仔抹刀」（ng-á-buah-to）把秧床抹平的工具。
〔註41〕發音人王招財：從掀秧仔到播田要一個月，若遇到烏寒天就要四、五十工，
　　　　才可以播。
〔註42〕（元）王禎，《農書》卷 15，頁 20。

2、捗箕（tshia-ki）

捗箕古名「箕、簸箕」,《說文》云:「簸,揚米去糠也。」北人用柳,南人用竹,制雖不同,用則一也。[註43] 一種用來揚去穀類糠皮的器具,以細竹篾或柳條等編成,手工較細緻,裝粟和農作物,形狀像糞箕,但沒有「耳」(hīnn)。

圖 3-9　捗箕

圖片來源:筆者拍攝修片。

3、秧仔抹刀（ng-á-buah-to）

「秧仔抹刀」在秧田整地完成後,在一塊塊的秧床周圍用手挖排水溝後,使用秧仔抹刀把田泥表面抹平。粟種(種穀)撒入秧床,亦可將種穀抹進爛泥漿中。

圖 3-10　秧仔抹刀

圖片來源:筆者拍攝修片。

〔註43〕徐啓光撰,石聲漢校注,《農政全書校注》全三冊,頁605。

清咸豐彰化舉人陳肇興的「春田四詠」〔註44〕，第一首詩是描述「播種」：

　　誰將秔秫糝東皋，乘屋才閒播穀勞。
　　隻手拋來天雨粟，一犁翻起地生毛。
　　寒消稻隴呈春色，煖入油粎動土膏。
　　爲報耕耘從此始，乘時莫憚闢蓬蒿。

這首詩的意思是說：「是誰把稻穀撒在東向的水邊高地上，剛蓋好了新房屋才空閒下來，又要忙著播種插秧；記得不久前才用雙手接過浸溼的稻穀，很快的又要以犁翻動長滿雜草的稻田，準備播種。冬天的寒氣消失，田埂出現春綠的景色，利用剛焙好的油糠還有餘溫的時候，就必須翻動被春雨潤濕的軟瀾田泥；爲了耕種能有好收成，就要趁這個時候努力耕作，不怕舉起岸刀清除田間雜草。」〔註45〕

二、播田的農具詞彙

經過繁複的整田作業，需要靜置三天，農家稱之「逝水」（sī-tsuí）〔註46〕，才能「播田」（pòo-tshân）作業工作。農家一面「拉輪仔」（khan-lián-á），在田泥壓劃縱橫線，播田的人按著十字點插下秧苗。〔註47〕

1、輪仔（lián-á）

輪仔的輪距7吋半或8吋半，骨架上窄下寬呈梯形，下面橫桿上裝十三個木輪。水田整地完，先在田中拉一條繩子當基準線，輪仔對準該線，在田面縱橫各拉一遍，劃出棋盤型線痕，如「井」字型。〔註48〕方便秧苗之正條密植，正式名稱叫「車輪式正條密植器」。〔註49〕

「播田」〔註50〕語出《春秋繁露》：「后稷長於邰土，播田五穀。」〔註51〕

〔註44〕陳肇興，《陶村詩稿》，頁13。
〔註45〕臺灣文學部落格 http://140.119.61.161/blog/。
〔註46〕發音人詹茂雄、陳素卿：「逝水」（sī-tsuí）已整完地的水田，田泥過於軟瀾，靜置三～七天，可讓田泥密度更好一點，秧苗才能插牢。
〔註47〕發音人詹茂雄：我的習慣拉輪仔，橫直都要拉一回，這樣秧才能插得整齊，收成較好。
〔註48〕發音人林鄭岡市：拉輪仔要在田中間「剖」（phuà）一條線，再順這條線拉輪仔。
〔註49〕釋義資料來源：陳正祥纂修，《臺灣省通志稿・卷四・經濟志農業篇》，頁100。
〔註50〕播田（pòo-tshân）：教育部閩南語辭典用詞「佈田」。
〔註51〕董仲舒，《春秋繁露》卷七，三代改制質文第二十三。

播田原意是播下種子。人類最早的種稻是把稻穀直接撒播入田中，就像「掖秧」般。這種直播法的水稻，結穗率不高。

圖 3-11　輪仔

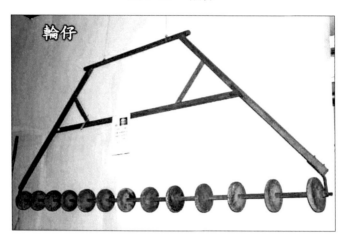

圖片來源：筆者拍攝。

　　農人經驗累積，才有「先育苗再移植」的技法。播田以「秧挑」（ng-thio）自秧蓆（ng-tsioh）鑱起，每一鑱大約手掌大小，深度約 2 公分，順時針方式一片接著一片，疊放在放在「秧披仔」（ng-phi-á），再用一披披疊放在「秧擔仔」（ng-tann-á）上，挑到正在插秧的水田邊，插秧者把「秧披」置入「秧船」（ng-tsûn）中，隨著插秧作業移動。〔註52〕有的插秧者右拇指套著「播田管」（pòo-tshân-kóng）。

　　2、秧架擔（ng-kà-tànn）

　　又稱「秧擔仔」（ng-tann-á）以竹片或木板做成長方形底座，用竹皮或鐵絲做提手，藤皮編綁提手。〔註53〕挑運裝秧苗和秧披農具。

　　3、秧挑（ng-thio）

　　鑱秧的工具。以水平方式插入秧苗土下約二公分。連秧帶土鑱起來，以環狀擺放，後一片順向壓在前一片秧苗上，疊放於秧披中。

〔註52〕發音人王裕興、詹茂雄、陳素卿：插秧者彎腰低頭，採後退方式，一邊插秧，一邊推動左後方的秧船。
〔註53〕發音人詹茂雄、王招財：本區「秧架擔」（ng-kà-tànn）。也有人叫做「秧擔仔」（ng-tann-á）。

圖 3-12　秧架擔

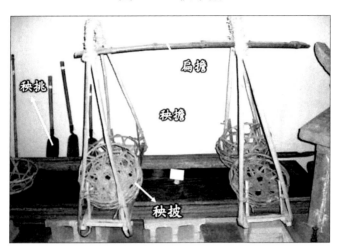

圖片來源：筆者拍攝。

圖 3-13　秧挑

圖片來源：筆者拍攝。

4、秧披仔（ng-phi-á）

以竹篾編成如盆狀，裝運以秧挑鏟起的秧苗，形狀粗糙堅固而耐用。後來用插秧機發明後，秧苗直撒在長方形的秧披中，俗稱「塑膠秧披仔」。

圖 3-14　秧披仔

圖片來源：筆者拍攝。

5、秧船（ng-tsûn）

　　木製，扁圓桶形，竹篾或鐵絲做成「桶箍」固定。底部平坦可以在田泥上滑行。插秧時放在腳後方，裝秧苗之秧披置於此桶中，以後退插秧方式來植栽秧苗。平常當作「跤桶」（kha-tháng），盥洗用具。

圖 3-15　秧船

圖片來源：筆者拍攝。

6、播田管（pòo-tshân-kóng）

古名「耘爪」，耘水田器，其器用竹管，隨手指大小截之，削去一邊，狀如爪甲，穿於指上。以竹管削去一邊，或用銅片做成，套在拇指上，前端成尖狀，和「耘爪」相似，方便分株，快速的截取秧苗，插入田泥中。〔註54〕

圖 3-16　播田管

圖片來源：筆者拍攝。

播田就是插秧。插秧時，秧苗放入秧披再置於秧船，隨著插秧的後退動作推後，通常三到七人不等，排成一列，採半蹲姿勢作業，以左手捧著一片秧苗，右手以拇指、食指、中指頭撥三至五株秧苗，植入土中，如田土較硬秧口太大，插入土中時要用把泥土稍加撥好，以免秧苗浮起。抽腳後退再插種秧苗，一人栽五行（一次播五抱），每抱約四到五株秧苗。〔註55〕如此一步一步後退，秧船也隨手向後移動，這就是俗諺：「起工對清明，播田倒退行」（khí-kang tuì tshing-bîn，pòo-tshân tò-thè／thèr kiânn）的寫照。〔註56〕本區在春分時開始播田，最晚清明前就要完成插秧的工作。

〔註54〕（元）王禎，《農書》卷13，台北：臺灣商務，1975年，頁31。（王雲五主編，《四庫全書珍本・別輯・171～175》。發音人王裕興、陳素卿：並不是每一個人都要套「播田管」，有的人直接以右手拇指截取左手上的秧苗。

〔註55〕發言人王裕興、詹茂雄：田水若潑無離，播落去的秧，就會浮起來。

〔註56〕陳主顯，《台灣俗語典（卷八・天氣、田園和健康）》，台北：前衛出版社，2005年，頁144。

在五、六十年代，有包工在中南部地區招募農閒的人，成團到樹林區播田、割稻打工賺錢，這個包工，大家稱呼他「貿頭仔」（bāu-thâu-á）〔註57〕名叫翁乞，一般農友叫他「老乞仔」。在筆者國小階段（五、六十年代），父親提供住處讓這群農工暫居。這支插秧的隊伍，帶著竹竿製成的「播田格仔」（pòo-tshân-keh-á）插秧，以此為基準，一邊插秧，一邊移動播田格仔。當時的農工，一個人一天可以播一分地，如果雇主有五分地，五個農工一天就可以完成播田的工作。〔註58〕

7、播田格仔（pòo-tshân-keh-á）

竹竿製成的「播田格仔」、（pòo-tshân-keh-á）又稱「播田竹篙」或「竹篙仔」，竹竿上每格約 22 公分就有一支短竹桿。插秧時，以此為基準，一邊插秧，一邊移動播田格仔。

圖 3-17　秧馬

圖片來源：王禎，《農書》卷 12，頁 26。

〔註57〕貿頭仔（bāu-thâu-á）是指包商。指本區的第一個貿頭「翁乞」。

〔註58〕發音人蔡眼：翁乞的妻子蔡眼 1944 年出生，1967 年隨翁乞從彰化縣埤頭鄉來到樹林，租屋味王街，後買屋定居中山里。樹林農忙時節，便到中南部招募農工，農業時代離鄉打工是賺錢打工的機會，大家常在口中念著「做工，吃貿頭！住貿頭！」一工吃四餐，分別上午四點多、十點，下午二點、八點，以吃飯菜為主。

早期農人播田，彎腰、赤足踩在田泥中倒退插秧。但古時有坐著「秧馬」向前行插秧。宋・蘇文忠公序：「余昔遊武昌，見農夫皆騎秧馬，以榆棗為腹，欲其滑，以楸梧為背，欲其輕，腹如小舟，昂其首尾，背如覆瓦，以便兩髀雀躍於泥中，擊草萵木以縛秧，日行千畦；較之傴僂而作者，勞佚相絕矣。」〔註59〕

秧馬是宋代專門為移栽水稻而設計製造出來的農具。舊時農人分秧所用的農具。形似小舟，可跨騎，滑行於田中。〔註60〕最初在武昌被蘇軾發現。據蘇軾的記載，這種農具最初只是一種作為拔秧的坐騎，在泥地裡乘坐秧馬便可提高前進的速度，並減輕體力的消耗。〔註61〕

清咸豐彰化舉人陳肇興的「春田四詠」〔註62〕，第二首詩是描述「分秧」：

> 春前春後雨初晴　十里風吹叱犢聲
>
> 不待鳴鳩終日喚　已看秧馬帶泥行
>
> 連疇蔗葉籠煙碧　隔岸桐花映水明
>
> 記得當年賢令尹　樂耕門外勸春耕

「分秧」是這是一首描述春耕的詩，按字面「分秧」把秧苗從秧床鏟起分叢再插入田泥中。「十里風吹叱犢聲」描述犁田的情景，「已看秧馬帶泥行」是描述古時候坐騎「秧馬」向前行插秧。要比半蹲式，向後退插秧，輕鬆多了。本區有些瀾湳田（nuā-làm-tshân），也坐「竹排仔」（tik-pâi-á）播田，如潭底一帶……。現代以機器播田，使得插秧作業輕鬆方便，相較古時候和現代，早期的播田方式十分辛苦。

「春分前好播田，春分後好種豆」（tshun-hun tsîng hó pòo-tshân，tshun-hun āu hó tsíng-tāu）這是臺灣北部地區的農作現象，春分之前就得播田，而春分之後，開始種植豆類作物，「種豆」是種植茶豆、敏豆，並不是所有的豆類都可以種，如土豆（落花生）在必須清明節後種植。〔註63〕本區農家也會預留田地或來不及播田，就栽植土豆、冬瓜、番薯、高粱。其中番薯幾乎每戶農家

〔註59〕徐啓光撰，石聲漢校注，《農政全書校注》全三冊，頁531。

〔註60〕教育部國語電子辭典。

〔註61〕〈副刊〉，《文匯報》，香港，2004年12月7日。

〔註62〕陳肇興，《陶村詩稿》，頁13。

〔註63〕陳主顯，《台灣俗諺語典（卷八・天氣田園健康）》，台北：前衛出版，2005年，頁143～144。

都會栽植，因爲家家戶戶都有養豬，葉、果實除了可供人食用，也是養豬的重要食材。葉、藤亦可餵牛、豬。〔註64〕在晚冬收成後，農家會種植蔬果，就會利用鋤頭、沙挑、尖喙掘仔……農具，來掘洞播種。

8、把仔（pé-á）

樹林區小鏟子在閩南語有（pé-á）、（uí-á）、（iá-á）三種音讀。〔註65〕栽植蔬果種子、茶苗、拔草的農具，輕巧好用。使用時，小鏟子挖洞，放入種子、茶苗，再以土覆蓋。拔草時，可以深入根部，可連根拔起。

图 3-18　鐵搭耙仔、把仔

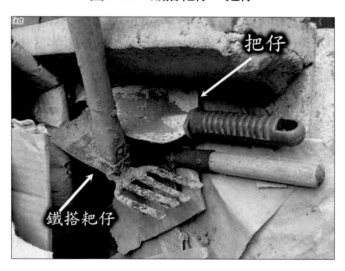

圖片來源：筆者拍攝。

9、尖喙掘仔（tsiam-tshuì-ku't-á）

用來掘土石、較硬土質的鐵製工具。種植竹栽，培竹抱、掘竹頭。

10、沙挑（sua-thio）

可以用挖土、鬆土、挖洞、鏟土。栽植樹木、竹子、果樹，修補田埂、道路，挖溝渠。收成時，挖芋頭、地瓜……。如（圖 3-19）

〔註64〕發音人林宏謀、林鄭岡市、陳素卿、陳賢國：種土豆、冬瓜、番薯、高粱等雜糧，都是農家特別留下田地種植，但也有部分是因爲來不及播田或乾旱無法播田，而改種雜糧。
〔註65〕發音人陳賢國：「小鏟子是（uí-á）」。王裕興：「小鏟子是（pé-á）」。林鄭岡市：「小鏟子是（iá-á）」。

圖 3-19　尖喙掘仔、筍刀、沙挑

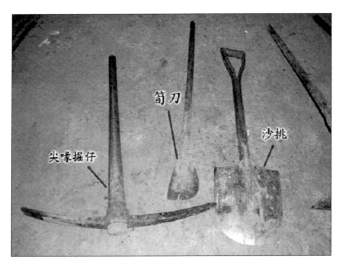

圖片來源：筆者拍攝。

第三節　除草捕蟲的農具詞彙

在稻作或其他農作物的成長過程，需要農友不斷的用盡心血的照顧，如巡田顧田水、施肥、清除雜草、害蟲……，這樣才能除去農作物有害的因子。

一、除草農具詞彙

農夫以各種農具整地時，家中的婦女小孩也要趁這個時間清理「田岸」（tshân-huānn）的雜草，田岸是田和田之間的小路。長在田岸上面的雜草，就用「鋤頭」輕輕的、薄薄的一片片把草連根剷起。從上期稻子收割之後雜草開始叢生，「岸刀」（huānn-to）來伐割田岸兩側的雜草。〔註66〕

1、岸刀（huānn-to）

清除田岸雜草用刀，連草帶土砍除。長度約一尺七八寸至二尺左右，寬約三寸，並有四尺長柄。

而稻子從插秧到收割大約一百二十天，田岸上的雜草，長得特別快，就必須手持「草鍥仔」（tsháu-kueh-á）割除田埂上的雜草。筆者在五、六十年代，

〔註66〕發音人陳素卿：用岸刀剷田岸兩邊，草頭佮土逗陣削掉薄薄一層。

需要幫忙家中的農事，一放學或假日就得和家中的兄弟姊妹拿著「草鍥仔」割除田埂上的雜草，從田頭開始割草，直到田尾割完；田頭的田埂雜草又開始變長，週而復始。

圖 3-20　岸刀

圖片來源：筆者拍攝。

雜草沒有割除，會影響稻子生長，吸收稻田中的養分，雜草長得太長，會有蟲害、躲藏田鼠。割除雜草的目的，可以去除雜草、害蟲和田鼠繁殖的溫床，蟲害因此無處躲藏。田鼠在田岸挖洞會造成稻田水分流失，除草就能減少病蟲害和田岸的損害，割下來的雜草，可供給牛隻食用又可充作肥料。〔註 67〕

2、草鍥仔（tsháu-kueh-á）

「草鍥仔」古農具名「艾」，穫器，《詩》：奄觀銍艾。《韻》作。芟草，亦作刈。〔註 68〕除草刀，割田岸雜草的器具，如割菅尾、茅草。

〔註67〕 發音人陳素卿：田鼠在田岸挖洞，田岸就崩坍，田水就流掉，必須重築田岸。
〔註68〕 （元）王禎，《農書》卷 14，台北：臺灣商務，1975 年，頁 3。（王雲五主編，《四庫全書珍本・別輯・171～175》）

圖 3-21　筍刀、秧挑、草鍥仔、剃刀

圖片來源：筆者拍攝。

3、剃刀（phut-to）

古名「鐅」，《集韻》鍥、鐅、通用。又稱彎刀。刈草木，斫柴篠。〔註69〕稻子收割後，用來斬斷稻桿，以便犁田時，翻入田土中。又稱草刀（如圖3-15）。

4、鋤頭（tû-thâu）、鋤頭公仔（tû-thâu-kang-á）

「鋤頭」（tû-thâu）、「鋤頭公仔」（tû-thâu-kang-á），可以剷除長在田岸上或菜園中的雜草，亦可修補田岸的泥土，把田中的泥土挖起，填補田岸在伐割雜草時被削掉的泥土，才能維持田岸的寬度，供人行走和鞏固田岸。

「鋤頭」古名「耨」，除草器，《呂氏春秋》曰：「耨柄尺，此其度也，其耨六寸，所以間稼也。」〔註70〕用來掘田角的泥土或分碎田土，剷除雜草和種菜時掘洞。有關鋤頭在《臺灣省通志稿‧卷四‧經濟志農業篇》記載〔註71〕：

〔註69〕徐啟光撰，石聲漢校注，《農政全書校注》全三冊，頁552。
〔註70〕（元）王禎，《農書》卷13，台北：臺灣商務，1975年，頁23。（王雲五主編，《四庫全書珍本‧別輯‧171～175》）
〔註71〕林熊祥主修，《臺灣省通志稿‧卷四‧經濟志農業篇》全一冊，頁87。

鋤頭是最普遍而常用的萬用農具，它可以用來耕墾、除草、碎土、中耕、培土、挖穴、作壟、蓋土、補田埂，收穫根菜類等等工作。由柄、鑱、楔三部分組合而成。鑱由「鋤頭框」及「鋤頭肉」，楔子塞在柄和鋤頭接觸處防止柄鬆脫。

鋤頭公是鑱寬小的耕墾用鋤頭，重量為 1.8 至 3.2 公斤容易深打進入土中，用於水田、山坡地開墾。

圖 3-22　掘仔、鋤頭公仔、鋤頭、沙耙

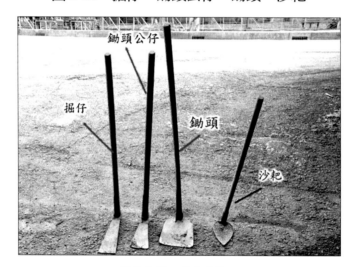

圖片來源：筆者拍攝。

鋤頭（tû-thâu）各部件名稱：鋤頭柄（tû-thâu-pinn）、鋤頭肉（tû-thâu-bah）、鋤頭框（tû-thâu-khing）、鋤頭櫼仔（tû-thâu-tsinn-á）。

水田插秧、扶正、補種，大約二十幾天，秧苗壯轉綠，田泥紛紛長出雜草，避免雜草搶吸田泥養分，影響稻秧生長，就要開始除草。閩南語叫做「挲草」（so-tsháu）。

早期除草，家中不分男女老幼，都要下田挲草，幾乎全家總動員。挲草和施肥同時進行，一期二次。挲草之前先把田水排除，再把肥料均勻撒在田裡，才開始「挲草」（so-tsháu）。

挲草是雙腳跪在田泥上，連同雙腳中間，以快速前進，大人一次五行稻秧、小孩三行，雙手並用，手指如爪子，把稻間瀾泥上的雜草挲起，再把挲起的雜草塞入田泥底下，慢慢腐化成肥料。來來回回，一趟接著一趟，是件

艱苦的工作。〔註72〕

　　有的田土較硬，且雜草茂密，用「攄草機」（lu-tsháu-ki）推過可以讓土質變軟，而且比較好挲草。

5、攄草機（lu-tsháu-ki）

　　「攄草機」有單排和雙排，作用在於清除水稻行間的雜草，尤其是沙質較多、土質較乾硬或淹水不足的水田，挲草不易。雙手握柄，一面做前後拉推，一面前進，便可把稻間田土推鬆軟，讓表土呈現滑滑的，較易挲草，方可將雜草剷除並壓入泥土裡。攄草機笨重，耗費力氣，並不是很好使用。品牌為「豐年」，因此又稱「豐年車」，本區農友慣稱「攄草機」。日治時期，「役場」（ia'h-tiûnn）〔註73〕以優惠方案賣給農友。〔註74〕從日治時期到光復後仍有農家使用來除草。

圖 3-23　攄草機

圖片來源：筆者拍攝。

　　初秋如炎夏，俗諺「處暑難得十日陰」（tshù-sú lān-tit tsa'p-li't／ji't im），處暑是立秋的第二個節氣，日日晴乾，非常炎熱。除草於田間，烈日高掛，

〔註72〕發音人陳素卿：挲草的時，規家大大小小攏愛出動，跪在秧仔縫，俗雜草挲掉，再塞入田泥底下。

〔註73〕日治時期役場就是區公所。

〔註74〕發音人：詹茂雄：土質較硬的田土，稻間雜草無法用手挲，要用攄草機先攄到田土軟瀾。

水氣上升。農夫頭戴「笠仔」（lue'h／lerē-á）遮蔽太陽，身體曝露在陽光下，穿梭於稻間，悶熱難耐。陰雨天身上背覆「龜披」或穿著「棕蓑」擋雨。

6、笠仔（lue'h／lerē-á）

華語「斗笠」，可以遮陽蔽雨，通風不悶熱。用竹篾編笠胎，再鋪敷竹葉，縫上棉線固定。本區早期部分農家，也有做笠仔當副業，一般農家婦女都會用「竹箬」（tik-ham）編在笠胎上。

圖 3-24　斗笠

圖片來源：筆者拍攝。

7、龜骿（ku-phiann）

古稱「覆殼」，篾竹編如龜殼，覆於人背，繫繩肩下，耘耨之際，以禦畏日，兼作雨具。〔註75〕又稱「龜殼」（ku-khak）或「龜披」（ku-phi）。華語「龜背」，以竹篾編之，可以遮陽擋雨，形如龜殼，又背又穿，人在田中，似烏龜爬行。本區在臺灣光復之前使用的農家較多。

8、棕蓑（tsang-sui）

早期重要的遮雨的用具，以棕櫚樹葉柄上的網上毛編織成上衣與下裙，保暖又防雨，是家家戶戶重要配備的農具，保存得宜，可傳承給好幾代子孫。

〔註75〕　（元）王禎，《農書》卷15，台北：商務出版，1975年，頁8。（王雲五主編，《四庫全書珍本・別輯・171～175》）

圖 3-25　龜殼

圖片來源：筆者拍攝。

圖 3-26　棕蓑

圖片來源：筆者拍攝。

9、稻草人（tiū-tsháu-lâng）

　　掖秧或稻子結穗時，擔心鳥食，所以在田邊放置「稻草人」（tiū-tsháu-lâng）或布條，稻草人用稻草編綁成假人，穿上衣服，載上「笠仔」（lue'h／lerē-á），再用竹仔樹立在田中，可以驚嚇鳥兒。亦可由人自行來趨趕。

圖 3-27　稻草人

圖片來源：筆者拍攝。

　　稻子長到齊膝，就開始「薅稗仔」（khau-phuē-á），水田中的雜草以「稗仔」（phuē-á）居多，長像如稻，莖和葉間無毛，葉片較光滑，如不去除會影響稻子生長。有經驗的農人一眼就可認出，一天來來回回幾趟，拔一大堆捆成束，用「攕擔」〔註76〕（tshiam-tann）穿插兩頭，挑回家中給牛吃。

圖 3-28　稻仔、稗仔

圖片來源：筆者拍攝。

〔註76〕發音人陳素卿：稗仔足濟，定定「薅」（khau）一大堆，就用「攕擔」（tshiám-tann）攕轉飼牛。

　　除了田中要除草，田和田之間的「田岸」（tshân-huānn）也要除雜草，從上期收割後就雜草叢生，筆者在五、六十年代，需要幫忙家中的農事，一放學或假日就得和家中的兄弟姊妹拿著「草鍥仔」（tsháu-kueh-á）割除田岸上的雜草，從田頭開始割草，直到田尾割完；田頭的田埂雜草又開始變長，週而復始。

　　割除雜草是為了去除害蟲、田鼠繁殖的溫床，蟲害無處躲藏。雜草容易吸收田中的養分，田鼠會在田埂挖洞會造成損壞，讓水分流失，除草就能減少病蟲害和田岸的損害，割下來的雜草，又可供給家中牲畜食用又可充作肥料。

二、捕蟲農具詞彙

　　拔除害草外，還要捕蟲噴藥防治病蟲害。在農藥未發明之前，稻子在生長期間，會感染病蟲害會伴隨而來，如果不加予捕殺，會導致禾稻病。農民以竹製成兩面梳的「蟲抓仔」（thâng-jiáu-á），加上長柄，來梳除附著在葉門上的蟲害，樹林區用竹編的「桸仔」（hia-á）抓蟲。早期病蟲害較少，大都是金龜子、浮塵子、蚜蟲、飛蝨……，收割前要不定時捕蟲。也有部分農家使用「蘆藤」（lōo-tîn）〔註77〕，但成效不彰。

1、桸仔（hia-á）

　　以細竹篾編製，在稻葉上弄來弄去（lāng-lâi-lāng-khù／khìr），撲過來，撲過去（ia't-kè-lâi，ia't-kè-khù／khìr），被掃到的蟲子有些掉入田水中，被田水淹死。有些蟲子會掉在杓子裡，再倒入水桶中淹死，也有拿回家養雞、鴨，或倒在地上用腳踩死。〔註78〕樹林區早期稻子病蟲害嚴重，用「桸仔」抓不完，後來到木柵請「尪公」來遶境，沿路燃放鞭炮，結果蟲害完全消滅。因此每年農曆九月初一有「迎尪公」的習俗活動。本區迎尪公以角頭分成四股，每四年輪一次，「著股」（tio'h-kóo）的人，就必須出錢請陣頭、搬戲（puann-hì）、迎鬧熱……。〔註79〕

〔註77〕發音人陳成：蘆藤可以用來毒蟲和毒魚的植物。蘆藤即魚藤。植物名。常綠蔓生植物，根部含有能毒殺魚類和昆蟲的魚藤酮，可用來製造殺蟲劑。

〔註78〕發音人詹茂雄：使用時在稻仔尾，弄來弄去，蟲子會掉落在杓子裡，再以腳踩死。

〔註79〕發音人詹茂雄：早期稻仔著蟲，用杓仔抓袂離。就去木柵請尪公，尪公經過的所在，沿路放炮，想不到蟲仔攏死去。每年農曆九月一日柑園地區就有「迎尪公」（ngiâ-ang-kong）。樹林區公所宗教民俗網：「迎尪公」是柑園人的年度大事。所謂的尪公指的是保儀大夫，早年柑園先人墾拓鄉園時常遭天災，因

圖 3-29　栫仔

圖片來源：筆者拍攝。

2、蟲抓仔（thâng-liàu / jiáu-á）

水稻害蟲苞蟲、青蟲、黑盜蟲的驅蟲用具。使用時在稻葉上左右掃動梳除，蟲子掉落被太陽晒熱的田水中燙死。這是本區沒有使的捕蟲用具。

圖 3-30　蟲抓仔

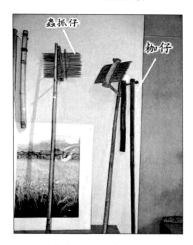

圖片來源：筆者拍攝。

供奉尫公都能區災解厄，保佑五穀豐收，六畜興旺，流傳至今柑園人於每年農曆九月一日舉行迎尫公活動，感念保儀大夫的德威。

3、霧氣桶（bū-khì-tháng）

民國五十年代化學農藥發明後，使用沿至今的「霧氣桶」（bū-khì-tháng），簡稱「霧器」，有筒形或扁方形，把農藥依說明書加水稀釋倒入，操作者雙肩背起，右手持噴務桿噴藥，左手高舉按壓唧筒，產生的氣壓將藥噴出順風勢後退噴灑農作物消除病蟲害或防蟲害。

圖 3-31　霧氣桶

圖片來源：筆者拍攝。

第四節　灌溉、施肥的農具詞彙

樹林區部分水田灌溉有使用「水車」（tsuí-tshia），農田位於灌溉水源的尾端，所以必須架設水車灌溉。有些水田位於高處，淹水不足，就用「戽斗」（hòo-táu），以人力方式將水戽到水田中。〔註80〕

一、灌溉農具詞彙

1、水車（tsuí-tshia）

中國古傳之揚水工具，引低處水源來灌溉高地田地的器具。以腳踩踏轉

〔註80〕發音人王招財：一般人以為用戽斗戽水要戽到當時，才能予（hōo）水田淹到水，其實毋免半天的時間。

動水車，依大小有一人至二人踩，使用時水車安置在水圳岸上，水車槽後端浸入水中，水車葉之上邊掛在倒心齒，下邊掛在水車槽後端的尾輪，架設安穩後，以腳踩踏帶動水車頭。〔註81〕

圖 3-32　水車

圖片來源：筆者拍攝。

2、戽斗（hòo-táu）

人力揚水用具。以人力方式將水灌溉到水田，操作時，人站在水中，雙手握著柄，將戽斗插入水中，向上揚起，把水潑入上方的水田中。一般而言，將「低坵」（kē-khu）的田水戽到「懸坵」（kuân-khu）。〔註82〕

播田完成農家又要開始雜作，雖然農家耕作以種稻爲主，但農家在閒暇之餘，就種植蔬菜。依照節氣，把收成的種子，以溼布包裹放煙囪邊保暖，待萌芽後，種在苗圃上，再移栽定植。〔註83〕

種植菜苗，澆水施肥、砍柴立架。搭瓜棚架，用柴刀把竹子削成弧形斜口，立於菜股兩側，立的時候，用「土銃仔」（thôo-tshìng-á）華語「土鎗」鑽

〔註81〕陳正祥、楊景文、王啓柱、黃啓章、張鼎芬纂修，《臺灣通志稿》卷四，〈經濟志‧農業篇〉，頁107～109。發音人王招財：本區用「跤踏水車」，普通時二個人踏，有當時一個人踏。

〔註82〕發音人王招財：人站在低坵的水溝，雙手攑用「戽斗」，對（uì）低坵戽去懸坵，嘛眞緊！

〔註83〕發音人陳賢國：種植蔬菜大多在二期稻作收成後，所以天氣較寒冷，以濕布包住種子，放煙囪旁可以加速催芽。

洞，再把削好的竹子，輾（liàn）入洞中。瓜棚上用較小的竹子搭鋪，才能讓瓜的藤蔓攀爬。栽植後，澆水讓蔬菜成長。傳統的澆水器具很多種。

圖 3-33　戽斗

圖片來源：筆者拍攝。

圖 3-34　土銃仔（土鎗）

圖片來源：筆者拍攝。

3、掅桶（kuānn-tháng）

盛水的器具。早期多木製，以木板圍成圓桶狀，底部亦以木片連結成片，木板片與片之間以竹釘固定，外圍再以粗竹篾或鐵絲編成環狀，稱為「桶箍」（tháng-khoo）。桶上有提把，以竹片烘彎或木材製「耳」（hinn）〔註84〕。

圖 3-35　**掅桶**

圖片來源：筆者拍攝修片。

4、漩桶（suān-tháng）

以竹子和木片製作成的水桶，上端有一條橫木條，用來繫繩用，底部邊緣加裝一支已打通節的竹管，並且斜成四十五度，頂端密閉，邊緣鑿孔噴水，狀如茶壺，是大型的漩桶，一般兩桶為一擔挑在肩上「漩水」。能均勻的噴水，不會傷到農作物的嫩葉。較小型稱為「水漩仔」。漩水是灑出細水柱。〔註85〕

〔註84〕耳（hinn）：就是水桶的把手，又稱「桶仔耳」。
〔註85〕發音人陳明泉：用扁擔挑著漩桶沿著股溝，同時可以沃兩邊菜股。

圖 3-36　漩桶

圖片來源：筆者拍攝修片。

二、施肥農具詞彙

　　早期三合院的房舍，廁所都在房舍外頭，所以爲了半夜如廁方便，就在屋內放一個「尿桶」（liō-tháng），再把尿桶裡的排泄物挑到菜圃施肥。農家都有一個很大的「屎礐」（sái-ha'k），收集排泄物，再用「肥桶」（puî-tháng）一擔一擔挑到田裡或菜園用「肥桸」（puî-hia）〔註86〕「沃肥」（ak-puî）〔註87〕。

　　1、尿桶（liō-tháng）

　　直徑約 40 公分深 50 公分的木桶爲「尿桶」。直徑約 60 公分高 70 公分以上叫「肥桶」（puî-tháng）。裝人畜排泄物的木桶。早期屋內沒有廁所。半夜如廁不便，所以在房間門口放一個尿桶使用。

　　2、尿桸（liō-hia）

　　本區又叫「肥桸」（puî-hia），舀「屎礐」（sái-ha'k）的大肥，入尿桶裡。人在施肥時，用來舀水肥的杓子。

　　施肥台語叫「掖肥」（iā-puî），挲草之前要把水排掉一些，接著掖肥。挲草時可以把肥料均勻推向田泥中。早期施肥都用天然肥，除了用人畜排泄物，樹林區最常用的是黃豆渣滓，壓製成每個約三、四十斤的圓餅，俗稱豆

〔註86〕肥桸（puî-hia）：又稱尿桸，農人在施肥時，用來舀水肥的杓子。
〔註87〕沃肥（ak-puî）：即施肥。爲植物施放肥料。

圖 3-37　尿桶

圖片來源：筆者拍攝修片。

圖 3-38　尿桸

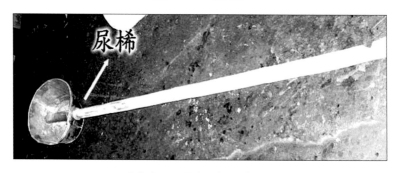

圖片來源：筆者拍攝、修片。

餅（tāu-piánn）〔註88〕來施肥。一期有三次施肥，二次和除草同時，農家在結穗前再追加第三次。〔註89〕

　　農家早期使用「有機肥」，除人畜离的排泄物，更在房舍附近製作堆肥，其中牛稠裡的牛屎最爲肥沃，先用「鐵搭」（thih-tah）、「大耙」耙成堆，再以「糞攕」（pùn-tshiám）鏟入「畚箕」（pùn-ki），再搬到糞堆，加泥土、稻草發酵成有機肥料。

〔註88〕豆餅。用壓榨豆油剩下來的渣滓，壓製成每個約三、四十斤的圓餅，可做肥料或飼料。
〔註89〕發音人詹茂雄：一般人抾肥三次，依他的經驗追加到五次。

3、鐵搭（thih-tah）

耙堆肥、掘菜畦、鬆土、掘土、收成地下根莖農作物如番薯、芋頭……的用具。

圖 3-39　鐵搭

圖片來源：筆者拍攝。

4、大耙（tuā-pê）

耙土、耙堆肥、耙沙石、泥漿的用具。

圖 3-40　大耙

圖片來源：筆者拍攝。

5、畚箕（pùn-ki）

竹編的農具。筆者的農家利用種植的長枝竹，俗稱「長枝仔」，用「柴刀」（tshâ-to）撥開成竹篾，編成畚箕、竹籃、牛喙罨⋯⋯。樹林區農家房舍邊都有一整排的長枝竹。它是竹編農具非常重要的材料來源。

《環境資訊電子報，竹之運用與文化的發展（中）》對長枝竹有詳細的記載：

> 長枝竹為台灣特有種，外觀似刺竹，但其稈肉薄，節間長，外被蠟質白粉，無刺，材質柔軟容易劈成篾以編織器物，但表皮色澤差，使用時常須去皮且容易遭蟲蛀，常用來編織米篩、畚箕、果籠等，用途亦頗多，其台語別名「鶯腳綠」。〔註90〕

而「畚箕」古名「箕」「簸箕」（puá-ki），用來揚去穀類糠皮的器具，以竹篾或柳條等編成。〔註91〕不管是畚箕、簸箕，本區均稱「畚箕」。它的用途廣泛，是農家必備的農具，有的手捧和長提二種。本區農家普遍使用「長耳畚箕」可用扁擔肩挑；而手捧為「簸箕」不普遍。可以用來搬運堆肥、泥土、石頭、農作物⋯⋯。

圖3-41　畚箕、簸箕

圖片來源：筆者拍攝。

〔註90〕 江賢德，《環境資訊電子報，竹之運用與文化的發展（中）》2001-06-10，http://e-info.org.tw/2001/06/0610/010610A.htm。

〔註91〕 （元）王禎，《農書》卷15，台北：臺灣商務，1975年，頁26。（王雲五主編，《四庫全書珍本‧別輯‧171～175》）

6、柴刀（tshâ-to）

　　做木鉤子、扁擔、編竹籃、砍伐水田高低坎灌木枝條，都需要用它。分成「帶彎鉤的」、「直刃的」。直刃的柴刀用來剖剁木頭、竹子、竹篾，農家較常用。「鉤尾柴刀」（kau-bé／bér-tshâ-to）用於除菅尾草、挫柴枝……，較方便使用。〔註92〕

圖 3-42　柴刀（直刃、彎鉤）

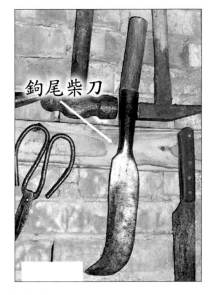

圖片來源：筆者拍攝修片。

第五節　收成、入倉的農具詞彙

　　從插秧到收成大約一百二十天，大約經過八、九個節氣。但使用殺草劑，約 140～150 天才能收割。一期又稱早冬，在農曆五月底收割；二期在農曆九、十月收割。二期又稱慢冬（晚冬），節氣正在「小暑」。「小暑過，一日熱三分」（sió-sú kè／kèr，tsi't-li't／ji't lua'h sann-hun）就小暑之後天氣一天比一天熱。時序到了小暑，稻穀也都成熟了，是收割的季節。

　　割稻農家稱「割稻仔」，首先在一週前把田水排乾，讓田土完全變硬。農家天未亮，吃完早餐，就扛著「機器桶」（ke-khì-tháng）、挑著「米籮」（bí-

---

〔註92〕發音人王裕興：鉤尾柴刀較好用，用來挫柴、鉤樹藤……。

luâ）、帶著「鐮攦籠」（liâm-lik-á-láng）、「鐮攦仔」（liâm-li'k-á）……來到田裡。

一、收成農具詞彙

天「拍殕光」（phah-phú-kng），旭日東昇，陽光把稻穗染成金黃色。手拿鐮刀發出 sa sa sa……的聲音，一把連續割下五「抱」稻子，三回十五抱放成一「束」（sak），再一束束堆成雙手可握的大小，左右放置成排。機器桶 pōng……pōng……pōng……，打穀的人緊跟著割稻的人後面，打穀的人雙手握著稻束至桶前慢慢放下使稻穗與滾桶接觸，此時手中的稻束要不停的左右轉動，使稻粒完全脫離稻梗。一邊打穀，一邊拖著機器桶向前進。受穀箱中的稻穀滿了，就用「挿箕」把穀粒盛入「米籮」或「布袋」中，再用「扁擔」挑或肩膀扛回家，放置在「稻埕」（tiū-tiânn）準備「曝粟」。〔註93〕

稻穀會挾雜草 khòo、草笒（tsháu-giám）在一起，晒穀之前要用「粟耙仔」（tshik-pê-á）抓一抓、耙一耙處理挾帶在稻穀的雜草，再以「篩仔」篩粟，爲了省人力，也有在稻埕角落用三枝竹竿搭架，上懸「粟篩」，前後推動框柄。〔註94〕

1、粟爪仔（tshik-liáu / jiáu-á）

稻穀會挾雜草 khōo、草笒（tsháu-giám）在一起，晒穀之前要用「粟爪仔」（tshik-liáu / jiáu-á）抓一抓、耙一耙處理挾帶在稻穀的雜草。又名「竹耙」（tik-pê），古名「杷」以木爲柄，以鐵爲齒，用耘稻大。〔註95〕是竹子做的用來耙土、耙物的農具。本區稱「爪仔」（liáu / jiáu-á）有竹製、鐵製。竹製只整理稻穀中稻葉。鐵製用途廣，可以整理稻穀中稻葉、茱股、崁茱子（khàm tshài-tsí）、鬆土。

2、粟篩（tshik-thai）

篩穀，雙手握住「粟篩」（tshik-thai）框，由左而右轉動，穀粒會篩落地面，草 khòo、草「笒」（giám）則會留在篩上。亦可篩花生，又稱「土豆篩」。

〔註93〕發音人詹茂雄、陳素卿：天未亮就出門，到了田裡，就摸黑工作，不久才拍殕光。

〔註94〕發音人陳賢國：國中小階段跟著父親耕作，父親就用鐵網、木片自製一個手搖式的粟篩，孔目較大，不同於砂篩。

〔註95〕徐啓光撰，石聲漢校注，《農政全書校注》全三冊，頁555。

圖 3-43　粟爪仔

圖片來源：筆者拍攝。

圖 3-44　爪仔（鐵製）

圖片來源：筆者拍攝。

圖 3-45　粟篩（篩仔）

圖片來源：筆者拍攝。

3、糞攕（pùn-tshiám）

草 khòo、草「芩」（giám）成堆後，用「糞攕」（pùn-tshiám）剗成堆放在屋外發酵，或挑到田裡燃燒成灰燼，都是肥料的來源。又稱「草攕」（tsháu-tshiám）或「草叉仔」（tsháu-tshe-á）。

4、耞仔（kínn-á）

用手捧起混雜的稻草、穀串，以風除去稻草葉或雜物，叫做颺草樣（tshiûnn tsháu-iūnn）。較重的粟苓（tshik-giám）就會掉下來，用耞仔（kínn-á）敲打，把黏在草莖的穀子打掉。本區又讀（kénn-á）、（kiáu-á）。古名「連耞」擊禾器，長三尺，寬四寸。〔註96〕再用粟篩仔把穀子篩乾淨，剩下黃澄澄的穀子。〔註97〕

圖 3-46　糞攕　　　　　　　　　圖 3-47　耞仔（連耞）

圖片來源：筆者拍攝、修片。　　　　圖片來源：筆者拍攝。

5、扁擔（pún-tann）

「扁擔」（pún-tann）（pín-tann）是挑運用具，大部分用肉厚、強韌的刺竹製成，農家都會自己做，筆者小時候就經常看到父親把刺竹剖削成「扁擔、

〔註96〕徐啓光撰，石聲漢校注，《農政全書校注》全三冊，頁560。
〔註97〕發音人詹茂雄：粟苓（tshik-giám）是粟沒有脫離稻桿。

攕擔」,「攕擔」(tshiám-tann)是把刺竹管兩頭削尖,長度比扁擔稍長,插入整捆的草,方便挑。「鉤擔」(kau-tann)是指扁擔、鉤子、繩子。普通說拿「鉤擔仔」來擔。

圖 3-48　扁擔、擔鉤、鉤擔索

圖片來源:筆者拍攝。

圖 3-49　攕擔

圖片來源:教育部閩南語電子辭典。

6、鐮攦仔（liâm-lik-á）

「鐮攦仔」（liâm-lik-á）古名「銍」，刈禾曲刀，有佩鐮、兩刃鐮、袴鐮、鉤鐮，古今通用芟器。〔註98〕木柄鐵身鋼刃有細齒狀，小巧銳利好輕便，華語「鐮刀」。是割稻的利器，亦可用在割稻、割草、拔草、採摘蔬菜、瓜果。早期先民開闢耕地、種植五穀，開墾時先放火野燒，然後以刀鋒帶鋸齒的「鐮刀」，古農具名為「銍」，有木柄和金屬的齒刃，用來割草、割籐、割稻穀。

圖 3-50　各種鐮攦仔

圖片來源：筆者拍攝。

7、鐮攦仔籠（liâm-lik-á-láng）

是放鐮刀的容器。收割時吊掛在機器桶的一側，可以放置「鐮攦仔」或「油針仔」。

8、摔桶（sak-tháng）

樹林地區在民國三十年以前，仍有農戶以「摔桶」（sak-tháng）來脫殼，構造為木桶和桶梯、笨仔。笨仔是麻布用七枝竹棒張開圍繞在摔桶的三面，打穀時防止穀粒跳落損失。木桶四周用木板圍拼，裡面有一個刮除穀粒的設置叫「摔桶梯仔」（sak-tháng-thui-á）。摔稻時雙手握著稻穗向桶內斜梯板打

〔註98〕　（元）王禎，《農書》卷14，頁2。

三、四次，穀粒即脫落桶內。脫「在來米」效果比較好。有些農友小時候在家中看過摔桶，但懂事後家裡已沒有使用。〔註 99〕民國五十年發展成「機器桶」。

圖 3-51　鐮攞仔籠

圖片來源：筆者拍攝。

圖 3-52　摔桶

圖片來源來源：筆者拍攝。

<hr>

〔註99〕發音人詹茂雄、王招財：日治前本區農家收割時用來脫穀的農具。

　　脫殼機，農民通稱「機器桶」。用來分離稻穀與稻稈的農具，底下裝有兩根木條，能在稻田上移動滑行，是一種以腳踏為動力的脫殼機。到了六十年代加上了馬達帶動滾輪，替代了腳踏。

　　後來機器桶改以馬達轉動，不必以腳踏，割稻的人較省力。收割脫粒的稻穀，掉入受穀箱中，稻穀滿了，卸下後木板，「捙箕」盛到「米籮」，以「扁擔」，一擔一擔挑回稻埕做晒穀前的整理。亦有盛入「布袋」裡，再扛回晒穀場。

9、機器桶（ke-khì-tháng）

　　「機器桶」又稱脫穀機，即人力腳踏式迴轉脫穀機，本區又稱「電桶」。機器桶的部件有打穀齒、踏板、曲軸、大齒輪、小齒輪、受穀箱、「笨仔」（pūn-á）、木馬。腳踩「踏板」經「曲軸」轉動「大齒輪」而帶動功小齒輪使圓筒迴轉。雙手握稻束使稻穗與迴轉中之打穀齒接觸，穀就會打落在「受穀箱」。迴轉圓桶的三面用麻布或竹皮編織的「笨仔」圍住，防止打落的稻穀跳散。〔註100〕

圖 3-53　機器桶

圖片來源：筆者拍攝。

〔註100〕黃純青監修，《臺灣省通志稿‧卷三‧經濟志農業篇》，台北市：臺灣省文獻委員會，1953 年，頁 115。

　　本區機器桶各部件的閩南詞彙：機器桶齒（ke-khì-tháng-khí）、機器桶心（ke-khì-tháng-sim）、跤踏仔（kha-ta'há）、狗齒仔（káu-khí-á）、機器桶箱（ke-khì-tháng-siunn）、笨仔（pūn-á）。〔註101〕

圖 3-54　布袋

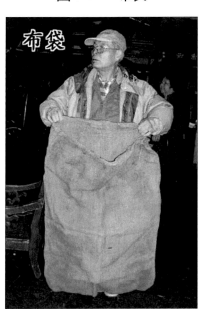

圖片來源來源：筆者拍攝。

有一則臺灣傳統臆謎猜：

杉鋪埕，	sam　pho　tiânn，
竹圍埝，	tik　uî　kînn，
雷公一下到，	luî　kong　tsi't　e　kàu，
脫褲走過埕。	thǹg　khòo　tsáu　kè／kèr　tiân。

　　謎底是「機器桶」。是方形桶以杉木片製作而成，即「杉鋪埕」。桶上樹立竹竿圍著紗網或麻布就像「竹圍埝」。桶內有一個布滿倒 V 字型鐵齒的滾桶，操作時，雙手握著稻穗，一腳踩著踏板帶動滾筒快速轉動，馬達聲音像打雷，即為「雷公一下到」。一根根的倒 V 字型鐵齒脫去穀粒，即為「脫褲」。

〔註101〕發音人詹茂雄：機器桶分作機器桶齒（ke-khì-tháng-khí）、機器桶心（ke-khì-tháng-sim）、跤踏仔（kha-ta'h-á）、狗齒仔（káu-khí-á）、機器桶箱（ke-khì-tháng-siunn）、笨仔（pūn-á）。

穀粒掉進受穀箱，即爲「走過埕」。〔註102〕

　　稻作收割之後，脫掉粒的稻草，在農家的心目中是非常珍貴可資利用的材料。稻田收割時，農家順便把稻桿紮成一叢一叢，稱爲「草總」（tsháu-tsáng），再摔開，立於已完成收割的稻田中風乾晒乾，再以籤擔（tshiám-tann）挑回農舍旁，疊成堆稱爲「草囷」（tsháu-khûn）。儲做牛羊的乾糧、當柴草（tshâ-tsháu）燃料、搓草繩、編草骿（屏）、舖茶畦（股）、舖在床上、保護作物……。〔註103〕

10、草囷（tsháu-khûn）

　　用乾草總（tsháu-tsáng）堆疊成堆，大堆爲「草囷」（tsháu-khûn），小堆爲「草堆」（tsháu-tui）。農家在屋外空地立柱，底埔鵝卵石，以柱子爲中心，慢慢堆疊，是很專門的技術，平時使用，抽取草總，不會倒塌。

圖 3-55　草堆、草總

圖片來源：筆者拍攝。

二、入倉農具詞彙

　　「曝粟」（pha'k tshik）穀粒在地上耙成一股一股，時時以「耙柫」（pê-put）翻耙，使得下層者翻至上層，讓陽光曝晒均勻，黃昏時用「大拖」（tuā-thua）

〔註102〕郭安，《臺灣月刊》211，2000 年 7 月，頁 86～87。

〔註103〕發音人陳素卿：冬天沒有青草，就用稻草給牛吃。小時天氣寒冷，稻草舖在草蓆下方當床墊保暖。當時農家會搓草繩、做草鞋、編草骿。

拉推成堆，再用「黜仔」（thuh-á）鏟高。〔註104〕曝粟最怕遇到西北雨，明明是烈日當空，不料烏雲一到，立刻下起大雨，大家七手八腳，左鄰右舍也來幫忙。用「大拖」，二人拉大拖繩，一個人推握柄，如同和雨比賽跑步，有的人拿起「掃祛」（sàu-kiā）把地上的穀粒掃至粟堆。把穀子收成堆，像座山。再用草骿（tsháu-phiann）由下而上蓋起來。

1、「耙桸」（pê-kut）

本區又稱（pê-put）以竹柄和木板構成，後來改良成竹柄和鐵板。輕巧好操作，能準確握柄翻晒稻穀，耙稻穀用具。晒穀時，把稻穀耙一股一股，烈日下翻動穀子，讓稻穀均勻曝晒。亦可用來耙平秧床。

圖 3-56　耙桸

圖片來源：筆者拍攝。

2、大拖（tuā-thua）

木柄加一木製大拖枋，大拖枋兩側各有一條大拖索，操作時二人拉著繩子，一人握柄。晒穀時，推動拖板成一股一股；收穀時，推動拖板集穀成堆。

3、黜仔（thuh-á）

曝粟，太陽出來時，要用大拖從粟堆中推散成一股股。到落日前，要把稻穀收成堆，因場地限制，「大拖」扂不高，就必須用「黜仔」沿著粟堆黜高，如座尖山（如圖3-57）。

〔註104〕發音人王招財：「曝粟」（pha'k tshik）要曝到焦，是毋是焦，就是用喙咬一下，會「khâunn」一下。「黜仔」又叫「豬屎黜仔」，平常可以用來黜豬屎。

圖 3-57　大拖、黜仔

圖片來源：筆者拍攝。

4、掃祛（sàu-kiā）

是用竹枝做成的竹掃把，現在仍普遍使用，曝晒的農作物後收成堆時，用來掃粟（稻穀），也可以用來打掃落葉、雜草和土沙，一般稱「掃梳」（sàu-se）〔註 105〕。

圖 3-58　掃祛（掃梳）

〔註 105〕發音人詹茂雄：本區稱竹掃把叫「掃祛」，但外地來的人稱「掃梳」。

「曝粟」就是晒穀，慢冬（晚冬）九、十月陽光充足又有風，需要二至三天，早冬五月尾陰雨天曝晒十天，甚至會拖延一個月。晒乾的稻穀，仍有雜質、碎葉莖片、塵埃、「冇粟」〔註106〕，需用「風鼓」（hong-kóo）除二～三次，才能除淨雜物。「鼓粟」（kóo-tshik）操作時，一個人以「捀箕」把粟仔盛起倒入「風鼓斗」裡，另一個人右手搖動「風鼓手」，左手抽動「風鼓掩」使穀粒慢漫落下，經過風鼓葉的搧風，飽滿結實的穀粒就會從「頭槽」斜口流入「米籮」中；冇粟從「二槽」口流出，而較輕的雜物和塵埃則從「風鼓尾」吹出掉落地上。冇粟收集後拿來飼食家离家畜。〔註107〕

5、風鼓（hong-kóo）

風鼓，古稱「颺扇」〔註108〕，要清除穀中的塵埃和穀殼時使用的農具。整座的材質除了風鼓手是鐵製以外，都是樟楠烏心石製造，保養得宜可達百年以上。〔註109〕

圖 3-59　鼓粟

圖片來源：筆者家中收藏。（筆者父親陳知英正手搖風鼓手）

〔註106〕冇粟（phànn-tshik）是指不稔粒或半不稔粒。
〔註107〕發音人詹茂雄：曝粟早冬、慢冬曝的時間無仝。晚冬較熱二、三工就會焦。風鼓使用的方法如本段述。
〔註108〕（元）王禎，《農書》卷16，台北：臺灣商務，1975年，頁2。（王雲五主編，《四庫全書珍本‧別輯‧171～175》）
〔註109〕黃純青監修，《臺灣省通志稿‧卷三‧經濟志農業篇》，台北市：臺灣省文獻委員會，1953年，頁123。

本區風鼓結構分成：風鼓肚（hong-kóo-tōo）、風鼓櫃（hong-kóo-kuī）、風鼓葉（hong-kóo-ia'p）、風鼓手（hong-kóo-tshiú）、風鼓斗（hong-kóo-táu）、風鼓跤（hong-kóo-kha）、頭槽（thâu-tsô）、二槽（lī／jī-tsô）、風鼓尾（hong-kóo-bé）、風鼓掩（hong-kóo-am）。〔註110〕和《臺灣省通志稿・卷三・經濟志農業篇》記錄的內容相同。

圖 3-60　風鼓

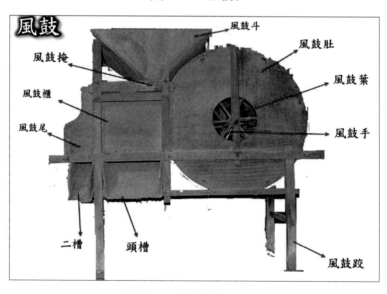

圖片來源：筆者拍攝和說明。

有一首臺灣傳統臆謎猜：

<table>
<tr><td>鳥仔腳，蜘蛛肚，</td><td>tsiáu á kha，ti tu tōo，</td></tr>
<tr><td>會食米，袂行路，</td><td>ē tsia'h bí，bē kiânn lōo，</td></tr>
<tr><td>會吐霧，袂放雨。</td><td>ē thóo bū，bē pàng hōo。</td></tr>
</table>

謎底「風鼓」，風鼓有四隻腳，非常穩固站立著。鼓風時急促轉動。風鼓有四隻細小的腳，就像鳥的腳一樣，圓滾滾的肚子像蜘蛛的肚子。稻穀不斷的從風鼓斗倒入，就像鳥嘴般吃稻穀，把風鼓比喻成鳥，但它是不會走路。鼓粟時，灰塵雜質從風鼓尾吹出來，就像吐霧般。〔註111〕

〔註110〕發音人詹茂雄：風鼓的部位，較早用的時攏會曉講，不閣久無用，有小寡袂記。
〔註111〕管梅芬主編，《台灣諺語・謎語集成》，台南：文國書局，2005年，頁63～69。

6、粟倉（tshik-tshng）

樹林區的農家屋內都有「穀倉」，所以沒有中南部地區在戶外使用的笳櫥或古亭笨。穀倉就是「粟倉」（tshik-tshng），要把晒乾的稻穀收入穀倉之前，首先要在最底層舖厚厚一層「粗糠」（tshoo-khng）〔註112〕，上方再舖一層麻布袋或草蓆，四周牆壁用「草骿」（tsháu-phiann）圍住，主要目的在防水氣，避免稻穀附著在牆壁上，潮溼發芽。〔註113〕粟倉每期收成後要清理一次，更新「粗糠、草骿」，「布袋」要拿到屋外曝晒殺菌。

7、塗礱（thôo-lâng）

在光復前本區農家用「塗礱」（thôo-lâng）除去穀粒的外皮，使它變成糙米的機具。日治時期，在稻穀收割前，役場會派警察到農家評估收割量稱爲「坪割」（phînn-kuah）。再依人口數配給，所以農家爲了要吃飽就在評估時動手腳，「坪割」回來的途中趁警察不注意將稻穀丟入溝中，讓評估重量減少，待收割上繳役場後，仍有剩餘的穀子。這些偷藏的稻穀，就在家中以「塗礱」脫去外殼，此時米和稻殼雜混，必須以「風鼓」鼓去稻殼，再經「米篩」篩去砂石雜粒，這就是「糙米」。〔註114〕

塗礱華語「土礱」，用於脫去稻穀外殼的器具，是中國古傳的礱。分爲上礱、下礱、土礱鉤三大部分。對於塗礱的構造使用，《豐年》第 58 卷第 4 期〈古農具・見匠心〉記載爲：

> 「土礱」，外表及腳，都是竹材。以細竹篾細密編織圍筐，裡面以紅黏土加鹽水拌合而成，乾後硬度有如石材，上下座均爲圓形。上下座相吻合處各以質地堅硬木角條崁入並使之相錯，上座竹筐預留半截空地以存放稻穀，轉動上座，稻穀即由礱甄底部的「礱齒」脫殼碾成糙米，掉落在竹篾編成的「礱衣」內。〔註115〕

〔註112〕「粗糠」（tshoo-khng）就是稻穀脫下來的外殼，可用來當燃料或覆蓋農作物、和堆肥。

〔註113〕發音人詹茂雄、林鄭罔市：每期收成了後，粟倉的粗糠、草骿，都要換新的。布袋一定要拿出去曝日。

〔註114〕發音人詹茂雄：日治時代，收成了後，有足濟作田人予日本警察拍，因爲收成的量佮坪割無全。

〔註115〕金眞，《豐年半月刊》，〈古農具・見匠心〉第 58 卷第 4 期，2008 年 2 月 16 日，頁 67。

圖 3-61　塗礱

圖片來源：筆者拍攝。

有一則臺灣傳統臆謎猜：〔註116〕

　　圓圓埕，　　　　înn　înn　tiânn，

　　四角廳，　　　　sì　kak　thiann，

　　鑼鼓響一下，　　lô　kóo　hiáng　tsi't　ē，

　　兵馬走出城。　　ping　má　tsáu　tshut　siânn。

　　謎底即為「塗礱」。「圓圓埕」是指塗礱外表是竹篾編成的圓筐，「四角廳」是塗礱上座四方形的漏斗孔，「鑼鼓響一下，兵馬走出城」是形容上座一轉動，穀殼和米就流入塗礱邊緣溝糟內的情形。這則臆謎猜把「塗礱」譬喻成軍隊操演的情形。

　　另一則臺灣傳統臆謎猜：〔註117〕

　　竹唇柴齒，　　　tik　tûn　tshâ　khí，

　　食粟放米。　　　tsia'h　tshik　pàng　bí。

　　「竹唇」是指塗礱竹編邊緣的外筐，「柴齒」是指塗礱中崁入的硬木角條，「食粟放米」是指倒入稻穀輾出米來的步驟。這則傳統臆謎猜把「塗礱」擬

〔註116〕郭安，《臺灣月刊》，〈隨穜隨耕力最煩〉212，2000年8月，頁87。

〔註117〕郭安，《臺灣月刊》，〈隨穜隨耕力最煩〉212，2000年8月，頁87。

人化，比喻成「人」充滿趣味性。

8、舂臼（tsing-khū）

想要白米，就需用「舂臼」，它是中間下凹的舂米器具，可以把糙米精搗去糠皮，再次以「米篩」篩去「米糠」，即成白米，方可一家溫飽。

圖 3-62　舂臼

圖片來源：筆者拍攝。

三、雜作收成農具詞彙

1、筍刀（sún-to）

樹林地區農家所種的雜糧以地瓜、花生、柑橘、竹筍……。採收依時節不同。筆者家中種植綠竹、烏跤綠、麻竹，在農曆年後，就全家大小在父親的領軍下，開始「扒竹抱」「挫竹頭」、「陷竹仔」（hām-tik-á），在五日節前後開始採收，農家稱「挖竹筍」。在清晨四、五點，著長衣長褲，擦防蚊油液（樟腦油），右手持「筍刀」（sún-to），左手拿火把或戴頭燈，進入竹林，此時土裡的竹筍，筍尖會潤濕地面上的泥土，可以輕鬆的發現竹筍的位置採收，而家中的小孩也沒閒著，就提著「葭注籃仔」（ka-tù-nâ-á），跟在大人後面撿採收好的竹筍入袋中。記得在兒時，大清早二、三點，就跟在父親後面，邊撿竹筍邊睡，甚至忍不住坐在竹仔跤就睡著了。

2、「葭注籃仔」（ka-tù-nâ-á）

早期是用鹹草編織而成，塑膠發明以後就被取代了。裝農作物的袋子，也是早期的購物袋。本區又稱「葭注橐仔」（ka-tsì-lak-á）。

圖 3-63　筍刀、葭注籃仔

圖片來源：筆者拍攝。

3、花剪（hue-tsián）

花剪有長柄和短柄，長柄亦稱「樹剪」（tshiū-tsián）。樹林區文旦柚在白露後採收，另有大白柚在農曆十月後才採收，一手握著果實，一手持「花剪」剪下果實，再輕放在竹籃（tik-nâ）裡，不可摔落，否則造成表皮撞傷，果實易爛。花剪是採收水果，修剪花草樹木的工具。

圖 3-64　花剪

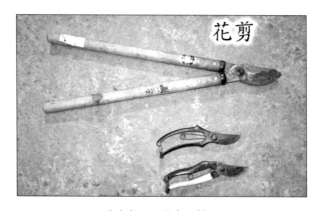

圖片來源：筆者拍攝。

4、菜籃（tshài-nâ）

「菜籃」普通稱「籃仔」（nâ-á），地瓜的採收，農家先用「鐮鑼仔」把瓜藤葉割掉，紮成束，帶回餵養牛豬，較老的藤就堆放在田邊當堆肥。地瓜藤整理好後，再駕著牛拖犁，依著地瓜股，一行行以犁翻土，露出地瓜，此時婦女小孩手持「鋤頭」（tû-thâu）、「鐵搭」（thih-tah）掘出，以「鐮鑼仔」（liâm-li'k-á）清理後再擺放到「菜籃」（tshài-nâ）、「米籮」（bí-luâ）。

圖 3-65　菜籃

圖片來源：筆者拍攝。

第六節　搬運役畜用具詞彙

一、牛

早期臺灣農村田園耕作的主力是「水牛」（tsuí-gû），適合水田耕作，黃牛又叫「赤牛」（tshiah-gû-á）適合旱作，但樹林區少見。二者亦可用來拉車。樹林地區農家都有養牛，筆者還目睹家中的母牛生小牛的過程。也曾經歷家中的牛因繩子鬆脫不見了，全家大小四處找牛的情景。「牛」是農家耕作田園的主力，是重要的成員。〔註 118〕

水牛身軀壯碩緊實、力氣大，毛色灰黑，喜歡泡水或泡在爛泥巴水中。叫聲「hîng」。漢人入墾後的三、四百年來，水牛一直是農業台灣最主要的生產力，更象徵著台灣人堅毅、刻苦、耐勞的本質。赤牛華語「黃牛」毛色呈

〔註 118〕邱淵惠，《台灣牛》，台北：遠流，1997 年，頁 32～33。

棕褐色，頸部皮肉鬆垮，像穿著一件過大的衣服，體型較水牛小，行走較水牛快，因而適合旱作和拉車。

水牛在台灣的開拓史上，扮演著重要的地位。台灣本來只有野生的黃牛一種，漢人來台後除了將之馴化外，也從華南一帶引進水牛。最早在荷據時期已開始，傳教士達尼威爾向巴達維亞的東印度公司借了四千魯幣，買了一百多隻水牛，贈給台南地區平埔族的蕭壠社，教導他們進步的農耕方式。鄭成功時代，爲了鼓勵漢人到台灣開墾，引進更多的水牛幫助農人耕田，自此一直到六、七〇年代的台灣農村，水牛是最普遍的風景。水牛更是台灣文化中常常被感念的象徵。〔註119〕

在本章第二節介紹整地的農具犁，本節再來介紹牛、犁與傳統農業和典故。人們爲了駕馭牛，發明器具來指揮牛隻。台語俗諺中出現「甘願做牛，毋驚無犁拖」（kam-guān tsuè／tserè-gû，m̄-kiann bô luê／lerê thua。）

圖 3-66　拍磟碡

圖片來源：邱淵惠，《台灣牛》，頁 69。

二、看牛的配件

1、牛鼻環（gû-phīnn-khuân）

「牛鼻環」（gû-phīnn-khuân）人們爲了駕馭牛，牛從小就要「貫鼻」（kǹg-phīnn），就是在牛鼻上穿孔，扣上牛鼻環，又在鼻環上綁牽牛的「牛索」（gû-soh），由於鼻肉脆弱，一拉就痛，才能就範和聽話。聽命主人向東向西，

〔註119〕邱淵惠，《台灣牛》，台北：遠流出版，2003 年，頁 72。

從事農耕和運輸。俗語說：「牛頭不拎拎牛尾」（gû-thâu m̄ lîng lîng gû bé／bér）意思是說只要拉住鼻環上的牛索，牛就會乖順跟著走。

圖 3-67　牛鼻環

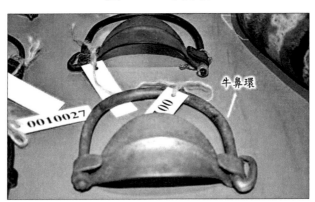

圖片來源：筆者拍攝。

2、牛喙罨（gû-tshuì-lam）

用竹篾編成的孔目狀，套在牛嘴上。因牛見青就食，〔註120〕在田園耕作時，往往會邊耕邊吃，影響工作，所以在從事耕作時必須套上，防止一邊拉犁一邊吃兩旁的農作物。

圖 3-68　牛喙罨

圖片來源：筆者拍攝。

〔註120〕樹林發音人陳成、王裕興、詹茂雄、陳賢國：「牛見青著食，無管是稻仔、草仔、青菜……攏食。」

3、枷車（ka-tshia）

「枷車」（ka-tshia）又稱「跤車」（kha-tshia）是指牛擔仔（gû-tann-á）、牛牽胸（gû-khan-hing）和後撻仔（āu-that-á）三件器具。〔註121〕

「牛擔仔」（gû-tann-á）牛擔又稱牛軛，有木製和竹製。以木頭削成弦月形，樹林地區都是此類。若是竹製，利用竹子萌芽時得用一個模具，套在嫩竹上，「調」（tiau）成凹型，剛好可以放在牛頸上。兩端微微反向彎曲，用來繫著繩索向後拉到「牛後撻」，以利引犁拖耙。在拉車時，兩端則紮綁在車轅上。〔註122〕

「後撻仔」（āu-that-á）又稱「牛後撻」，是一根長方體的橫木條，中間有一個圓鐵環，犁就扣勾在這個鐵環上，便於連接牛、犁。木條兩端各綁一條繩子，再繫在牛擔的兩端，拉犁耕田時，無論前進或轉彎都能活動自如。〔註123〕

「牛牽胸」（gû-khan-hing）牛在耕田拖犁或運輸拉車時，肩上的牛擔容易滑落，所以須在牛隻的胸繫上牛牽胸來固定牛擔。

圖 3-69　枷車（指牛擔仔、牛牽胸、後撻）

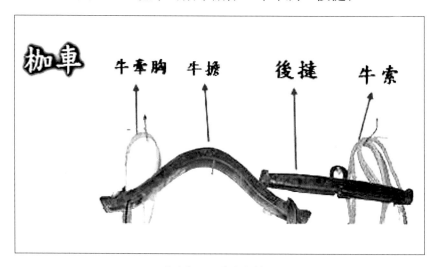

圖片來源：筆者拍攝。

〔註121〕發音人王招財：枷車是「牛擔仔、後撻仔、牛牽胸、牛索」規套。
〔註122〕邱淵惠，《台灣牛》，台北：遠流出版，2003年，頁72。
〔註123〕郭安，《台灣月刊》，〈回首來時路——傳統農具巡禮〉第205期，2000年，頁86。

農夫爲了讓慢牛加快腳步，就一邊揮著「牛摔（捽）仔」（gû-sut-á）就是牛鞭，在藤條或竹子尾端綁上繩索，用來趨策、指揮牛隻前進。農夫爲了讓慢牛加快腳步，就一邊揮著牛摔仔，一邊喊「huàm！huàm！huàm！」。〔註 124〕

4、牛鈴仔（gû-lîng-á）

「牛鈴仔」（gû-lîng-á）通常掛在黃牛脖上。在拖車或犁田時，牛鈴仔隨著牛隻搖動而發出聲音，提醒他人小心注意。另外，若放牛吃草的時候，牛走失，主人可以依循聲音找回來。農夫戲說黃牛愛打扮所以才掛上牛鈴。在牛墟場上，牛販爲了討喜買主，特地用來裝飾牛隻。〔註 125〕

圖 3-70　牛鈴仔

圖片來源：筆者拍攝。

5、牛灌管（gû-kuàn-kóng）

牛是早期農家非常重要的成員，生產的主力。在牛隻生病，牛會食慾不振，就用「牛灌管」（gû-kuàn-kóng）來強迫牛隻食取飼料。用竹筒上端斜砍成圓形的灌口，竹節爲底的餵食器。〔註 126〕

6、牛鞋（gû-ê／erê）

台灣早期鄉間的道路都碎石路，赤牛走在碎石路上牛蹄容易受碎石戮傷，或走在水泥路和柏油路亦容易磨損。因此爲了保護牛蹄，爲牛準備「牛鞋」（gû-ê／erê），以便牛載重至遠處時穿載。但本區水牛並沒有穿「牛鞋」。

〔註 124〕發音人陳賢國：自己也犁過田，父親犁田時一手握著犁，一手拿著牛摔仔，還邊喊著 huàm！huàm！huàm！
〔註 125〕邱淵惠，《台灣牛》，台北：遠流出版，2003 年，頁 73。
〔註 126〕邱淵惠，《台灣牛》，台北：遠流出版，2003 年，頁 73。

圖 3-71　牛灌管

圖片來源：筆者拍攝。

7、牛車（gû-tshia）

　　牛車臺灣古時候稱爲「荷車」，荷治中葉，在爪哇有一位中國首領蘇鳴崗在荷人獎勵下有計劃有組織的來臺經營農業，自爪哇或南洋地區引入「板輪牛車」具有可能性。又稱「板輪」因用木板做輪子，無軸與輻之分，製造簡單，使用方便。西元 1671 年至 1683 年在臺灣的使用很盛行。日明治 41 年（西元 1908 年）仍分佈臺灣每個角落，後來受到臺灣總督府頒布「荷車取締規則」禁令的影響，板車漸被「鐵皮輪」牛車取代。牛車可以用來載運稻

圖 3-72　鐵輪牛車

圖片來源：筆者拍攝。

穀、地瓜、雜糧……，民國七十年代後，中北部已很少見，南部沿海地區偶爾看見「牛車」。〔註127〕樹林地區很少看見「牛車」，使用不普遍。

8、rear car（lī-á-khah）

稻穀晒乾入倉，留下全家足夠吃得量，再用「布袋」一袋一袋裝好，放入「rear car」（手拉車）裡，以人力拖引到農會，糶乎農會。本區使用的手拉車大多為中、小型。小型者可以掛在腳踏車後方拖引。中型者用人力拖引，雙手握轅木，掛背帶於肩膀拖拉。〔註128〕筆者家則使用「三輪車」載到農會。農會收購的稻穀度數要在 13 度以下。

圖 3-73　三輪車、手拉車

三輪車　　手拉車(rear car)

圖片來源：筆者收藏、拍攝。

第七節　小　結

樹林區的地形是大漢溪河岸平原和丘陵地形，早期是北臺灣重要的稻米生產區，訪查當地農家大部分以水田耕作兼雜糧種植，所以傳統農具的調查研究，偏重水田農具詞彙。且按照耕作步驟，從整地耕作、播種插秧、除草捕蟲、灌溉施肥、收成入倉、搬運役畜，有次序的把傳統農具詞彙的講法和文化含意深入探討。

〔註127〕簡榮聰，《臺灣傳統農村生活與文物》，臺灣省文獻委員會，1992 年，頁 97～101。

〔註128〕發音人詹茂雄：柑園地區用手拉車（rear car）來運曝焦的粟。筆者家中用三輪車來載運粟仔。

　　樹林區從早期的農業社會，步入工商業社會，農田、農業人口至今日不到千人，且國 59 年 7 月 18 日才將山佳之農事推廣中心改爲農業機械化推行中心開始服務農民。〔註 129〕農戶將傳統農具閒置家中的柴架間或屋簷下，甚至屋外，任其腐朽。所以在田調中發現耆老們，因年代久遠而對傳統農具的閩南語詞彙已淡忘，所以採錄上有很多瓶頸，需輔助文獻資料，探究出眞正的農具詞彙。

〔註 129〕樹林市農會，《樹農九十年誌》，頁 26。

第四章　傳統農具的詞彙價值與教育功能之探討

　　筆者書寫這篇論文的動機，主因於看到樹林區的農家保留的傳統農具，閒置柴架間或屋角，令其日晒雨淋、腐朽壞去。其次帶領學童校參觀中和農村文物館時，發現閩南語農具詞彙的消失。書寫論文中探究樹林地名的由來、開墾史，由於地理位置和環境，造就出這塊北部重要的農業區。本文按照水田農具順序，以整地耕作、播種插秧、除草捕蟲、灌溉施肥、收成入倉來介紹樹林地區水田耕作的順序。除採訪搜羅在地農家口語調查的部分外，也借助了「臺灣月刊」〈古農具巡禮〉、和簡榮聰先生編著「臺灣傳統農村文物生活與文物」，為觀察和引用的核心，淺薄的探討談論傳統農具在樹林生產與操作的歷程。有關臺灣農具的研究報告，已有很多專家學者的論述著作。筆者只以樹林區閩南語農具詞彙為主，用心的觀察和探討在地農業文化，在這個領域只是小小的一部分，更盼有志之士來補足。

第一節　農具詞彙的價值、功能

　　「食果拜樹頭，食米飯敬鋤頭」，樹林區早期是個農業區，在清治乾隆末年早已開墾，且土壤肥沃生產力旺盛。七〇年代以後，農業機械化的推行，農村面也隨著改變。傳統農具被機械農具取代了，隨著時間腐朽而消逝。探究歷史的脈絡，就要保留農村文物，重視農具詞彙。

　　本土文化價值，首先將農具詞彙和早期的農業社會文化結合，從農具詞彙中了解樹林早期農業生活面貌。其次用閩南語農具詞彙彰顯母語的重要

性,保存母語,不致流失。

　　對樹林地方的情感,筆者出生樹林農家,藉著對農具詞彙的淺薄研究,提供學校教師編寫鄉土語言課程計畫,做為學生學習的教材,由詞彙中了解農業社會的文化、農具詞彙用語、傳統農具的俚諺語,從中找到學習的樂趣。

第二節　傳統農具的維護與再生

　　消逝的農村中,有一些愛好維護農村文物的人,投入舊農具的收集。現居淡水區石頭厝陳彬杉先生口述,家族務農,他花費多年的心血,搜羅淡水區早期的農村文物。在農具邁入機械化時,家族親友及農家認為舊農具不會再使用,閒置只是佔空間,準備丟棄。他就一一收藏、整理、歸納、上油保養,讓它保有原來樣貌,吊掛擺放在自家的三合院陳列展示,完整保留淡水區農村文物就是最大的特色。但不對外開放參觀,只供學術研究和拍戲租借場地。〔註1〕

　　中和地區農會文物館成立的目的,提供給機關學校和當地民眾一個農村文物參觀的場所,藉由參觀中了解過去臺灣農村使用的文物,從文物中了解先民的文化。文物館中的農具部分為農友捐贈,大部分是向中南部民間收藏家收購,農村文物大多是李吉崑老師寄放展示。購買時未登錄文物的來源,農具細部名稱和用途未考究,只知道整座農具名稱。〔註2〕

　　就中和地區農會文物館的維護面臨的困境,首先每年要編列很多預算管理維護經費。其次免費開放校外教學參觀,因校方要求農會提供車輛和保險增加負擔。再者安排志工值班,但參觀人數不多,志工欠缺意願。筆者 2013年 2月 6日和農會推廣股馮股長聯絡再度參訪文物館,部分文物收納存箱,據悉現址是捷運站的預定地,這些農具文物的陳列收藏仍是個問題。〔註3〕

〔註1〕 發音人陳彬杉先生(新北市淡水區石頭厝人):目前蒐羅的農具,多來自親友,大家都知道,我會把這些農村文物整理、維護的很好,家中不再保留者,就跟我聯繫,我就一件件收回來。

〔註2〕 發音人新北市中和區農會馮偉民股長:李吉崑老師想要把這些文物捐給臺灣歷史博物館,只是暫存農會展示。

〔註3〕 中和區發音人馮偉民股長 (中和區農會推廣股長):非常歡迎民眾、學校來參觀,才能彰顯中和農會文物館存在的價值,亦希望筆者能到服務的學校宣傳,有更多的師生來參訪,就能達到教育的目的和農會推廣活動的目的。

就筆者在樹林區走訪農家，將現有存放收藏的傳統農具一一拍攝，再以表格或簡報呈現做為田調訪談的依據。耆老們都能說出整座農具的名稱、用途、使用的時機點，但農具的細部名稱，大致反應：「啊！太久沒有使用，已經忘記了？想不起來了？有……有……它叫什麼？就是想不起來。」每一戶農家都有保留幾件的傳統農具，但由於長久沒有使用又未能好好收藏，木製、竹製農具就面臨腐朽蟲蛀而丟棄，即使是保留完整，也因欠缺保留的空間，被晚輩丟了。他們感慨本區欠缺有志之士的收藏家，而四、五十歲的農友雖然曾有夢想，但忙於生活也無暇行動，流於紙上談兵。

本區農會早期有成立農村文物館的構想，但考量文物的來源：單憑農友的捐贈，可能性不大，就中和農會文物館而言，大部分農具是向中南部收藏家購買。就場地問題：本會找不到一個適宜的展示空間。經費問題：必須經理事會決議。〔註4〕農會信用部盈餘提撥推廣經費，藉著推廣工作來改善農民生活，縮短工農所得差距，七十年代政府修正「農業發展條例」農會採取的措施：擴大農場面積、農場品運銷之加強、調整生產結構──轉作、農業機械化、輔導青年創業增設醫療設施……。但農村文物的保存與維護卻未列其中。〔註5〕

第三節 樹林地區傳統農具未來的發展

一、農村文物保存

農具是農村文物的一部分，首先能號召本區的愛好有志維護農村文物的人，一起來收集的傳統農具、物品。在考量保存與維護的條件下，能催生農會和區公所的重視。

二、農村文物展示

就新北市公民營博物館有十九座，如鶯歌陶瓷博物館、黃金博物園區、九份風箏博物館、猴硐煤礦博物園區、十三行博物館、烏來泰雅民族博物

〔註4〕 發音人：林宏謀（現任樹林區農會秘書）：早在簡德源先生擔任農會總幹事時（1970～1996），曾提議成立農村文物館，農友們也都很熱心表示願意捐贈，但找不到適合的場地。就目前而言，要成立可能性不大，經費不是問題，但缺少文物來源，而周邊已有新莊、中和區農會的農會文物館可提供參觀。
〔註5〕 樹林市農會，《樹農九十年誌》，頁11。

館、台灣玩具博物館……，可提供市民休憩觀光、生活體驗課程。獨缺「農具博物館」，雖然中和區有農會文物館、板橋農村公園，其功能、參觀環境有許多改善的部分「農村文物博物館」包含農具和文物，可以吸引觀光休閒人潮、提供體驗課程、了解農業社會的生態環境，且提供這些農具有一個品質優良的展示場所。一鄉一特色「農村文物博物館」，最能展現本地特色文化。

三、文創新生命

木製、竹製的農具隨著時間的腐朽而消逝，在這個處處談創意、文化創意的時代裡，如何注入新生命，讓傳統農具再生，依筆者的認知，活化傳統竹藝、木雕產業。傳統農具的造型或圖樣設計成首飾（戒指、耳環、項鍊、手環、胸針、吊飾……）、文具用品（卡片、資料夾、便條紙、文鎮、印章、滑鼠墊、筆記本、筆……）、生活用品（絲巾、領巾、擺飾、藝品、掛飾、鑰匙圈、皮件、服飾、鑰匙圈……）、各式家俱、器具（碗杯……）。傳統農具和商業結合再創新契機。

第五章 結 論

第一節 研究結論與貢獻

本文以「農具」詞彙為主題,探討臺灣閩南語的傳統農具的用途與文化,從研究得到以下論點:

一、保留傳統農具詞彙語音

台灣閩南語農具詞彙,在農業邁入機械化的過程,長久不被使用,名稱、各部件詞彙語音消逝。經由田野調查、文獻蒐集記錄各部件名稱的語音。

在採錄的過程中,發現耆老們久未使用農具,只記住整座農具的名稱,但各部件的用語,大多淡忘,最常說的一句話:「啊!有名……有名……,但久無用,攏莫記囉……。」不宜一對一的訪談,應是一對多的訪談方式,如此才能激起彼此共同的經驗,更能挑起大家共同回憶。

文獻資料補充田調模糊的部件用語。在一次又一次的訪談,變成很好的提示用語,也喚醒耆老們淡忘的印象。每次訪談都花三到五小時,耆老們都精神抖擻,對農耕無所不談,更增長筆者閩南語傳統農具詞彙音讀。

二、體會傳統閩南語農具詞彙智慧與文化

傳統農具的多語料,有俚諺語、謎語、念謠、歌謠,學習者藉由詞彙學習過程,體會先民在生活困苦的環境,能將農具詞彙創造出庶民文學,流傳後世,更彰顯臺灣閩南語所蘊藏的智慧與文化。

整理語料中，發現有農具語彙最多的是「臆謎猜」，眞是趣味十足，前人的生活經驗智慧完全融入其中。「俚俗諺語」只要筆者起個頭，大家亦能接著念唱，啊！幾十年沒說囉！我們小時候、年輕時，人人都會朗朗上口，家中的孩子大的帶小的，哄騙「囡仔」，念謠就上口。這些語料不僅增加鄉土教學教材，亦能融入語文、社會、藝文……各領域中。

三、提昇學習傳統台灣閩南語的興趣

由「農具」詞彙，延伸至早期傳統農具的用途，擴充到農村生活層面。以此融入教學，使鄉土語言追溯早期農業生活文化與歷史。閩南語追溯到中上古音、中古音、近古音的河洛語。至今漳、泉腔或台北腔。在文讀音、白話音中，更能顯示它的美，也能提昇大家學習的興趣。

閩南語詞彙研究已臻成熟，本文將收錄之農具詞彙語料、拍攝的相片、訪談內容，依水田耕作順序做歸納分類，除了田野調查，詳實記錄外，亦參酌《臺灣省通志稿，卷四，經濟志農業篇》、《台灣の農具》分析說明。利用記音方式，參考辭典、字典，期許能提供學習者詳實的語料記錄、傳統農具名稱的語音、清楚傳統農具的用途與功能。

第二節　展　望

本論文主要研究的目在的在於調查樹林區使用的傳統農具，了解臺灣閩南語傳統農具詞彙的語音、用途。蒐集記錄過程中，提升自身的專業知能，探究先民胼手胝足奮鬥的歷程，擴展鄉土語言教學的內涵。但受限於能力與時間，期盼加強以下各點，作爲日後努力的目標。

一、加強文獻資料的整理

加強文獻資料的整理，走訪各地農村文物館，參閱農業專書、農業大辭典，瀏覽臺灣歷史博物館、臺灣博物館、國立歷史博物館的典藏文物……，厚植臺灣傳統農具基礎能力。能催生臺灣農業博物館，全面陳列臺灣所有傳統農具，設有農具文獻專區，搜羅農業發展史相片、製作農具使用相關動畫、多媒體影片。期盼文獻資料提供學校鄉土教學使用、開放民眾旅遊導覽。

二、能開拓語料收錄的範圍

除實地走訪樹林區農家收錄傳統農具語料外，亦可藉由走訪臺灣各農村

收錄相關語料，查詢全國各地區六、七十年代以前的農業文獻，統計資料中之農具語料，供編輯「農具大辭典」使用。目前農業相關辭典只有 1934 年佐藤・寬次《農業大辭典》。

三、須展開研究的面向

　　本研究雖僅以「傳統農具」詞彙做研究主題，可拓展的研究面向，促使本研究資料能成為博物館或虛擬博物館農具圖片、詞彙、用途之參考。亦可供編寫鄉土教材和教學使用。民眾由農具得知臺灣農村生活的過去、現在、未來。期望研究目標後續延伸，可望成為臺灣閩南語詞彙的語料庫，為鄉土語言教育盡一份心力。

附錄一　臺語音標對照表

（一）聲母索引

台羅拼音	p	ph	b	m	t	th	n	l	k	kh	g	ng	h	ts	tsh	s	j
IPA 符號	p	pʰ	b	m	t	tʰ	n	d̲	k	kʰ	g	ŋ	h	ts	tsʰ	s	dz
注音符號	ㄅ	ㄆ		ㄇ	ㄅ	ㄊ	ㄋ	ㄌ	ㄍ	ㄎ			ㄏ	ㄗ	ㄘ	ㄙ	ㄖ

說明：「注音符號」爲教育部針對台語教學所制定，並不完全適用於台語，此處僅爲參考。

（二）韻母索引

1、韻母

台羅拼音	a	i	u	e	o	oo (o')	ai	au	ia	iu	ie	ua	ui	ue	iau	uai
IPA 符號	a	i	u	e	ə/o	ɔ	ai	au	ia	iu	iə	ua	ui	ue	iau	uai
注音符號	ㄚ	ㄧ	ㄨ	ㄝ	ㄜ	ㄛ	ㄞ	ㄠ	ㄧㄚ	ㄧㄨ	ㄧㄜ	ㄨㄚ	ㄨㄧ	ㄨㄝ	ㄧㄠ	ㄨㄞ

說明：1、此處以「oo」爲正式版；以「o'」爲傳統版。
　　　2、「o」南部腔嘴型較扁，音值爲「ə」；北部腔嘴型較圓，音值爲「o」。

2、鼻母音

台羅拼音	ann	inn	enn	cnn	ainn	aunn	iann	iunn（ionn）	uann	iaunn	uainn
IPA 符號	ã	ĩ	ẽ	ɔ̃	aĩ	aũ	iã	iũ（iɔ̃）	uã	iaũ	uaĩ

說明：以-nn爲正式版，以-ⁿ爲傳統版。

3、聲化韻母

台羅拼音	m	ng
IPA 符號	m̩	ŋ̍

說明：「聲化韻母」又稱為「音節化子音」、「韻化輔音」。

4、鼻音韻尾-m／-n／-ng

台羅拼音	am	im	om	iam	an	in	ian	uan	ang	ing	ong	iang	iong	uang
IPA 符號	am	im	ɔm	iam	an	in	iɛn	uan	aŋ	iŋ	ɔŋ	iaŋ	iaŋ	uaŋ

5、入聲韻尾-p／-t／-k／-h

台羅拼音	ap	ip	iap	at	it	ut	iat	uat	ak	ik	ok	iak	iok
IPA 符號	ap	ɪp	ɪap	at	ɪt	ut	ɪɛt	uat	ak	ɪk	ɔk	ɪak	ɪɔk

台羅拼音	ah	ih	uh	eh	oh	ooh	aih	auh	iuh	ioh	uah	ueh	uih	iauh	uaih
IPA 符號	aʔ	ɪʔ	uʔ	ɛʔ	əʔ	ɔʔ	aɪʔ	auʔ	ɪuʔ	ɪəʔ	uaʔ	ueʔ	uɪʔ	ɪauʔ	uaɪʔ

（三）聲調

聲調名稱	第一調	第二調	第三調	第四調	第五調	第六調	第七調	第八調
調　類	陰平	陰上	陰去	陰入	陽平	陽上	陽去	陽入
例　字	tong	tóng	tòng	tok	tông		tōng	tȯk
	東	黨	棟	督	同		洞	毒

說明：調符標在主元音上方；調號標記優先順序為 a＞oo＞e, o＞i, u。如果 i、u 同時出現，
前者是介音，後者為主元音，則標在後者，如 iû 標在 u 上、uī 標在 i 上。

資料來源：《教育部閩南語常用詞電子辭典》；李勤岸，《台灣羅馬字圖解》，2008 年，頁 22
～23。

附錄二　農具詞彙

釋義資料來源：臺灣文獻委員會編，陳正祥纂修，《臺灣省通志稿‧卷四‧經濟志農業篇》。

（一）犁各部件用語

詞　條	讀　音	釋　　　義	華　文	本文頁碼	本文圖碼
犁田	luê / lerê-tshân	以犁翻土的動作	犁田	38	
犁	luê / lerê	翻轉土壤的工具		40	3-1
犁頭	luê / lerê-thâu	把土壤切開的部分，其形近略三角形表面大概成平面。而緣邊成銳刀裡面有套穴可裝在犁底之先端。	犁鑱犁鏵	40	3-1
犁壁	luê / lerê- piah	位於犁頭的上方，面傾斜而稍向後方扭轉，可翻覆耕起之土塊於右方。	犁鏡	40	3-1
犁底	luê / lerê-tué / teré	是犁床，結合諸部的根基，所以使用特別堅韌之木材，削尖前端套以犁頭。	犁床	40	3-1
徛正犁柱	khiā-tsiànn luê / lerê-thiau	即犁柱，上端合於犁轅下端垂直或斜接於犁床。作用在結合犁壁。	犁柱	40	3-1
犁柄	luê / lerê-pìnn	犁尾之上端，可當把手。	犁術	40	3-1
犁尾	luê / lerê-bé / bér	結合犁轅、犁床。有司深淺變更方向的作用。	犁梢	40	3-1
犁轅	luê / lerê-hn̂g	以彎曲的木材製成，後端套在犁尾，中部以犁柱支持，其先端裝有犁鉤，可鉤在牛後蹺（引木）使牛拖引。	犁轅	40	3-1
犁鉤	luê / lerê-kau	是象鼻鉤，可鉤在牛後蹺（引木）使牛拖引。	象鼻鉤	40	3-1
螺絲	lôo-si	是固定犁轅和犁柱楔子，防止兩者分離。	土治公	40	3-1

釋義資料來源：臺灣文獻委員會編，陳正祥纂修，《臺灣省通志稿‧卷四‧經濟志農業篇》，頁83。

（二）割耙各部件用語

詞　條	讀　音	釋　　義	華　文	本文頁碼	本文圖碼
踏割耙	ta'h-kuah-pē	操作割耙的動作		41	
割耙	kuah-pē	把犁過的大土塊粉碎成小土塊的工具	方耙	42	3-3
割耙橋	kuah-pē-kiô	割耙枋（kuah-pē-pang），即「割耙板」設在前後的木板，前方之板稱爲前踏，後板稱爲後鐕。兩端套於割耙橫頭，前後之間約爲35公分。長度因地而異，從1.2至1.7公尺不等。	割耙板	42	3-3
割耙頭	kuah-pē-thâu	即橫頭，左右之兩木板成，下面成船底形。	橫頭	42	3-3
割耙齒	kuah-pē-khí	是切碎壢土之齒，有鑄鐵、鍛鐵、竹製之齒，亦罕有樫木之齒。鑄鐵之齒用於全省。	割耙齒	42	3-3
牽仔	khan-á	即割耙探，以藤皮在三處綁在前踏，縛跤車索於此使牛牽引。直經約3公分之竹或木製棒。橫設在前踏之前方約六公分之處，兩端嵌入橫頭，以藤在三處綁於前踏，縛腳車索於此使牛拖引。	割耙探	42	3-3

釋義資料來源：臺灣文獻委員會編，陳正祥纂修，《臺灣省通志稿・卷四・經濟志農業篇》，頁91～92。

（三）手耙各部件用語

詞　條	讀　音	釋　　義	華　文	本文頁碼	本文圖碼
扞手耙	huānn-tshiú-pē	操作而字耙的動作		43	
手耙	tshiú-pē	使用在犁和割耙之後，爲均平和耙土的工具。	而字耙	43	3-4
手耙齒	tshiú-pē-khí	三十公分菱形成尖狀鐵棒	手耙齒	43	3-4
手耙柄	tshiú-pē-pìnn	手握住的把手	手耙牽和手耙探	43	3-4
手耙管	tshiú-pē-kóng	亦稱「tshâng-kóng」用來套手耙腳	蟳管	43	3-4
手耙跤	tshiú-pē-kha	綁跤車索的位置	蟳管腳	43	3-4

釋義資料來源：臺灣文獻委員會編，陳正祥纂修，《臺灣省通志稿・卷四・經濟志農業篇》，頁90～91。

（四）磟碡部件用語

詞　條	讀　音	釋　　義	華　文	本文頁碼	本文圖碼
拍磟碡	phah-la'k-ta'k	農人操作磟碡的動作	打磟碡	96	3-67
磟碡	la'k-ta'k	水田碎土、攪拌、均平田土的工具。	磟碡	45	3-5
磟碡橋	la'k-ta'k-kiô	又稱磟碡枋（la'k-ta'k-pang），即磟碡板，有前後板之分，操作時人跨立於前後板上。	磟碡板	45	3-5
磟碡頭	la'k-ta'k-thâu	為「橫頭」，磟碡左右框。	橫頭	45	3-5
磟碡心	la'k-ta'k-sim	磟碡葉，中間有空隙，迴轉時空氣和水可由間隙流出。	磟碡念	45	3-5
磟碡榫	la'k-ta'k-sún	磟碡念兩端的迴轉軸。	磟碡筍	45	3-5
磟碡甌	la'k-ta'k-au	在橫頭中間的孔，讓磟碡念套入的部位。	磟碡石區	45	3-5
磟碡鉤	la'k-ta'k-kau	勾住碌碡一側轉變方向行進的工具。	磟碡鉤	45	3-6

釋義資料來源：臺灣文獻委員會編，陳正祥纂修，《臺灣省通志稿・卷四・經濟志農業篇》，頁94。

（五）抒筒部件用語

詞　條	讀　音	釋　　義	華　文	本文頁碼	本文圖碼
概抒筒	kài- lua'h-tâng	用抒筒均平田土		47	
抒筒	lua'h-tâng	水田均平的工具	抒筒	47	3-7
抒筒橋	lua'h -tâng-kiô	均平軟泥的主體部位	抒筒板	47	3-7
抒筒柄	lua'h -tâng-pìnn	抒筒的把手	抒筒柄	47	3-7
抒筒鉤	lua'h -tâng-kau	抒筒板中央釘的鐵圓鉤	抒筒鉤	47	3-7

釋義資料來源：臺灣文獻委員會編，陳正祥纂修，《臺灣省通志稿・卷四・經濟志農業篇》，頁96。

（六）播種相關用語

詞　條	讀　音	釋　　義	華　文	本文頁碼	本文圖碼
米籮	bí-luâ bí-nâ	用竹篾編成，用以盛裝稻穀、米糧的竹器。	米簍	49	3-8
捙箕	tshia-ki	裝穀子（種子）的器具，形狀像簸箕，但沒有握耳。	箕	50	3-9
秧仔抹刀	ng-á-buah-to	農夫使用秧仔抹刀，把秧田的種穀，把粟種抹進瀾泥漿中。	抹刀	50	3-10
布袋	pòo-tē	麻布做的袋子。	麻布袋	85	3-54
草骿	tsháu-phiann	用稻草和竹篾編成片狀，可用來擋風、遮蔽未晒乾的稻穀、鋪在穀倉防潮。	草屏	48	
耙柫	pê-put pê-kut	耙平秧床、晒穀時翻粟股的器具	耙子	87	3-53
秧蹟	ng-tsioh	秧床	秧田	48	

（七）插秧相關用語

詞　條	讀　音	釋　　義	華　文	本文頁碼	本文圖碼
轆仔	lián-á	插秧時，對於沒有經驗的農夫，用轆仔劃出縱線和橫線，沿線插秧可以使秧苗插得又直又整齊。	田輪式正條密植器	52	3-11
秧擔仔 秧架擔	ng-tann-á ng-kà-tann	以木條組成一個長方形，再竹子剖開穿在長方形的四個角以草繩固定後繼續延伸彎成柄，再以草繩固定後，方便扁擔穿入挑起。用來放置秧篋。	秧架	53	3-12
秧挑	ng-thio	用來鏟秧苗的工具。	秧鏟	53	3-13
秧拔仔	ng-phi-á	以竹篾編成的有孔洞的淺底籃。插秧時以秧鏟鏟下秧苗，放置的器具。	秧篋	54	3-14
秧船	ng-tsûn	以木片做成的木盆，插秧時放置秧篋的木盆，因平底可以在水田裡，方便農夫移動。	秧盆	54	3-15
播田管	pòo-tshân-kóng	插秧時套在右手拇指上，方便分株。有竹製和銅製。	指套	55	3-16
播田格仔 播田竹篙	pòo-tshân-keh-á pòo-tshân-tik-ko	以竹竿製成，用來插秧對齊的工具。	竹竿式正條密植器	56	
竹棑仔	tik-pâi-á	舊時農人分秧所用的農具。形似小舟。	秧馬	56	3-17

（八）雜糧播種農具用語

詞　條	讀　　音	釋　　義	華　文	本文頁碼	本文圖碼
把仔	uí-á、pé-á、iá-á	又稱「挑仔」 移植小作物和除草用具。	小鏟仔	58	3-18
鐵搭耙仔	thih-tah-pé-á	用來鬆土、栽種、除草的用具。	耙子	58	3-18
耙仔	pê-á	耙草用的小鋤頭。	耙子	58	
尖喙掘仔	tsiam-tshuì-ku't-á	栽植竹栽、用來掘土石的鐵製工具。鍋頭與刀柄呈T字形，一端尖銳一端扁平，有木製長柄。	十字鎬	59	3-19
沙挑	sua-thio	用來鏟沙土的工具。	圓鍬	59	3-19

（九）除草捕蟲的農具用語

詞　條	讀　　音	釋　　義	華　文	本文頁碼	本文圖碼
岸刀	huānn-to	鏟除田埂兩側雜草的農具。	田刀、斬刀	60	3-20
刜刀	phut-to	短柄，斬斷稻草的農具。	草刀	61	3-21
草鍥仔	tsháu-kueh-á	割除雜草的農具。	除草刀	61	3-21
拙仔	ku't-á	鬆土、挖土的工具。	鶴嘴鋤	62	3-22
鋤頭公仔	tû-thâu-kong-á	耙沙石的工具。	窄版鋤頭	62	3-22
鋤頭	tû-thâu	鋤草鬆土的農具，用來墾地、除草、種菜……。	鋤頭	62	3-22
沙耙仔	sua-pê-á	掘土石的工具。	耙子	62	3-22
攄草機	lu-tsháu-ki	鏟除田草的農具。	豐年車	63	3-23
笠仔	lue'h / lerē-á	遮陽擋雨的用具	斗笠	64	3-24
龜骿	ku-phiann	亦稱龜背、龜披、龜殼，遮雨的用具。	雨衣	65	3-25
棕蓑	tsang-sui	遮雨的用具	雨衣	65	3-26
稻草人	tiū-tsháu-lâng	稻草編嚇鳥的假人	假人	66	3-27
糞攕	pùn-tshiám	也叫做「草叉仔」，是鏟稻草、堆肥的工具。	鐵插	80	3-46

桸仔	hia-á	捕稻葉間的害蟲	杓仔	68	3-29
蟲抓仔	thâng-liàu-á	梳落稻葉上蟲害的農具。	蟲梳子	68	3-30
霧氣桶	bū-khì-tháng	簡稱霧氣，稀釋農藥且用來噴藥的器具。	噴藥器	69	3-31

（十）灌溉、施肥的農具用語

詞　條	讀　音	釋　　義	華　文	本文頁碼	本文圖碼
水車	tsuí-tshia	本區又叫「跤踏水車」（kha-ta'h-tsuí-tshia）引低處水源的水灌溉到高處的田地的農具。	水車	70	3-32
戽斗	hòo-táu	以竹篾編成如揷箕形狀，中間綁著竹竿，人持柄把低處戽向高處田地。人力揚水用具。	戽掬	71	3-33
土銃仔	thôo-tshìng-á	用來打洞立柱的用具，鑱形爲圓筒一半，剖面成 C 字。	土鎗	71	3-34
捾桶	kuānn-tháng	木製盛水的器具。	水桶	72	3-35
漩桶	suān-tháng	澆水的水桶，木製。灑出密集細水柱，稱爲「潠水」，康熙字典：潠，含水噴也。從水巽聲。	水桶	73	3-36
水漩仔	tsuí-suan-á	手持式澆水的小水桶，木製。	灑水器		
鉛桶	iân-tháng	澆水的水桶，以鐵皮製成。	水桶		
尿桶	liō / jiō-tháng	用來裝尿糞的大木桶，以木片箍成圓形。	大木桶	74	3-37
尿桸	liō / jiō-hia	又稱「肥桸」（tsuí-tshia），澆肥的農具。	尿杓	74	3-39
鐵搭	thih-tah	掘土、堆肥的工具。	鐵耙	75	3-39
大耙	tuā-pê	耙土、耙堆肥、耙沙石的用具。	耙子	75	3-40
畚箕	pùn-ki	亦稱糞箕，用竹篾編有長提。盛塵土、堆肥、農作物的農具。	畚箕	76	3-41
簸箕	puà-ki	本區亦叫畚箕，手捧式畚箕。盛塵土、堆肥、農作物的農具。	簸箕	76	3-41
柴刀	tshâ-to	剖剁竹子、大小樹分枝的農具。	柴刀	77	3-42
鉤尾柴刀	kau-bé / bér-tshâ-to	墾地時用來剉樹枝、蔓藤……。	彎鉤柴刀	77	3-42

（十一）收成農具用語

詞　條	讀　音	釋　　義	華　文	本文頁碼	本文圖碼
粟爪仔	tshik-liáu / jiáu-á	除去稻穀中夾雜的稻葉的農具	竹耙	79	3-43
爪仔	liáu / jiáu-á	竹製或鐵製的耙草爪形農具	鐵耙	79	3-44
篩仔	thai-á	一種竹片、鐵絲編成的過濾器具。有許多小孔，可使細碎物漏下去，而將較粗成塊的留在上面。	篩子	79	3-45
糞攕	pùn-tshiám	又稱「草叉仔」（tsháu-tshe-á），用來攕、插稻草、堆肥工具。	鐵插	80	3-46
耞仔	kínn-á kénn-á kiáu-á	用以敲打穀物、豆類的農具，用竹、木製成，在頂端穿孔接樺，綁著兩束活動的竹筒。	連耞	80	3-47
鉤擔	kau-tann	指扁擔、鐵鉤、繩子合在一起。		81	3-48
擔鉤仔	tann-kau-á	扁擔用鐵鉤		81	3-48
扁擔	pún-tann pín-tann	用來挑物品的木製或竹製扁長形工具。	扁擔	81	3-48
攕擔	tshiám-tann	兩端皆為尖頭的扁擔，可直接插在稻草束或柴束中挑起來。	尖擔	81	3-49
鐮�仔	liâm-lik-á	割稻、割草、收成的農具	鐮刀	82	3-50
鐮攦仔籠	liâm-lik-á-láng	裝鐮刀的竹簍	鐮刀籠	83	3-51

（十二）機器桶各部件用語

詞　條	讀　音	釋　　義	華　文	本文頁碼	本文圖碼
摔桶	sak-tháng	脫穀用的大木桶。裡面有一個刮除穀粒的設置叫「摔桶梯仔」。	削桶	83	3-52
摔桶梯仔	sak-tháng-thui-á	摔桶裡面刮除穀粒的設置叫「摔桶梯仔」。	刮板	83	3-52
機器桶	ke-khì-tháng	分離稻穀與稻稈的農具	人力腳踏式迴轉脫穀機	84	3-53
機器桶心	ke-khì-tháng-sim	是經 35～40 公分，長 45～82 公分之橫設圓筒之胴部木板，木板有 14 張。	迴轉筒	84	3-53

詞條	讀音	釋義	華文	本文頁碼	本文圖碼
機器桶齒	ke-khì-tháng-khí	以 5 公分之間隔釘在迴轉筒上高 5 公分徑 0.2 公分之倒 V 型鋼線。	打穀齒	84	3-53
跤踏仔	kha-ta'h-á	腳踩的踏板	踏板	84	3-53
狗齒仔	káu-khí-á	腳踩踏板經「曲軸」轉動「大齒輪」而帶動小齒輪使「圓筒」迴轉	大、小齒輪	84	3-53
機器桶箱	ke-khì-tháng-siunn	儲存掉落的穀粒	受穀箱	84	3-53
笨仔	pūn-á	用竹篾或麻布構成,在打穀時,圍在迴轉筒周圍,防止稻穀跳散損失。	篷子	84	3-53

釋義資料來源:臺灣文獻委員會編,陳正祥纂修,《臺灣省通志稿‧卷四‧經濟志農業篇》,頁94~96。

(十三)晒穀農具用語

詞　條	讀　音	釋　　義	華　文	本文頁碼	本文圖碼
捒箕	tshia-ki	裝穀子(種子)農作物的器具,以細竹篾編製,形狀像簸箕,較細緻,但沒有握耳或提把。	箕	50	3-9
布袋	pòo-tē	麻線編織的袋子,裝農作物。	麻布袋	85	3-54
米籮	bí-luâ	用竹篾編成,用以盛裝稻穀、米糧的竹器。	大竹籃	49	3-8
草總	tsháu-tsáng	把稻草抓起紮成束	草束	86	3-55
草堆	tsháu-tui	儲做牛羊的乾糧、當柴草的小型稻草堆。	草堆	86	3-55
草困	tsháu-khûn	儲做牛羊的乾糧、當柴草的大型稻草堆。	大草堆	86	3-55
耙桮	pê-kut;pê-put	用來扒稻穀的用具	穀把	87	3-56
大拖	tuā-thua	曬穀時用來集中的稻穀的工具。	大拖	88	3-57
黜仔	thuh-á	木製,集中曝晒的穀子時,把穀子鏟高的用具。	鏟子	88	3-57
掃袪	sàu-kiā	用竹枝做成的大掃把,又稱「掃梳」(sàu-se)。	竹掃帚	88	3-58
黜	thuh	鏟。例:黜塗沙 thuh thôo-sua(鏟沙土)。			
粟倉	tshik-tshng	儲藏晒乾稻穀的倉庫。	穀倉	91	
草骿	tsháu-phiann	遮雨防潮的用具,以稻草竹篾編製,成長片型。	草屏	91	

（十四）風鼓各部件用語

詞　條	讀　音	釋　義	華文	本文頁碼	本文圖碼
鼓粟	kóo-tshik	用風鼓篩稻穀的動作	篩稻穀	89	3-59
風鼓	hong-kóo	清除穀中之塵埃或穀殼時使用，可分離熟稔和不稔之稻穀	風鼓	90	3-60
風鼓肚	hong-kóo-tōo	如鼓，風鼓葉放置的部位	風鼓肚	90	3-60
風鼓櫃	hong-kóo-kuī	和風鼓肚相鄰的部位	風鼓櫃	90	3-60
風鼓葉	hong-kóo-ia'p	為四葉木片組成	風鼓葉片	90	3-60
風鼓手	hong-kóo-tshiú	手搖動的柄	風鼓搖把手	90	3-60
風鼓斗	hong-kóo-táu	為漏斗型，篩穀時以畚箕盛入的部位	風鼓斗	90	3-60
風鼓掩	hong-kóo-am	鼓穀調整器	風鼓掩	90	3-60
風鼓跤	hong-kóo-kha	風鼓的四隻腳	風鼓腳	90	3-60
頭槽	thâu-tsô	結實之穀子由此篩選出來	頭皂	90	3-60
二槽	lī / jī-tsô	冇粟由此出來	二皂	90	3-60
二槽鞘仔	lī / jī-tsô-siò-á	二槽出口閘，可擋住稻穀流出。	二皂閘	90	3-60
風鼓尾	hong-kóo-bé / bér	篩出塵埃和碎葉的出口	風鼓尾	90	3-60

部件詞條：發音人詹茂雄。

釋義資料來源：臺灣文獻委員會編，陳正祥纂修，《臺灣省通志稿・卷四・經濟志農業篇》，頁94～96。

（十五）塗礱、精臼部件用語

詞　條	讀　音	釋　義	華文	本文頁碼	本文圖碼
塗礱	thôo-lâng	礱殼機。能除去穀粒的外皮，使它變成糙米的機具。	土礱	92	3-61
頂囷	tíng-tún	頂座塗礱（tíng-tsō-thôo-lâng）土礱的上層	上座土礱	92	3-61
下囷	ē-tún	下座塗礱（ē-tsō-thôo-lâng），土礱的下層	下座土礱	92	3-61
塗礱鉤	thôo-lâng-kau	木製 T 字形長柄之鉤	土礱鉤	92	3-61
塗礱手	thôo-lâng-tshiú	長柄上手握處	土礱柄	92	3-61

舂臼	tsing-khū	中間下凹的舂米器具	臼	93	3-62
舂臼槌	tsing-khū-thuî	敲擊稻穀物的工具	杵	93	3-62

釋義資料來源：臺灣文獻委員會編，陳正祥纂修，《臺灣省通志稿‧卷四‧經濟志農業篇》，頁94～96。

（十六）雜作收成農具用語

詞　條	讀　音	釋　義	華　文	本文頁碼	本文圖碼
筍刀	sún-to	採收竹筍刀	筍刀	94	3-63
葭注籃仔	ka-tù-nâ-á	也稱「葭注橐仔」（ka-tsì-lak-á）裝農作物的袋子	袋子	94	3-63
花剪	hue-tsián	修剪枝條、採果工具	剪子	94	3-64
荣籃仔	tshài-nâ-á	裝農作物的籃子	竹籃	94	3-64

（十七）搬運役畜用語

詞　條	讀　音	釋　義	華　文	本文頁碼	本文圖碼
水牛	tsuí-gû	哺乳動物。體型大，毛色灰黑，擅長耕田。	水牛	95	3-66
赤牛	tshiah-gû-á	一種毛短且全身呈褐黃的牛。是早期農業社會裡的主要農耕動物之一	黃牛	95	
牛鼻環	gû-phīnn-khuân	亦稱「牛鼻圈」（gû-phīnn-khian）用來套在牛鼻子上的器具。外觀為一個鐵環。	牛鼻環	97	3-67
牛喙罨	gû-tshuì-lam	來將牛嘴套住的器具。防止牛在耕作時吃東西。	牛口罩	97	3-68
枷車	kha-tshia	指牛擔、牛牽胸、後撻仔三件合起來。		98	3-69
牛擔仔	gû-tann-á	一種架在牛背或脖子上以負載牛車或犁的拉力的器具	牛軛	98	3-69
牛牽胸	gû-khan-hing	繫在牛隻胸前的帶子，避免牛擔滑落。		98	3-69
後撻仔	āu-that-á	亦稱「牛後撻」兩頭用牛繩綁著連接牛擔，可勾著犁。	引木	98	3-69
牛索	gû-soh	牽牛的繩子。	牛繩	98	3-69
貫鼻	kǹg-phīnn	牛在一歲前在鼻內穿洞	穿鼻	96	

牛鈴仔	gû-lîng-á	套在黃牛脖子的鈴鐺	牛鈴鐺	99	3-70
牛灌管	gû-kuàn-kóng	餵牛隻吃藥的器具。	餵食器	100	3-71
牛摔仔	gû-sut-á	趕牛的時候，用來抽打牛的鞭子。牛摔仔。	牛鞭	99	
牛鞋	gû-uê / erê	保護牛腳的護具	牛鞋	99	
牛車	gû-tshia	以牛拖引，用來載農作物、人、貨物的車子。	牛車	100	3-72
rear car	li-á-kà	即「手拉車」，以人力拖引，用來載農作物的車子。	手拉車	101	3-73
三輪車	sann-lián-tshia	前為一輪，後為兩輪的車子，用來載人或物。	三輪車	101	3-73

附錄三 農具詞彙特殊俗諺語

（一）俚諺語（按照筆畫順序排列）

農具詞彙俚諺語	讀　　　音	釋　　　義
一隻虱母， 嗙甲水牛大。	tsi't tsiah sat-bó， pòng kah tsuí-gû tuā。	虱母：蝨子。一隻小蝨子被誇大到像牛那麼大。喻為「誇大其詞」。
一隻牛， 剝雙領皮。	tsi't tsiah gû， pak siang niá phuê。	比喻雙重剝削。
二八、九， 後月攑戽斗。	lī / jī pueh káu， hāu ge'h / kia'h hòo táu。	農曆月底下雨，下個月會多雨。
三下扁擔刀， 換無一碗麵。	sann ē pín-tann-to， uānn bô tsi't uánn mī。	比喻代價高，收益少。
三鋤頭， 二畚箕。	sann tû -thâu， lī / jī pùn-ki。	指做事乾淨俐落，不拖泥帶水的意思。
日圍箍曝草埔	li't / ji't uî khoo pha'k tsháu poo。	日暈，天氣會很熱。
日落山， 鋤頭畚箕攏總覕。	li't / ji't lo'h-suann， tû-thâu pùn-ki lóng-tsóng bih。	指日入而息，太陽一但下山，鋤頭等農具全部收拾好，回家吃飯休息。
月圍箍， 予雨沃； 月戴笠， 予日曝。	Ge'h / gēr uî khoo， hōo hōo ak； ge'h / gēr tì le'h / lerē， hōo li't / ji't pha'k。	若月亮旁出現月暈，預估翌日會下雨；若月亮被雲遮住，看起來朦朦朧朧，則預估是晴天。
六月六， 做田人拍碡磟。	la'k-ge'h-la'k， tsò-tshân lâng phah la'k-ta'k	六月是個大熱天，農民為了二期稻作，到處都有拍碡磟。

六月初一，一雷迨九颱；	la'k ge'h / gēr tshue it，tsit luî té káu thai；	六月份雷雨最多，打雷可以壓下許多颱風。
七月初一，一雷九颱來。	tshit ge'h / gēr tshue it，tsi't luî káu thai lâi。	七月份四太平洋副熱高壓減弱，雷雨出現較少。如此出現雷雨，也就是颱風來襲的先兆。
田嬰結堆，著穿棕簑。	tshân-inn kiat-tui，tio'h tshīng tsang-sui。	蜻蜓聚在一起飛，是空氣中濕氣凝重的現象，表示將會有雨，所以出門得帶雨具。
甘願做牛，毋驚無犁通拖。	kam-guān tsuè / tserè gû，m̄ kiann bô luê / lerê thang thua。	爲謀求一餐溫飽，情願做牛做馬，也不怕沒工作。
敢做牛，免驚沒犁通拖。	kánn tsuè / tserè gû，bián kiann bô luê / lerê thang thua。	既然敢做牛了，就不用擔心沒有工作可做。
有毛，食到棕簑；無毛，食到秤錘。	ū moo，tsia'h kàu tsang-sui，bô moo，tsia'h kàu tshìn-thuî。	表示無所不吃。
有心做牛，驚無犁拖。	ū sim tsuè / tserè-gû，kiann bô luê / lerê thua。	有心工作，不怕找不到工作做。
早罩雰袂開，戴笠披棕簑。	tsá tà-bông buē-khui。tì lue'h / lerē phi tsang-sui。	假如早上的霧持續很久的話，表示今天一定會下雨。
近山剁無柴，近溪擔無水。	kīn suann tshò bô tshâ，kīn khue / khere tann bô tsuí。	反諷人佔有優勢反而不知努力，便會造成失敗。
屎桶仔，蜈蜞	sái-tháng-á，lâ-giâ。	比喻消息非常靈通。
食果子拜樹頭；食米飯拜田頭。	tsia'h ké-tsí pài tshiū-thâu；tsia'h bí-pn̄g pài tshân-thâu。	指人要懂得感恩，飲水思源，不可忘本。
食果子拜樹頭；食米飯敬鋤頭。	tsia'h ké-tsí pài tshiū-thâu；tsia'h bí-pn̄g kìng tû-thâu。	樹頭生長果子，鋤頭生產米飯，人們養生活命，得以賴之，要感恩圖報。引申知恩圖報。
揷箕揷倒	tshia-ki tshia-tó	翻箱倒櫃樣子
烏雲飛上山，棕簑掃來幔；烏雲飛落海，棕簑崁狗屎。	oo-hûn pe-tsiūnn-suann，tsang-sui thê lâi mua，oo-hûn pe-lo'h-hái，tsang-sui khàm káu-sái。	烏雲往山邊飛，表示即將要下雨，出門要帶雨具；烏雲往海邊飛，表示天氣轉晴，簑衣無用武之地只能用來蓋在狗屎上。
起工對清明，播田倒退行。	khí-kang tuì tshing-bîng，pòo-tshân tò thè / thèr kiânn。	前句有二層含意：一層是清明前大家忙著插秧，另一層是早期人較節儉插秧故意擺在清明日，可以節省開銷。早期人工插秧是倒著走。

秧拈、牛借， 有割、無煞。	ng khioh、gû tsioh， ū kuah、bô suah。	指憑自己的勞力，做些「免本的生意」，如果失敗也就算了。
做草笠毋驚日曝， 做鱟瓟毋驚湯燙。	tsuè / tserè tsháu-lue'h / lerē m̄-kinn li't / ji't-pha'k， tsuè / tserè hāu-hia m̄-kinn thng-thǹg。	斗笠就是要日曬雨淋，瓟杓就是要在滾燙的鍋中舀熱湯，物盡其用，理所當然。引申職責在身，就容不得有所遁語借詞。
做稼愛有一坵田， 做官愛有一陣人。	tsuè / tserè sit ài ū tsi't-khu tshân， tsuè / tserè kuann ài ū tsi't-tīn lâng。	從事農耕工作，必須有田地，同理要當官從事治理國家事務，一定要有眾人的支持。
頂司管下司， 鋤頭管畚箕。	tíng-si kuán ē-si， tû-thâu kuán pùn-ki。	比喻一物剋一物。一個管一個，一層管一層。分層負責的意思。
敢做鮑桸， 著毋通驚水燙。	kánn tsuè / tserè pû-hia， tio'h m̄-thang kiann tsuí thǹg。	比喻敢做敢當
犁頭，戴鼎	luê / lerê-thâu，tì tiánn	比喻為了生計早出晚歸，工作努力，勇往直前。
鋤頭畚箕無半項， 手頭賭甲空空空	tû-thâu pùn-ki bô puànn hāng， tshiú thâu pua'h kā khong-khong-khong。	比喻農夫好賭，把家中的物品賭光光。
瘦田勢欶水。	sán-tshân gâu suh-tsuí。	形容人雖瘦，但食量卻很大。
稻草人幔棕蓑。	tiū-tsháu-lâng mua tsang-sui。	假鬼假怪

（二）猜謎

農具詞彙謎猜	讀　　　　音	釋　　　義
一個囡仔欲倒欲倒， 食一塊豆干就好。	tsi't-ê gín-á beh tó beh tó， tsia'h tsi't-tè tāu kuann tō hó。	鋤頭（luê / lerê-thâu）
一條巷仔狹狹狹， 一陣鬼仔著相陪。	tsi't-tiâu hāng-á ue'h / erē-ue'h / erē-ue'h / erē， tsi't-tīn kuí-á tio'h sio-puê。	水車（tsuí-tshia）
口大無齒， 肚大無臍， 也會食豆， 也會食米。	kháu tuā bô khí， tóo tuā bô tsâi， iá ē tsia'h-tāu， iá ē tsia'h-bí。	布袋（pòo-tē）
六支跤， 三粒頭， 若叫若幹頭。	la'k-ki kha， sann-lia'p thâu， ná kiò ná ua't-thâu。	犁田（luê / lerê-tshân） 註： 幹頭：越頭（ua't-thâu）
四片枋， 一支竹， 兩陣鮀仔魚， 走相逐。	sì phìnn pang， tsi't ki tik， nn̄g tīn tai-á-hû / hîr， tsáu sio lip / jip。	割耙（kuah-pē）

四角上四方， 中央起玲瓏， 張飛騎白馬， 斬死草霸王。	sì kak siông sù hong， tong-ng khí ling-long， tiunn-hui khiâ pe'h-bé， tsám sí tsháu-pà-ông。	磟碡（la'k-ta'k）
四跤徛穩穩， 腹肚沖沖滾。	sì-kha khiā ún ún， pak-tōo tshiâng-tshiâng-kún。	風鼓（hong-kóo）
竹唇柴齒， 食粟放米。	tik tûn tshâ-khí， tsia'h tshik pàng bí。	土礱（thôo-lâng）
杉企鬱竹， 查埔人俠入， 查某人俠出。	sann khiā ut-tik， tsa-poo-lâng ǹg-li'p / ji'p， tsa-bóo-lâng ǹg-tshut。	尿桶（liō / jiō-tháng）
眠床跤竹籠節， 真知故意踢。	bîn-tshn̂g-kha tik-khoo-tsat， tsin-ti kòo-ì that。	尿桶（liō / jiō-tháng）
痟狗公， 十三齒， 會食塗， 袂食米。	siáu káu-kang， tsa'p-sann khí， ē tsia'h-thôo， buē tsia'h-bí。	手耙（tshiú-pē）
圓圓埕， 四角廳， 鑼鼓響一下， 兵馬走出城。	înn-înn tiânn， sì-kak thiann， lô-kóo hiáng tsi't-ē， ping-má tsáu tshut-siânn。	塗礱（thôo-lâng）
頭尖的先起事， 十七兄弟共伊打。 十三為和事佬， 七班家長嗽煞。	thâu tsiam ê sing khí-sū， tsa'p-tshit hiann-tī kā i phah， tsa'p-sann uî hô-sū-ló， tshit-pan ka-tuínn teh suah。	犁、割耙、手耙、磟碡 犁頭是尖的， 割耙有上下齒共 17 片， 手耙有十三支尖齒， 磟碡念有七片。
臍拄著臍， 白膏若來。	tsâi tú-tio'h tsâi， pe'h-kô ná lâi。	石磨仔（tsio'h-bō-á）
雙跤踏雙石， 手裡掃拭票， 啊就無擔重擔， 啊干若瞪到嗯嗯叫。	siang-kha ta'p siang-tsio'h， tshiú-lāi thê tshit-phiò。 a tiō bô tann-tāng-tànn， a kan-á tìnn-kah enn-enn-kiò。	屎礐仔（sái-ha'k-á）

（三）念謠

農具詞彙歌謠	讀　　　　　音	資料來源
算數 一二三　提扁擔 四五六　拍磟碡 七八九　烏貓娶烏狗 毛去溜溜走。	Sǹg siàu tsi't nn̄g sann　thê pín-tann， sì gōo la'k　phah-la'k-ta'k， tshit pueh káu　oo-niau tshuā oo-káu， tshuā khù / khìr liù-liù-tsáu。	發音人 陳素卿

天烏烏 天烏烏，欲落雨， 攑鋤頭，清水路， 清著一尾鯽仔魚欲娶某， 龜擔燈，鱉打鼓， 田嬰攑旗叫艱苦， 毛蟹擔燈雙目吐， 水雞扛轎大腹肚， 一碗圓仔湯予你補。	thinn-oo-oo thinn-oo-oo，beh / berh lo'h-hōo， gia'h tû-thâu，tshing tsuí-lōo， tshing-tio'h tsi't-bé / bér tsit-á-hû / hîr beh / berh tshuā- bóo， ku tann-ting，pih phah-kóo， tshân-inn giâ-kî kiò kan-khóo， mn̂g-huē / gerē tann-ting siang-ba'k thóo， tsuí-kue / kere kng-kiō tuā-pak-tóo， tsi't-uánn înn-á-thng hōo lí póo。	發音人 陳素卿
天烏烏 天烏烏，欲落雨， 做田水， 攑鋤頭，掘水路。 水雞王，大腹肚， 行路喊艱苦。 攑紅旗，拍大鼓， 做頭陣，去飼虎， 虎毋食， 越轉頭，挵破額。	thinn-oo-oo thinn-oo-oo，beh / berh lo'h-hōo， tsuè / tserè tshân-tsuí， gia'h tû-thâu，ku't tsuí-lōo。 tsuí-kue-ông，tuā-pak-tóo， kiânn-lōo huá kan-khóo。 gia'h âng-kî，phah tuā-kóo， tsuè / tserè thâu-tīn，khù / khìr tshī-hóo， hóo m̄ tsia'h， ua't-tńg-thâu，lòng- phuà-hia'h。	發音人 林鄭罔市
白翎鷥 白翎鷥，擔畚箕， 觸著牛，牛咧哮， 觸著狗，狗咧吠， 吠欲載， 吠欲食清飯， 清飯抑未煮。 吠欲食鳥鼠， 鳥鼠猶未刣。 吠欲食王梨， 王梨伊無愛。 吠欲食韭菜， 韭菜猶未買。 吠欲食阿婆的尻川頓。	pe'h-līng-si pe'h-līng-si，tann pùn-ki。 tak tio'h gû，gû leh hàu， tak tio'h káu，káu leh puī， puī beh / berh tsài， puī beh / berh tsia'h tshing pn̄g， tshing pn̄g iah bē tsú， puī beh / berh tsia'h niáu-tshí， niáu-tshí iah bē / bēr thâi。 puī beh tsia'h ông-lâi， ông-lâi i bô-ài。 puī beh / berh tsia'h kú-tshài， kú-tshài iah bē / bēr bué， puī beh / berh a-pô ê kha-tshng-phué	發音人 林鄭罔市
正月正 正月正　　甜粿滿大廳 二月二　　披棕簑拜土地 三月三　　桃仔李仔雙頭擔 四月四　　桃仔來李仔去 五月五　　西瓜滿街路 六月六　　仙草水米苔目 七月七　　龍眼烏石榴必 八月八　　牽豆藤挽豆莢 九月九　　風吹滿天哮 十月十　　有稅金提去納	tsiann-ge'h / gēr-tsiann tsiann-ge'h / gēr-tsiann　tinn-ké muá tuā thiann lī / jī-ge'h / gēr-lī / jī phi tsang-sui pài thóo-tī， sann-ge'h / gēr-sann　thô-á lí-á siang thâu tann， sì-ge'h / gēr-sì　thô-á lâi lí-á khù / khìr。 gōo-ge'h / gēr-gōo　si-kue muá kue / kere-lōo。 la'k-ge'h / gēr-la'k　sian-tsháu tsuí bí-thai-ba'k。 tshit-ge'h / gēr-tshit　lîng-gíng oo sia'h-liû pit。 pueh-ge'h / gēr-pueh khan tāu-tîn bán tāu-ngueh / gereh。 káu-ge'h / gēr-káu　hong-tshe muá thinn hàu。 tsa'p-ge'h / gēr-tsa'p ū sè / sèr-kim thê khù / khìr la'p。	發音人 陳素卿

正月正 正月正　　請团婿入大廳 二月二　　刣豬公謝土地 三月三　　桃子李子雙頭擔 四月四　　桃子來李子去 五月五　　龍船鼓水內划 六月六　　踏水車拍碌碡 七月七　　龍眼黑榭榴必 八月八　　牽豆藤挽豆莢 九月九　　風吹滿天哮 十月十　　冬瓜糖入餅盒 十一月　　年兜邊人挲圓 十二月　　穿新衫通過年	tsiann-ge'h / gēr-tsiann tsiann-ge'h / gēr-tsiann tshiánn kiánn-sài li'p / ji'p tuā thiann。 lī / jī-ge'h / gēr-lī / jī　thâi tu-kong siā thóo-tī， sann-ge'h / gēr-sann　hô-á lí-á siang thâu tann。 sì-ge'h / gēr-sì　thô-á lâi lí-á khù / khìr。 gōo-ge'h / gēr-gōo　līng-tsûn-kóo tsuí lāi kò。 la'k-ge'h / gēr-la'k　ta'h-tsuí-tshia phah-la'k-ta'k。 shit-ge'h / gēr-tshit　lîng-gíng-oo sia'h-liû-pit。 pueh-ge'h / gēr-pueh　khan tāu-tîn bán tāu-ngueh / gereh。 káu-ge'h / gēr-káu　hong-tshe muá-thinn-hàu。 tsa'p-ge'h / gēr-tsa'p　tang-kue-thn̂g li'p / ji'p piánn-a'h。 tsa'p-it-ge'h / gēr　nî-tau-pinn lâng-so-înn。 tsa'p-lī-ge'h / gēr　tshīng sin-sann thang kè-nî。	發音人 林肅雕
正月蔥、二月韭 三月莧、四月蕹 五月匏、六月瓜 七月筍、八月芋 九芥藍、十芹菜 十一蒜、十二白	tsiann ge'h / gēr tshang，lī ge'h / gēr kú， sann ge'h / gēr hīng，sì ge'h / gēr ìng， gōo ge'h / gēr pû，la'k ge'h / gēr kue， tshit ge'h / gēr sún，peh ge'h / gēr ōo， káu kè-nâ，tsa'p khûn-tshài。 tsa'p it suàn，tsa'p lī　/ jī pe'h。	發音人 林肅雕
冬節佇月頭， 欲寒佇年兜； 冬節月中央， 無霜也無雪； 冬節佇月尾， 欲寒正二月。	tang-tseh tū / tīr ge'h / gēr thâu， beh / berh kuànn tū / tīr nî-tau， tang-tseh ge'h / gēr tiong-ng， bô sng iā bô seh / serh， tang-tseh tū ge'h / gēr bé / bér， beh / berh kuànn tsiann lī / jī ge'h / gēr。	發音人 王招財
白翎鷥 白翎鷥，車糞箕 捙到溪仔墘 跋一倒，抾著一仙錢 買大餅，送大姨 大姨嫌無夠， 擸雞來咒讖， 咒讖無，打嬌婆， 咒讖有，打新婦。 註： 跋一倒：跌一跤 抾著：撿到 擸雞：抓雞 咒誓：詛咒 新婦：媳婦	pe'h-līng-si pe'h-līng-si，tshia pùn-ki tshia kàu khue / khere-á-kînn， pua'h-tsi't-tó，khioh-tio'h it-sián-tsînn， bué tuā-piánn sòng tuā-î， tuā-î hiâm bô-kàu， liah kue / kere lâi tsiù-tshàm， tsiù-tshàm bô，phah tsím-pô， tsiù-tshàm ū，phah sin-pū。	發音人 詹茂雄
風鼓 風鼓實在眞稀奇， 腹肚內底藏葵扇，	hong-kóo hong-kóo si't-tsāi tsin hi-kî， pak-tóo lāi-tué / teré tshàng khue-sìnn，	黃勁連《台 語讀本7》， 眞平出版。

攃過來攃過去， 細力攃風微微， 大力攃親像風颱天， 會當鼓粟仔通挨米。	ia't-kè-âi ia't-kè / kèr-khù / khìr， sè-la't-ia't hong-bî-bî， tuā-la't-ia't tshin-tshiūnn hong-thai-thinn， ē-tàng kóo-tshik-á thang-e-bí。	
查某囡仔嬰 查某囡仔嬰， 捀茶請先生， 先生無目睭， 攑鉸刀剪石榴， 石榴射低低， 幔棕蓑戴大笠， 大笠好遮雨， 刣豬反豬肚。 註： 捀茶：捧茶 攑鉸刀：拿剪刀	Tsa-bóo gín-á-inn tsa-bóo gín-á-inn， phâng-tê tshiánn sian-sinn， sian-sinn bô ba'k-tsiu， gia'h ka-to tsián sia'h-liû， sia'h-liû siā-kē-kē， mua tsang-sui tì tuā-lue'h / lerē， tuā-le'h / lerē hó lia-hōo， thâi tu píng tu-tōo。	發音人 王周森

參考書目

一、古籍、史料

1. （元）王禎撰，《王禎農書》，上海：商務印書，1939 年。

2. （元）王禎，《農書》卷 12，台北：臺灣商務，1975 年。（王雲五主編，《四庫全書珍本‧別輯‧171～175》）

3. 今澤正秋，《鶯歌鄉土誌》，1934 年 2 月。

4. 古舜仁、陳存良譯，《台北州街庄志彙編》，臺北縣板橋市：北縣文化，1998 年 7 月。

5. （明）宋應星，《天工開物》，台北：商務印書館，1987 年臺六版；1637 年原著。

6. 林慶福主修，《樹林鎮志》，樹林林鎮志編纂委員會，1973 年。

7. 林熊祥主修，《臺灣省通志稿‧卷四‧經濟志農業篇》全一冊，臺灣省政府印刷，1979 年。

8. 徐啓光撰，石聲漢校注，《農政全書校注》全三冊，上海：古籍出版社，1983 年。

9. 張炳楠監修，李汝和等纂，《臺灣省通志》卷四，《經濟志‧農業篇》，台灣省文獻委員會，1972 年。

10. 莊英章，《續修臺北縣志（卷三）──住民志，語言》，臺北縣政府，2009 年。

11. 許淑娟著，《臺灣全志（卷二）──土地志，地名篇》，國史館臺灣文獻館，2010 年 11 月。

12. 《重修台灣省通志──經濟志》，台灣省文獻委員會，1996 年。

13. 陳肇興撰，《陶村詩稿》第一輯，台北：龍文出版社，1992 年重印出版。

14. 陸龜蒙，《未耜經》，顧氏祇涀館刊本。明‧嘉靖，壬戌 41 年。

15. 黃純青監修，《臺灣省通志稿‧卷三‧經濟志農業篇》，台北市：臺灣省文獻委員會，1953 年。

16. 臺灣總督府殖產局編，《台灣の農具》，慶友社，1992 年 4 月復刻。

17. 樹林市志編審及諮詢委員會編，《樹林市志》，樹林市公所，2001 年。

18. 樹林市志編審及諮詢委員會編，《樹林市志》，樹林市公所，2012 年。

19. 戴寶村、陳慈玉，《續修臺北縣志（卷六）——經濟志》，臺北縣政府，2007 年。

二、學者專著

1. 天野元之助，《中國農業史研究》，東京：水書房，1962 年。

2. 王啓柱，《中國農業起源與發展——中國農業史初探》，台北：國立編譯館，1994 年。

3. 友于、李長年，《呂氏春秋中的耕作原理——中國農學史》，北京：科學出版社，1984 年。

4. 石璋如，《中國的遠古文化》，台北：中華文化出版委員會，1954 年。

5. 安培明義，《臺灣地名研究》，武陵出版社，1938 年。

6. 行政院農業委員會編印，《臺灣農家全書》，台北：行政院農業委員會編印，1989 年四版。

7. 朱介凡，《中華諺語志（七）》，台北：商務，1989 年。

8. 沈宗瀚、趙雅書，《中華農業史》，台北：商務出版社，1979 年。

9. 李長年，《中國農業史話》，台北：明文書局，1982 年。

10. 吳瀛濤，《臺灣諺語》，台北：臺灣英文出版社，1979 年四版。

11. 吳聰賢，《農業史》，台北：黎明出版社，1992 年。

12. 吳泉田，《台灣農業史》，台北：自立晚報，1993 年。

13. 林金城主編，《坪林相褒歌》，新北：昊天嶺文史工作室，2012 年。

14. 邱淵惠，《台灣牛》，台北：遠流出版公司，1997 年。

15. 周長楫、林鵬祥、魏南安，《臺灣閩南語諺語》，台北：自立晚報社文化出版，1992 年。

16. 姚榮松，〈導讀〉，《台灣語典》，台北：金楓出版社，1987 年。

17. 洪筆鋒總編，《台灣農家要覽，農作篇（一）》，農業委員會農家要覽增修定再版策劃委員會，台北：豐年社，1995 年 5 月。

18. 洪敏麟，《臺灣舊地名沿革》第一冊，臺灣文獻委員會，1999 年。

19. （清）郁永河，原著陸傳傑著，《裨海紀遊新注／〔（清）郁永河原著〕》，

　　臺北市：大地地理，2001 年。

20. 施福珍，《臺灣囝仔歌的故事》，台北：自立晚報文化出版部，1994 年。

21. 陳主顯著，《台灣俗諺語典（卷八）──天氣田園健康》，台北：前衛出版社，2005 年 12 月。

22. 陳文華，《中國古代農業科技史圖譜》，北京：農業出版社，1991 年。

23. 陳正之，《古農具舊時情》，台北：漢光文化出版社，1999 年。

24. 陳主顯，《台灣俗語典（卷八‧天氣、田園和健康）》，台北：前衛出版社，2005 年。

25. 梁鶚編輯，《台灣農家要覽》上冊、下冊，臺北：豐年社，1987 年。

26. 連橫，《臺灣語典雅言》，南投：臺灣省文獻委員會，1992 年。

27. 張屏生，《台灣地區漢語方言的語音和詞彙（冊一）〔論述篇〕》，台南：開朗雜誌事業，2006 年。

28. 張屏生，《台灣地區漢語方言的語音和詞彙（冊二）〔語料篇一〕》，台南：開朗雜誌事業，2006 年。

29. 張屏生，《台灣地區漢語方言的語音和詞彙（冊三）〔語料篇二〕》，台南：開朗雜誌事業，2006 年。

30. 張屏生，《台灣地區漢語方言的語音和詞彙（冊四）〔語料篇二〕》，台南：開朗雜誌事業，2006 年。

31. 張鏡湖，《世界農業的起源》，台北：文化大學，1987 年。

32. 許啓煌主編，《農村文物館》，台中：台中縣清水鎮公所，1993 年。

33. 黃士強，《中國考古發掘概說──考古中國》，台北：錦繡文化出版社，1982 年。

34. 嵐嘉一，《犁耕？發達史》，昭和 52 年。

35. 湯曉虞，《台灣的農村》，台北：遠足文化，2008 年 6 月。

36. 楊秀芳，《臺灣閩南語語法稿》，台北：大安，1991 年。

37. 楊秀芳，《閩南語字彙》，台北：教育部，2001 年。

38. 潘韶如編著，《中和地區農會　鄉土教材》，台灣歷史博物館籌備處。

39. 簡榮聰，《臺灣客家農村生活與農具──傳統臺灣客家農具與農村生活初探》。中華民國臺灣史蹟研究中心，1991 年 12 月。

40. 簡榮聰，《臺灣傳統農村生活與文物》，臺灣省文獻委員會，1992 年。

41. 簡榮聰，《台灣農村民謠與詩詠》，行政院農委會、中華民國四健會協會，1994 年 6 月。

42. 顧復，《農具》，上海及各埠商務印書館，1931 年 4 月。

43. 顧復，《農具學》，台北：台灣商務，1975 年。

三、學術期刊論文

1. 姚榮松，〈閩南話書面語的漢字規範〉，《教學與研究》第 12 期（1990.06），頁 23～40。

2. 姚榮松，〈方言溯源〉，《教學與研究》第 12 期（1996.06），頁 1～21。

3. 姚榮松，〈兩岸閩南話詞典對方言本字認定的差異〉，《國立臺灣師大學國文學報》第 21 期（1993.06），頁 41～58。

4. 姚榮松，〈閩南語書面語使用漢字類型分析——兼論漢語方言文字學〉，《第一屆臺灣本土文化學術研討會論文集》（1994.12），頁 177～192。

5. 姚榮松，〈字源與流俗詞源的迷思——從《台灣語典》看台語漢字的規範道路〉，《字源與流俗的迷思》，政治大學（1997.05），頁 81～100。

6. 姚榮松，〈閩客共有詞彙中的同源問題〉，《中國學術年刊》第 19 期（1994.03），頁 659～670。

7. 姚榮松，〈從詞彙系統看臺灣閩南語的言語層次〉，《李爽秋教授八十壽慶祝壽論文集抽印本》（1995.04），頁 233～250。

四、期刊論文

1. 王雅慧，〈打開農家的魔法箱——古農具‧思想起〉，《少年臺灣》12（2003.05），頁 68～69。

2. 王水根，〈江西青銅農具研究〉，《故宮文物月刊》（1996.06），頁 58～67。

3. 王溪清，〈古時農具——記臺南市立文化中心陳列器物〉，《臺南文化》34（1992.12），頁 75～106。

4. 王思祥，〈農具今夕〉，《農友》（1989.12），頁 59～61。

5. 田壯，〈回首來時路——古農具巡禮：冬節家家作粉彈〉，《臺灣月刊》216（2000.12），頁 84～88。

6. 伶伊，〈臺灣古農具紙上展——耘草〉，《農友》（1989.03），頁 36～37。

7. 伶伊，〈臺灣舊農具紙上談－2〉，《農友》（1988.12），頁 35～39。

8. 伶伊，〈臺灣舊農具紙上談－1〉，《農友》（1988.11），頁 37～38。

9. 金眞，〈古農具‧見匠心〉，《豐年半月刊》（2008.02），頁 67～68。

10. 金陵藝訊，〈中國農村古農具展〉，《六堆雜誌》革新 6（1988.05），頁 52。

11. 陳富梅，〈古農具，憶老農〉，《六堆雜誌》革新 59（1997.02），頁 18。

12. 陳良佐，〈我國古代的青銅農具：兼論農具的演變（下）〉，《漢學研究》（1984.12），頁 363～402。

13. 陳良佐，〈我國古代的青銅農具：兼論農具的演變（上）〉，《漢學研究》（1984.06），頁 135～166。

14. 郭安，〈「回首來時路——古農具巡禮」：雙手拋來天雨粟〉，《臺灣月刊》206（2000.02），頁 72～77。

15. 郭安，〈「回首來時路——古農具之旅」：低頭便見水中天〉，《臺灣月刊》207（2000.03），頁 84～88。

16. 郭安，〈回首來時路——傳統農具巡禮：一番煙雨入新秧〉，《臺灣月刊》208（2000.04），頁 84～88。

17. 郭安，〈「回首來時路——古農具巡禮」：鄉井同田守望相助〉，《臺灣月刊》210（2000.06），頁 84～88。

18. 郭安，〈「回首來時路——古農具巡禮」：鎌影遙連犢影昏〉，《臺灣月刊》211（2000.07），頁 84～88。

19. 郭安，〈「回首來路時——古農具巡禮」：隨穡隨耕力最煩〉，《臺灣月刊》212（2000.08），頁 84～88。

20. 郭安，〈「回首來時路——古農具巡禮」：八月八牽豆藤芼豆夾〉《臺灣月刊》213（2000.09），頁 84～88。

21. 郭安，〈回首來時路——古農具巡禮：三陽無風雨豐年登〉，《臺灣月刊》214（2000.10），頁 84～88。

22. 郭安，〈「回首來時路——古農具巡禮」：一歲還逢兩稔豐〉，《臺灣月刊》215（2000.11），頁 84～88。

23. 郭安，〈回首來時路——古農具巡禮：柴門草舍絕風塵〉，《臺灣月刊》217（2001.01），頁 58～64。

24. 莊稼漢，〈臺灣古農具紙上展——加工〉，《農友》（1989.06），頁 36～38。

25. 莊稼漢，〈臺灣舊農具紙上展——搬運〉，《農友》（1989.07），頁 36～38。

26. 鄉間小路編輯部，〈古早農具〉，《鄉間小路》（2007.09），頁 77。

27. 農訓雜誌，〈風流自賞，真率誰知？——太平古農莊古農具〉，《農訓雜誌》（2007.03），頁 58～59。

28. 農訓雜誌，〈風流自賞，真率誰知？——太平古農莊的古農具（2）衣〉，《農訓雜誌》（2007.05），頁 60～61。

29. 農訓雜誌，〈風流自賞，真率誰知——太平古農莊的古農具（3）住〉，《農訓雜誌》（2007.08），頁 42～43。

30. 農訓雜誌，〈風流自賞，真率誰知？——太平古農莊古農具（四行）〉，《農訓雜誌》（2007.10），頁 46～47。

31. 蔡承豪，〈農具改良、競犁推廣——日治時期彰化地區的農事活動〉，《彰化文獻》（2008.12），頁 165～186。

32. 謝建傳，〈實用機耕農具——轉動式碎裂機〉，《臺灣農村》（1981.06），頁 34～37。

33. 謝建傳，〈實用機耕農具──圓碟耙〉，《臺灣農村》（1981.03），頁 30～36。

34. 謝建傳，〈實用機耕農具──心土犁〉，《臺灣農村》（1981.02），頁 37～38。

35. 簡榮聰，〈臺灣傳統客家農村生活與農具〉，《史聯雜誌》18（1991.06），頁 1～25。

36. 羅尚，〈土地農作農具（鄉俗雜談之七）〉，《四川文獻》（1965.05），頁 19～20。

五、學位論文

1. 林郁靜，〈麥寮方言的調查與研究──語音及詞彙初探〉，新竹：國立新竹師範學院 臺灣語言與語文教育研究所碩士論文，2002 年。

2. 林慶泓，〈台灣史前耕墾整地用石器農具發展之研究〉，屏東：國立屏東科技大學機械工程系碩士班碩士論文，2005 年。

3. 陳光輝，〈台灣傳統犁耕機具發展之研究〉，屏東：屏東科技大學機械工程系研究所碩論文，2002 年。

4. 謝欽城，〈台灣糖業耕作機具發展與工作原理之研究〉，國立屏東科技大學機械工程系碩士班碩士論文，2003 年。

5. 蔡承豪，〈天工開物──臺灣稻作技術變遷之研究〉，台北：國立臺灣師範大學歷史研究所，2009 年。

六、工具書

1. 台灣總督府，《台日大辭典》（1931），臺北：武陵出版社（重印）。

2. 董忠司、城淑賢編，《簡明台灣語字典》，五南出版社，2010 年。

3. 董忠司總編纂，《台灣閩南語辭典》，五南出版社，2000 年。

4. 教育部國語推行委員會，《臺灣閩南語常用辭典》，100 年 7 月。
   http://twblg.dict.edu.tw/holodict_new/index.html

5. 台語辭典（台日大辭典台語譯本）查詢：
   http://taigi.fhl.net/dict/index.html

6. 台文／華文線頂辭典：
   http://210.240.194.97/iug/Ungian/soannteng/chil/taihoa.asp

七、其他

1. 日日打鐵店：
   http://library.taiwanschoolnet.org/cyberfair2002/C0219330170/skill_3.htm

2. 令人懷念的早期農具：

http://www.shwps.ptc.edu.tw/country/farmer/farmer.htm

3. 地名索引系統：http://placesearch.moi.gov.tw/search/

4. 行政院農業委員會：http://www.coa.gov.tw/show_index.php

5. 沙鹿鎮傳統工業發展：
http://library.shalu.gov.tw/book-s2/ch03/ch03-1-205.htm

6. 周源成農具：http://cyc168.myweb.hinet.net/

7. 宜蘭農田水利會　古農具展示：http://www.ilia.gov.tw/古農具/index.htm

8. 國立中正大學臺灣文學研究所、國立雲林科技大學漢學研究所建置的
《臺灣好文學網》：http://deptitl.ccu.edu.tw/literaturetaiwan/

9. 國家臺灣文學館建置的《臺灣文學辭典》：http://xdcm.nmtl.gov.tw:8090/

10. 維基百科農具：http://zh.wikipedia.org/zh-hk/%E5%86%9C%E5%85%B7

11. 臺灣歷史博物館：http://www.nmth.gov.tw/index.php

12. Formosa——臺灣 19 世紀影像：
http://academic.reed.edu/formosa/formosa_index_page/Formosa_index.html

13. 新北市中和區農會文物館

14. 淡水區石頭厝收藏家陳彬杉先生